JN133287

利用者の生活を支えるしくみ

地域包括ケアシステムでは，「公助」「共助」「互助」「自助」のバランスのなかで，生活支援に関する社会資源を確保することをめざしています。

今後は，1人暮らしの高齢者や，高齢者のみの世帯がより増えると予想されるため，自助と互助の概念や，求められる範囲・役割などが新しい形に変化していくと考えられます。

自助

自分のことは自分でする

- みずからの健康管理（セルフケア）
- 市場サービスの購入

互助

相互に支え合うことのうち，費用負担が制度的に裏づけられていない自発的なもの

- 当事者団体による取り組み
- 高齢者によるボランティア活動・生きがい就労
- ボランティア活動
- 住民組織の活動

共助

相互に支え合うことのうち，制度的な費用負担が発生するもの

- 介護保険に代表される社会保険制度およびサービス

公助

税による公的な負担

- ボランティア・住民組織の活動への公的支援
- 一般財源による高齢者福祉事業等
- 生活保護
- 人権擁護・虐待対策

利用者の生活を支える「多職種連携」

介護福祉士の仕事では，保健・医療・福祉にかかわるさまざまな専門職等との連携が重要です。利用者の状態や意向等によって介護サービスのあり方やかかわる専門職種等は異なるため，多職種連携では専門職同士の緊密な情報交換や効果的なカンファレンスが大切です。

◆リハビリテーションに取り組みながら自宅で暮らすAさん

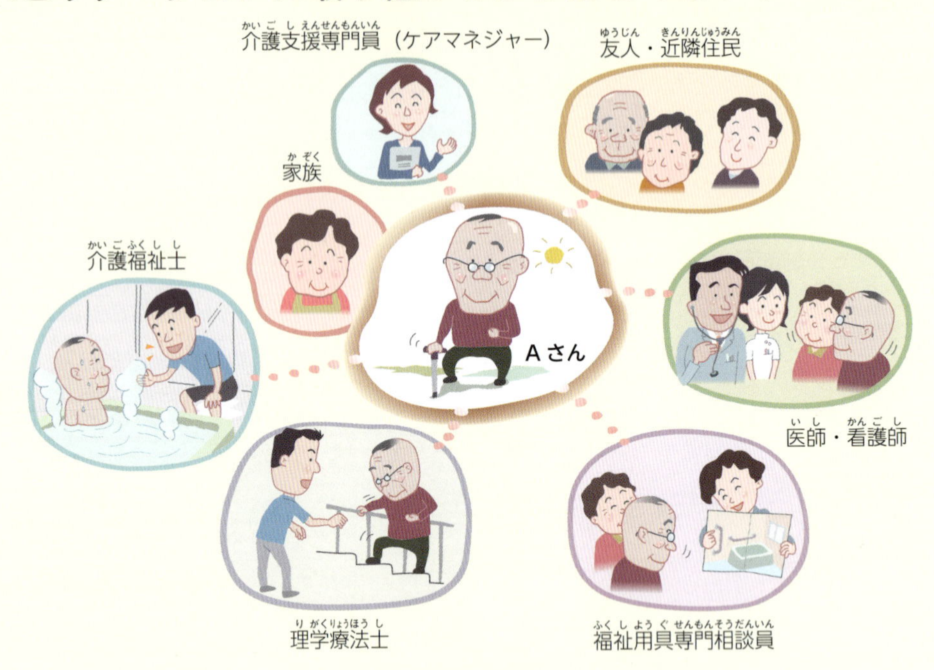

◆地域の人々に支えられて暮らす認知症のBさん

リスクマネジメントの視点

◆環境の整備

環境を整えることで，利用者本人がみずから危険を回避しつつ，できる生活行為を広げることができます。

低床ベッドと畳の床

安全な起き上がりや立ち上がりをサポートし，転倒した場合も衝撃を軽くします。

トイレの手すり

手すりがあることで，安全に座ったり立ったりできるようになります。

◆感染予防

日ごろから感染予防を意識することが，感染の拡大をおさえ，利用者の尊厳ある暮らしにつながります。

清潔区域と汚染区域の分離

感染症の原因がひそむ汚染区域は，生活空間である清潔区域と分離させます。

手洗いの徹底

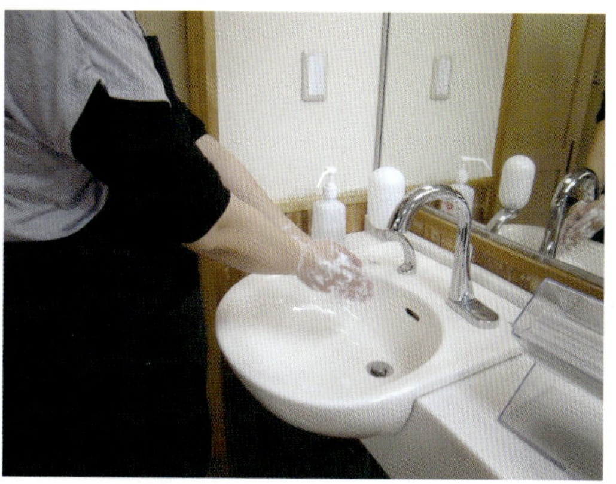

「1ケア1手洗い」「ケア前後の手洗い」が基本です。

ノーリフティングポリシー

介護従事者の腰痛予防対策，利用者の自立・自律のために，人力のみで「押す・引く・持ち上げる」といった作業をできる限りなくし，移動・移乗時のリスクを回避・低減する方法として「ノーリフティングポリシー」があります。用具・機器の使用や複数人での対応を行います。

◆スライディングシート・スライディングボード

スライディングシートはベッド上での移動・体位変換時に，スライディングボードは車いすやトイレ等への座位移乗時に使用します。

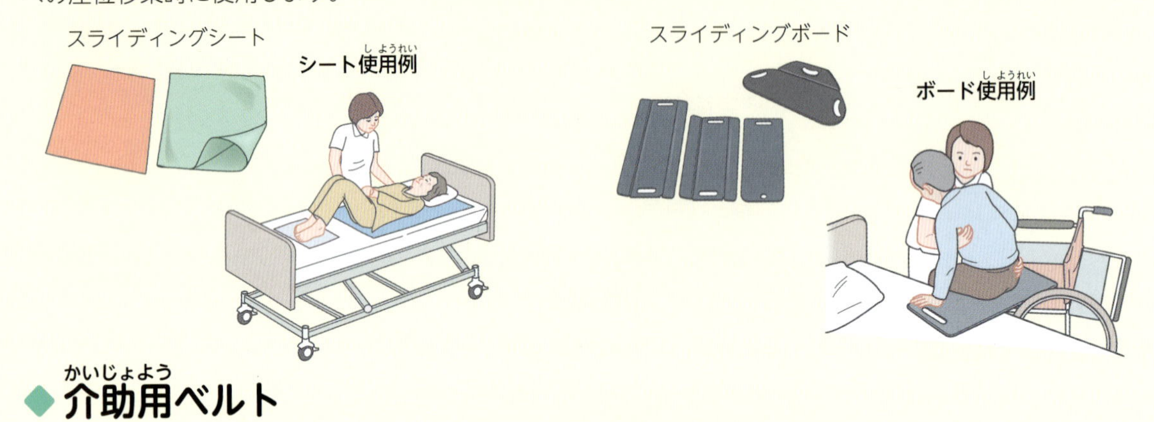

◆介助用ベルト

立ち上がり時などに介助が必要な場合，介助用ベルトの把手を持って利用者の身体を支えたりします。

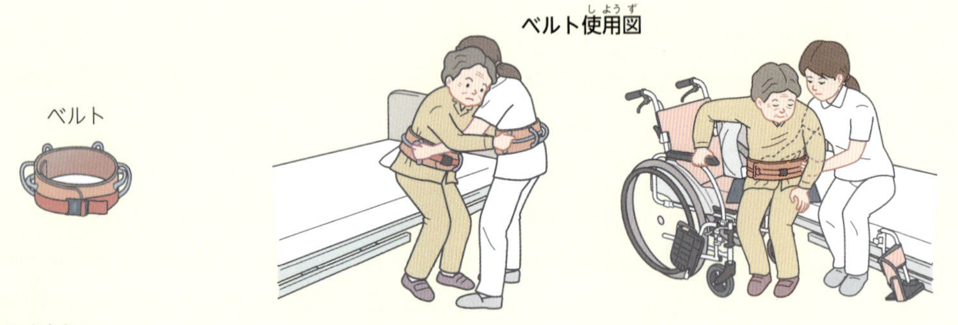

◆移乗用リフト

端座位の保持や身体を前傾させるのがむずかしい利用者の移動・移乗時に使用します。

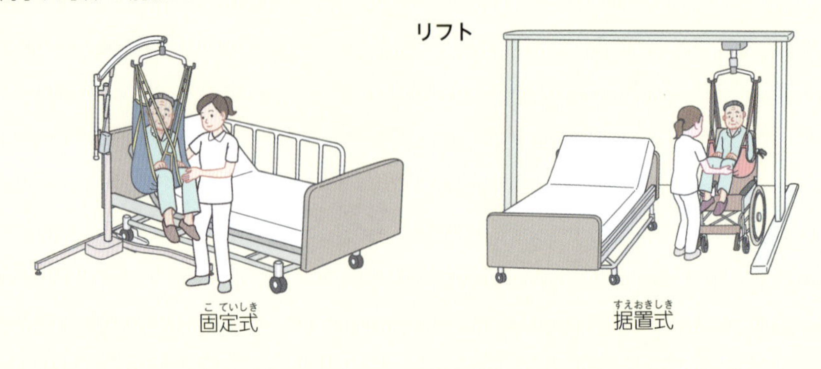

固定式　　据置式

最新

介護福祉士養成講座 4

編集　介護福祉士養成講座編集委員会

介護の基本Ⅱ

第2版

中央法規

『最新 介護福祉士養成講座』初版刊行にあたって

1987（昭和62）年に「社会福祉士及び介護福祉士法」が制定され、介護福祉職の国家資格である介護福祉士が誕生してから30年以上が経ちました。2018（平成30）年11月末現在、資格取得者（登録者）は162万3974人に達し、施設・在宅を問わず地域における介護の中核をになう存在として厚い信頼をえています。

近年では、世界に類を見ないスピードで進む高齢化に対応する日本の介護サービスは国際的にも注目を集めており、アジアをはじめとする海外諸国から知識と技術を学びに来る学生が増えています。

もともと介護福祉士が生まれた背景には、戦後の高度経済成長にともなう日本社会の構造的な変化がありました。資格誕生から今日にいたるまでのあいだも社会は絶えず変化を続けており、介護福祉士に求められる役割と期待はますます大きくなっています。そのような背景のもと、今後さらに複雑化・多様化・高度化していく介護ニーズに対応できる介護福祉士を育成するために、2018（平成30）年に10年ぶりに養成カリキュラムの見直しが行われました。

当編集委員会は、資格制度が誕生した当初から、介護福祉士養成のためのテキスト『介護福祉士養成講座』を刊行してきました。福祉関係八法の改正、社会福祉法や介護保険法の施行など、時代の動きに対応して、適宜記述内容の見直しや全面改訂を行ってきました。そして今般、本講座を新たなカリキュラムに対応した内容に刷新するべく『最新 介護福祉士養成講座』として刊行することになりました。

『最新 介護福祉士養成講座』の特徴としては、次の事項があげられます。

① 介護福祉士養成のための標準的なテキストとして国の示したカリキュラムに対応
② 現場に出たあとでも立ち返ることができ、専門性の向上に役立つ
③ 講座全体として科目同士の関連性も見える
④ 平易な表現や読みがなにより、日本人学生と外国人留学生がともに学べる
⑤ オールカラー（11巻、15巻）、ＡＲ（拡張現実：６巻、７巻、15巻）の採用などビジュアル面への配慮

本講座が新しい時代にふさわしい介護福祉士の養成に役立ち、さらには本講座を学んだ方々が広く介護福祉の世界をリードする人材へと成長されることを願ってやみません。

2019（平成31）年３月

介護福祉士養成講座編集委員会

はじめに

「介護の基本」は、介護福祉の基本となる理念や、地域を基盤とした生活の継続性を支援するためのしくみを理解し、介護福祉の専門職としての能力と態度を養うための科目です。

本書『介護の基本Ⅱ』では、まず、介護を必要とする人の生活を支援するという観点から、第１章の「介護福祉を必要とする人の理解」で、介護を受けて生活する人およびその生活について学びます。第２章の「介護福祉を必要とする人の生活を支えるしくみ」では、介護を必要とする人の生活を支援するという観点から、フォーマルおよびインフォーマルな支援、地域連携について事例を用いて学びを深めます。次に、安全の確保のための基礎的な知識や事故への対応、介護におけるリスクマネジメントの必要性を理解するという観点から、第３章の「介護における安全の確保とリスクマネジメント」では、第１節で介護における安全の確保、第２節でリスクマネジメントとは何か、そしてリスクを回避するための方法等について解説しています。

また、多職種協働による介護を実践するために、保健・医療・福祉に関する、ほかの職種の専門性や役割と機能を理解する観点から、第４章の「協働する多職種の機能と役割」では、多職種が連携する必要性や多職種の役割を学び、多職種協働の実際について紹介しています。最後に、介護従事者自身が心身ともに健康に、介護を実践するための健康管理や労働環境の管理を理解するという観点から、第５章の「介護従事者の安全」では、自身のこころと身体の健康管理と、労働環境の両面から学ぶ内容になっています。

全体を通じて、できる限りわかりやすい日本語表現を心がけ、図表やイラスト・写真などを多く用いて読みやすさに配慮しました。

内容面に関しては最善を尽くしていますが、ご活用いただくなかでお気づきになった点は、ぜひご意見をお寄せください。いただいた声を参考にして、改訂を重ねていきたいと考えています。

編集委員一同

目次

第2章 介護福祉を必要とする人の生活を支えるしくみ

第3章 介護における安全の確保とリスクマネジメント

第5章 介護従事者の安全

本書では学習の便宜をはかることを目的として、以下のような項目を設けました。

- 学習のポイント … 各節で学ぶべきポイントを明示
- 関連項目 ………… 各節の冒頭で、『最新 介護福祉士養成講座』において内容が関連する他巻の章や節を明示
- 重要語句 ………… 学習上、とくに重要と思われる語句について色文字のゴシック体で明示
- 補足説明 ………… 専門用語や難解な用語・語句をゴシック体で明示するとともに、側注でその用語解説や補足的な説明を掲載
- 演　習 ………… 節末や章末に、学習内容を整理するふり返りや、理解を深めるためのグループワークなどの演習課題を掲載

第1章

介護福祉を必要とする人の理解

第1節

私たちの生活の理解

学習のポイント

- 私たちの生活は「時間」「空間」「生活のリズム」が相互に関連し、構成されていることを理解する
- 私たちの生活を構成する重要な要素について理解する
- 私たちにとって、生活とはどのような特性をもっているかを理解する

関連項目
②『社会の理解』 ▶第１章「社会と生活のしくみ」
⑥『生活支援技術Ⅰ』▶第１章「生活支援の理解」

介護福祉サービスは、介護を必要とする人たちが、日々のあらゆる生活行為に対して、その思いや願いを反映させて生活できるよう支援することを目的として提供されます。どのような状況においてもその人らしい生活が送れることを支援する専門職として、「生活」の意味を理解することは、介護の基本を学ぶうえで欠かせません。

本節では、「生活」とは何かを示し、どのような特性をもっているのかを学び、「生活」についての基本的な理解を深めます。

1 生活とは何か

1 生活とは

辞書には、『生活』とは「①暮らしていること、暮らしていくこと、②生きて活動すること、③暮らしを支えているもの」(『大辞林　第３版』)と記されています。すなわち**生活**とは、人間という生物として生きること、しかもただ生きているのではなく活動をともなうこと、そして、１日１日を過ごしていくなかに、個別性や多様性があって変化するものである、というようにとらえることができます。

生物としての人間の生活がほかの動物と異なるのは、心臓の拍動などの身体活動や、食事や排泄、睡眠などの生命維持のための活動を習慣的にくり返し行うだけでなく、その行動が社会という関係性のなかでそれぞれに**役割**[1]をもっていること、また、そこに、個人の意思をあらわしているという点です。つまり、生理的なリズムをきざみながら、社会的な役割のなかでそれぞれの思いの実現をはかるために、さまざまな営みを行うことが生活であるといえます。

[1]役割
その人の立場や職務に応じて期待され、あるいは果たさなければならないはたらきや役目をいう。

2 生活と時間

私たちは皆、1日24時間という等しく与えられた時間をもっています。季節や地域により、夜明けや日没の時間の差はあっても、朝が来れば起きて洗顔をし、朝食をとります。日中はそれぞれがその役割や目的にそって活動し、終了すれば、好きなことをして過ごす時間ももっています。活動を終えて帰宅すると、夕食、入浴等をして就寝までの時間を過ごします。この24時間という時間枠は、1日のほとんどを寝て過ごす赤ん坊も、学校に通う児童・生徒・学生も、職場で仕事をする人も、仕事をもたない高齢者や家庭の主婦も皆一律です。24時間という枠組みのなかで、人は皆それぞれの生活を送っているのです。**表1－1**は、人の生活を構成する活動の種類を3つに区分し、まとめたものです。

生活活動については、その人のおかれた状況や志向により内容や時間の使い方が人それぞれ異なるほか、性別や年齢によって変化します。**図1－1**で示すように、一般的に、高齢になると、睡眠時間等の生理的に必要な1次活動や余暇等の3次活動が増加し、社会的な活動である2次活動が減少していきます。

3 生活と空間

生活活動が営まれるためには「場」が必要ですが、そこにかかわる人や、使用する道具・設備等の環境は目的によって異なります。生理的な活動として、多くの時間を費やす睡眠には、寝室と呼ばれるもっともプライベートな場があります。そこでは、心地よい睡眠がえられるように環境や寝具を整えます。食事や入浴・排泄等の生理的な活動も同じように、それぞれの目的にそった環境を整備します。これらの多くは個人的

表1－1　生活活動の種類

《生理的に必要な活動》 人間が生きていくうえで生理的に必要な活動	・睡眠 ・食事 ・身のまわりの用事
《社会的に必要な活動》 各個人が家庭や社会の一員として行う義務的な活動	・通勤、通学 ・仕事（収入を伴う） ・学業（学生が学校の授業やそれに関連して行う学習活動） ・家事 ・介護、看護 ・育児 ・買い物
《リフレッシュや生きがいのために必要な活動》 各個人の自由裁量時間に行う（いわゆる余暇）活動	・移動（通学、通勤を除く） ・テレビ、ラジオ、新聞、雑誌 ・休養、くつろぎ ・学習、研究（上記の「学業」を除く） ・趣味、娯楽 ・スポーツ ・ボランティア活動、社会参加活動 ・交際、付き合い ・受診、療養 ・その他

資料：総務省統計局「社会生活統計指標－都道府県の指標－2008」をもとに作成

な生活の場・空間であり、また、私的な生活領域でもあります。この生活領域が家庭ということになります。

私たちには、家庭以外にも学校・職場・地域といった活動の場があります（図1－2）。これらは私的な生活領域に対して、公共的・社会的な性格をもった生活の場・空間ということができます。そこでは、いろいろな人々がさまざまな関係性のなかで、役割や務めを果たすために活動しています。私たちはそうした環境のなかで、人とかかわり、道具や設備を利用して生活を営んでいます。

これらの活動の場やそこでの関係性は、それぞれの**生活周期**[2]（life cycle）のなかで変化していきます。たとえば、子育てをしながら仕事をしている人は、子どもとのかかわりや、子どもの友達やその親などとのつながり、あるいは仕事の同僚、関係する人々等、広くさまざまな場

❷生活周期
人の一生は、一般に誕生・成長・成熟・老化・死亡という経過をたどる。このような生から死にいたるまでの一般的・規則的な変化をいう。人の一生涯は、多くの段階（ライフステージ）に分かれている。個人の就労の節目を視点とする考え方や、家族の課題としてとらえる考え方などがある。

図1－1　男女、年齢階級、行動の種類別生活時間（週全体）

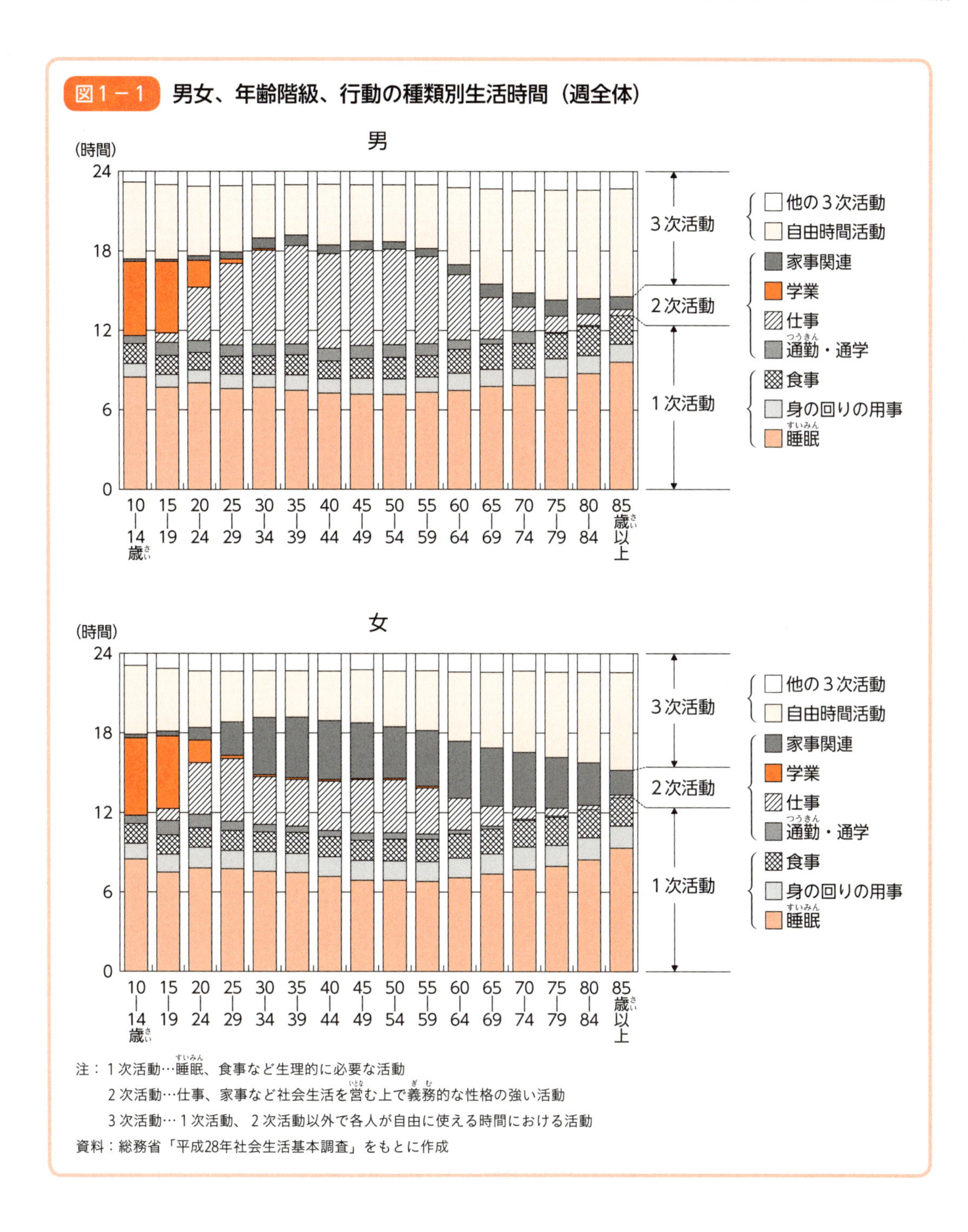

注：1次活動…睡眠、食事など生理的に必要な活動
　　2次活動…仕事、家事など社会生活を営む上で義務的な性格の強い活動
　　3次活動…1次活動、2次活動以外で各人が自由に使える時間における活動
資料：総務省「平成28年社会生活基本調査」をもとに作成

との関係が存在します。

一方、定年退職後、家で過ごす時間が長くなると、家族以外の人々とかかわることが減ります。地域での交流が少ないと、生活の空間はさらにせまくなります。また、加齢や障害によって、心身機能の低下による活動の制限が加わると、他者との交流や社会的な活動の機会はさらに少

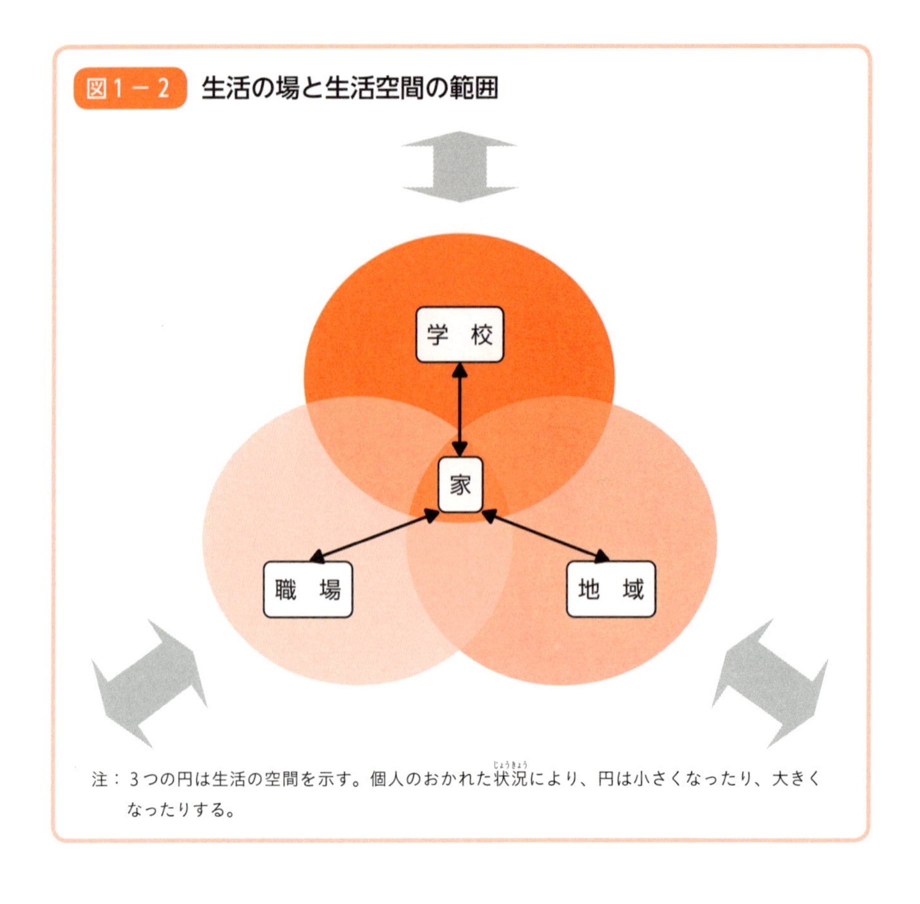

図1－2 生活の場と生活空間の範囲

注：3つの円は生活の空間を示す。個人のおかれた状況により、円は小さくなったり、大きくなったりする。

なくなります。そうすると、社会との接点が少なく、せまく閉じられた生活空間での生活に転じます。

4 生活とリズム

人は、さまざまな生活活動を、24時間の時間軸のなかで選択し、それを継続させることで、**その人なりの生活の流れ**をつくっています。1日1日の積み重ねのなかでこの生活の流れを維持することは、生きる力をつくり出す、あるいは生きる力をおぎなうための重要な役割をになっています。

生活の流れは人によって異なりますが、それぞれに一定のリズムが存在しています。前述の**図1－1**で示したように、生活時間は年齢により異なりますが、たとえば、仕事をしている20～30歳代の女性は、起床後の1時間は洗顔、食事、家事をこなして、子どもを保育所に送って職場に向かわなければならず、非常に忙しく活動します。目が回るような忙しさですが、それが日課でありリズムとなっています。

子どもが成人し、仕事を退職するような年齢になると、朝の1時間の活動内容がぐんと減ります。また、身体の機能の低下が加わると、急いで食事をすることや、時間に間に合うように走ることがむずかしくなってきます。加えて、一度に多くのことを行うのがむずかしくなり、新しいことを学ぶための時間も、若いときに比べると長くかかるようになります。しかし、それがその人の生活活動であり、その時間の流れで生活のリズムをつくっていきます。この規則正しい生活のリズムが、健康の維持に欠かせません。環境や心身機能の変化によって生活のリズムがくずれると、生活の流れが滞り、生きる力を生み出すことやおぎなうことが困難になり、健康を損ねることにつながっていきます。

2 生活にとって大切な要素

1 家庭

人の生活活動には、年齢や世代、性別、社会的な役割によってさまざまな内容が含まれます。時間のかけ方や活動の場も異なりますが、多くの人が私的な生活の場・空間をもっています。

家庭は、もっとも私的な活動の場として、衣・食・住に関する物的要求を満たすだけでなく、夫婦や親子を中心とする家族特有の関係によって、休息ややすらぎをえる場でもあります。家族の構成は個人の自由な意思にゆだねられており、個々の家庭のあり方は異なります。しかし、家族は複数の成員から構成されているもっとも小さな社会集団であり、集団のルールや取り決めにもとづいて、それぞれの役割を果たすことが求められます。

家庭に対して、どのような役割を求めているかの調査結果をみてみると、「家族の団らんの場」「休息・やすらぎの場」「家族の絆を強める場」などがあげられています（図1－3）。家庭は、衣・食・住にかかわる経済的な基盤をもち、食事や衣類の管理・買い物等、生活の営みに必要な細々とした活動が家族員の相互の協力のもとに営まれることで、休息ややすらぎをえて、家族相互の成長をはかる場としての役割をもっています。

図1－3　家庭の役割（上位4項目、時系列）

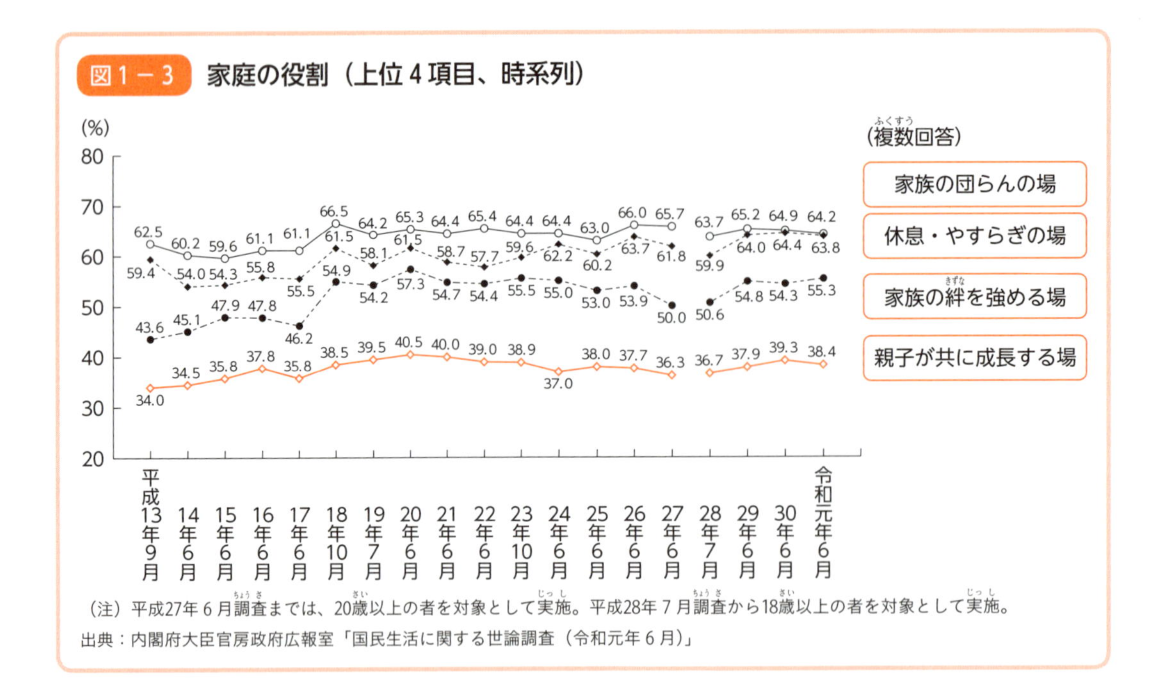

（注）平成27年６月調査までは、20歳以上の者を対象として実施。平成28年７月調査から18歳以上の者を対象として実施。

出典：内閣府大臣官房政府広報室「国民生活に関する世論調査（令和元年６月）」

2　地域

私たちは、日々の生活に必要な食材や生活用品を購入するために、近所の商店やスーパーに出かけます。また、役所や保健所、銀行や郵便局等の施設で、生活に必要な手続きや申請・相談等を行います。子どもたちは幼稚園や保育所、学校に通い、教育を受けます。からだの調子が悪いときは、近くの病院や診療所で受診します。町内会や住民グループの集まり、近所同士のつきあい、行事への参加等、地域では家族以外の人たちとのさまざまな交流があります。

このように、私たちは住まいのある地域のなかで、そこにいる人や物を介して多種多様な活動を行い、生活を営んでいます。つまり、私たちの生活は、個々が地域にいる人や物を活用することによって成り立っているといえます。１人暮らしであろうとなかろうと、あるいは暮らし方の違いや生活の程度の差があっても、だれもが地域で何らかの助けをえて暮らしているといえます。

3　社会

私たち人間は、家庭・職場・趣味のサークルなどや自治会・地域コミュニティといったさまざまな生活の場において、それぞれ異なった役割をもって生活しています。それぞれがもつ知識や技術を、所属する集団の中で発揮することによって、集団は機能し、1つのまとまりとして維持されます。こうした、目的をもって機能する集団が「社会」であり、国はその中でもっとも大きなものであるといえます。人は、それぞれが所属する社会の中で、構成員としての意識や役割をもつことによって、自分は社会の役に立っていると感じることができます。

働く目的についてみてみると、「お金を得るために働く」以外に「社会の一員として、務めを果たすために働く」「自分の才能や能力を発揮するために働く」「生きがいをみつけるために働く」と答えた人の割合が全体の半数近くあり、年齢が高くなるほどその思いが強いことがうかがえます（**図1－4**）。

平均寿命の延びにより、人生100年時代と言われるように老後の暮らしが長くなっている現代社会では、健康で意欲のある人が働き続けることが社会を支えていくために必要であるという考え方が広がってきています。それまで培ってきた技術や知識をいかすことで、収入をえて生活の安定をはかり、社会や地域の支え手としての役割を果たしていくことが求められています。「高齢者」という一律の枠組みでとらえてしまうと、それぞれのもつ実力を発揮して、社会参加をすることが困難になります。個々のおかれた状況で働き方に差があることはもちろん、働くことに対する意味や目的も異なりますが、長い人生のなかでは、「働く」ことを通して社会とつながり、生きる目的や張りのある生活を維持することが不可欠といえます。

このように、役割は生きがいであり、自己実現として日々の暮らしを支える精神的な柱となります。そのため、役割を失うことによって、疎外感や孤独感をおぼえ、苦しむことになります。健康や経済的基盤を確保することや、誇りや尊厳のある生活、孤立せず仲間とともにある生活を送るためには、社会参加の場の存在が重要であるといえます。

図1－4　働く目的

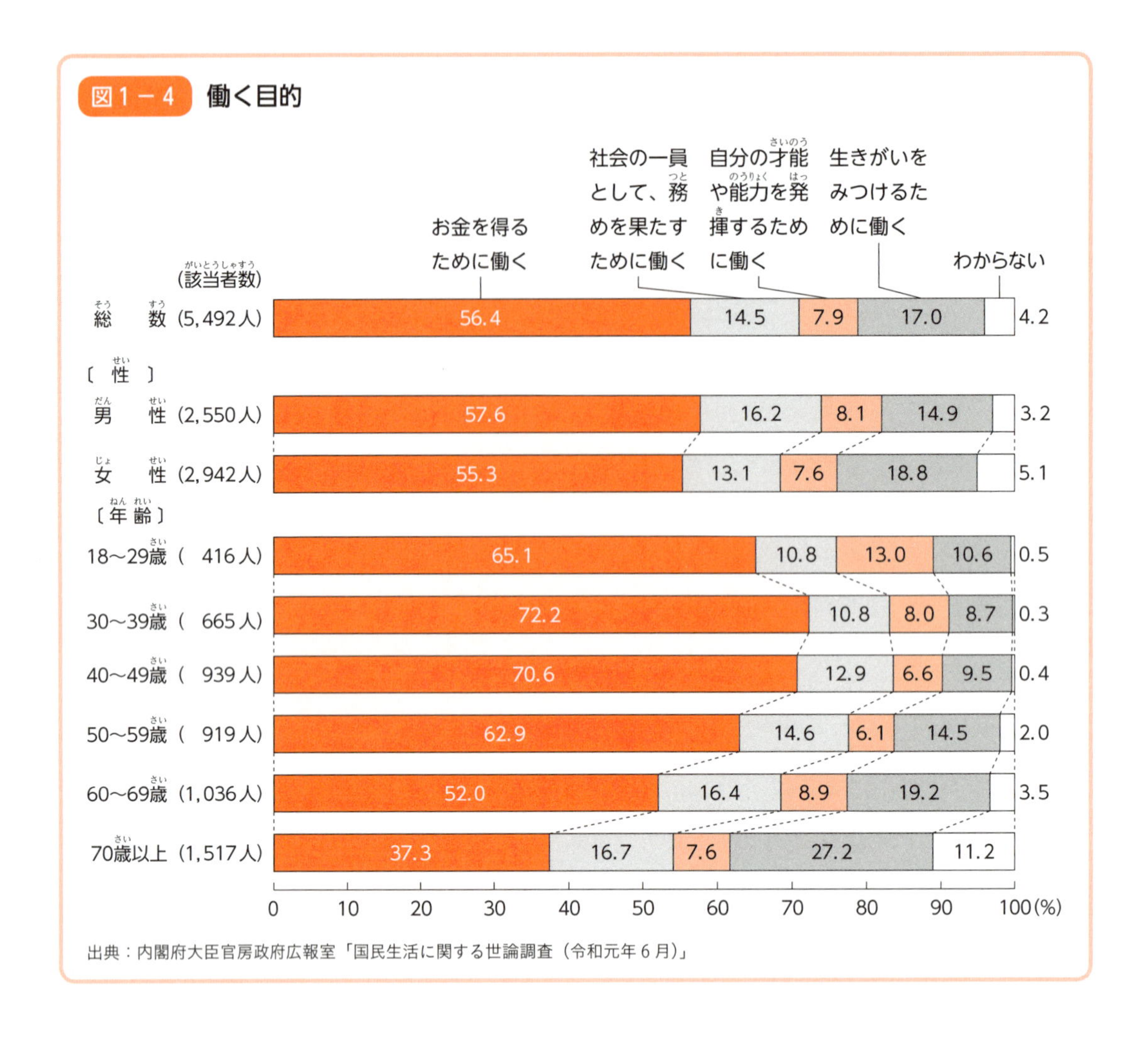

出典：内閣府大臣官房政府広報室「国民生活に関する世論調査（令和元年６月）」

3 生活の特性

生活の考え方や構成要素から、生活の特性について整理すると、以下のように考えることができます。

1 いくつもの暮らし方がある

生活活動にはさまざまな種類がありますが、おかれた状況や志向により何をどう選択するか、また、どのような場で行うのかによって、人それぞれ異なったものになります。また、そこにどのような思いをもっているのかについても人それぞれであることを考えると、生活にはいくつもの形があるということをふまえておかなければなりません。

2 生活者本人が選択するものではあるが、さまざまな要素の影響を受ける

生活の営み（いとな）は、その人の自由な意思によって選択（せんたく）されるものですが、すべてが思うようになるわけではありません。経済状態（けいざいじょうたい）や身体能力（のうりょく）、住まいの状況（じょうきょう）、周囲の人たちとの関係等の影響（えいきょう）を受けるため、意にそわないことや十分でないこともあります。自分のおかれている状況（じょうきょう）において、生活活動についての取捨選択（しゅしゃせんたく）を行っているといえます。

3 他者とのかかわりが不可欠である

生活活動は、個人の行為（こうい）だけで成り立つものばかりではありません。他者との協働作業として行われることや、自身の力だけでは不十分な場合に、だれかの助けを借りて行うこともあります。そこでは、自分の思いだけを主張（しゅちょう）するのでなく、周囲の者への配慮（はいりょ）や気づかいといったものが必要となります。まわりを無視（むし）した行動によって、周囲との関係性（せい）が悪化したり、壊（こわ）れたりし、それにより生活活動が制限（せいげん）を受けたり、満足のいかないものになったりしてしまうこともあります。

4 連続性のなかで変化する

人は、誕生（たんじょう）から始まり、亡（な）くなるその瞬間（しゅんかん）まで、生活活動をくり返しています。生活活動は、一見同じことをくり返しているようでも、その時々の思いや感情（かんじょう）は、一定ではありません。自身のおかれた状況（じょうきょう）や、周囲の人や環境が変わることによって、行動が大きく変化することもあります。行動の変化は、関係性（せい）の変化に影響（えいきょう）します。そのなかでどのような関係を結んでいくかによって、さらに行動の変化が生じます。人は時間の流れのなかで変化するものであり、固定された行動や関係性（せい）のなかで理解しようとするのは困難（こんなん）です。

5 住んでいる地域によって暮らし方は変わる

私たちは、生活に必要なさまざまな物やサービスの多くを、暮らしている地域のなかで手に入れています。交通網が整備され、物流が盛んな現代社会では、スーパーや商店、デパートに行けば生活に必要とされるほとんどの物を手に入れることができます。とくに、大量生産される工業製品はどこで購入しても変わりありません。しかし、野菜や肉、魚などの生鮮食品、それらをうまく扱うための調理器具などその地域でしか手に入らないものも数多くあります。旅行者が、旅先で珍しいからと、“土産”として買ったものが、その地域で暮らす人にとってはふだんの食卓によく登場するものであるというように、食文化の違いは地域の暮らし方の違いを象徴するものといえます。

また、日本は国土が南北に長いため、同じ季節でも地域による差が大きく、とくに冬場に雪の多い地域では、住環境の整え方においてほかの地域とは大きな違いがあります。たとえば、冬の北海道は、シャツ1枚ですむほど暖房が効いた室内で過ごします。衣類を何枚も着こんで生活する人からすると考えられない光景ですが、それが日常で、あたりまえの生活環境なのです。住環境や衣食住の違いだけでなく、地域ごとの自治会活動や祭りなどの行事にも大きな違いがあります。日本を代表するような有名な伝統行事のなかには、祭りの日は地域の小・中学校が休みとなり、子どもや若者から高齢者まで地域総出で祭りを盛り上げるなど、その地域の人たちにとってはなくてはならないものとして、生活に根差したものもあります。

以上のことから、気候や風土、文化の違い等で日々の生活に大きな違いがあることがわかります。

都会と田舎、工業地と農村では、手に入れられる物や場が異なり、古くからある町と新しくできた住宅地では、町内会の行事や住民同士のつきあいも異なるでしょう。地域で生活するということは、その地域がもつ特性を理解し、適応していくことであるといえます。

6 1人ひとりが人生という「歴史」をきざんでいる

生活の営みは生活行動のくり返しであり、年齢とともに変化していきます。人の一生は「誕生・成長・成熟・老化・死亡」という一般的な生活周期をもっていますが、この過程の変化は、その人の生きてきた環境＝時代背景によって大きく異なります。高齢者は、第2次世界大戦中の厳しい生活環境で、食べ物や物を粗末に扱うことができないなどつらい生活を体験し、その体験が現在の生活に影響を及ぼしている人もいます。その後、日本が高度経済成長を遂げる過程では、女性の社会進出、家族構成の縮小（3世代家族から2世代家族へ）、第2次産業が第1次産業を上回ることなど産業構造の変化にともなう生活スタイルの欧米化、都市部への人口集中など、日本の発展と繁栄の中で生活を営んできました。繁栄の象徴ともいえる東京オリンピックが1964（昭和39）年に開催され、人々がテレビの前に集まって放送を見ている光景は、高齢者にとっては、戦後の何もない時代からは考えられない夢のような出来事であったかもしれません。また、電気冷蔵庫や電気洗濯機、電気掃除機など家事を助ける電化製品の登場は女性の社会進出の手助けをし、生活に大きな変化をもたらしました。

人の一生は、政治、経済、教育、産業、ものの考え方や価値観等、生きてきた時代の影響を大きく受けており、その人の育った社会を反映しているものであるともいえます。その人の生活史を理解するということは、1人ひとりが生きてきた時代とのつながりのなかで生命を営み、社会との関係性をつくってきた人生という「歴史」を理解することであるといえます。

7 生活習慣の違い

生活習慣は、子どものころの家庭でのしつけや、育った家庭や地域の環境に大きく影響を受けます。きょうだいの世話や家事を分担する、祖父母から教えてもらった伝統的な行事などを必ず行うなど、子どものときに身についたものもあれば、学校や職場、地域の活動を通して身につけたものもあります。いずれも、よりよい生活を継続し、目標や目的を達成するために、日々の生活を積み重ねるなかで築き上げられるものです。ほかの人には理解しづらいことであっても、本人にとっては、**自分らしさ**を表現し、快適に生活するためになくてはならないものといえます。長年の生活によってつちかわれた生活習慣が損なわれることは、自分らしさを失うことにもつながりかねません。

4 「生活のしづらさ」に対する支援

1 「生活のしづらさ」への対応

介護福祉を必要とする人の暮らしの支援において重要なことは、単に介護福祉サービスを利用することで、その人の生活習慣を以前と同様なものにすることを保障するということではありません。利用者本人の生活ニーズを介護福祉職が理解し、適切な支援を行うことで、利用者本人や家族とともに、その人の生活習慣を以前のものに近づけていくことが重要ではないでしょうか。もちろん、すべての点を介護福祉職単独で対応するということではありません。医療分野やハビリテーション分野などの各分野の専門職との連携や、地域の自治体、民生委員・児童委員、ボランティア団体等との協働が、場合によっては必要となるでしょう。

介護福祉士の役割は、身体・精神の障害や、機能の衰えによって生じる、日常生活におけるさまざまな課題を解消し、介護福祉を必要とする状態にあったとしても「その人らしい」暮らしが送り続けられるような支援を行うことです。そのためには「生活のしづらさ」について、利用者1人ひとりの状況を把握し、環境を整えていく必要があります。支援者や事業所側の都合を優先した支援では、利用者の「できること」や「したいこと」に着目せずに、「できないこと」を増やしてしまうリスクがあります。その結果、本来は利用者をエンパワメントすることが目的の介護福祉サービスが、逆にディスエンパワメントしてしまうことにつながりかねません。

一方で、「生活のしづらさ」と「利用者の障害」という課題に対し、その責任を利用者の努力や環境の不備のせいにするのは、介護福祉士の支援として不適切です。介護福祉サービスは、介護の専門職として、介護福祉士が中心となってになうべきです。介護福祉士には、利用者その人の「個人の尊厳」を保ちながら、生活環境を調整していくことが求められています。

◆参考文献

- 小池妙子・山岸健編著、中川秀恭・佐藤富士子・是枝祥子・丹野真紀子・藏野ともみ『人間福祉とケアの世界——人間関係／人間の生活と生存』三和書籍、2005年
- 中島健一・中村考一『ケアワーカーを育てる「生活支援」実践法——生活プランの考え方』中央法規出版、2005年
- 上野千鶴子・大熊由紀子・大沢真理・神野直彦・副田義也編『ケア　その思想と実践 3 ケアされること』岩波書店、2008年
- 井上勝也『歳をとることが本当にわかる50の話——老後の心理学』中央法規出版、2007年
- 三澤昭文監、船津守久・石田一紀・河内昌彦編『介護における人間理解』中央法規出版、1999年
- 読売新聞昭和時代プロジェクト『昭和時代——戦後転換期』中央公論新社、2013年

演習1－1　私たちの生活の理解

次の文章の空欄に入る適切な語句を考えてみよう。

- 人の生活を構成する活動は、人が生きていくうえで ① ＿＿＿＿ に必要な1次活動、各個人が家庭や社会の一員として行う ② ＿＿＿＿ な活動である2次活動、各個人の自由裁量時間に行う ③ ＿＿＿＿ 活動である3次活動に分けられる。
- ④ ＿＿＿＿ には、私的な生活の場・空間である家庭や、公共的・社会的な性格をもった学校、職場地域があるが、そこでの活動やかかわる人々との関係性は ⑤ ＿＿＿＿ のなかで変化していく。
- 家庭は衣・食・住にかかわる経済的な基盤をもち、生活の営みに必要な細々とした活動が家族員の協力のもとで行われ、 ⑥ ＿＿＿＿ や ⑦ ＿＿＿＿ をえて、家族が成長をはかる場としての役割をもっている。
- 私たちは、さまざまな生活の場で、個人のもつ知識や技術を発揮して役割を果たして生活している。役割を果たすことは、社会に役立つ自分を感じることでもあり、 ⑧ ＿＿＿＿ や ⑨ ＿＿＿＿ として日々の暮らしを支える精神的な柱となる。

第2節

介護福祉を必要とする人たちの暮らし

学習のポイント

- 介護福祉を必要とする人たちの多様性を理解する
- 介護福祉職のかかわる高齢者の事例を学ぶ
- 介護福祉職のかかわる障害者の事例を学ぶ

「介護福祉を必要とする人たちの暮らし」というと、一般的にどのようなイメージが思い浮かぶでしょうか。

1 介護福祉を必要とする人の「暮らし」を理解するということ

介護福祉職として「介護を必要とする人」にかかわるうえで、障害や疾病などの原因・背景に加えて、その人ならではの状態をさまざまな視点から理解してかかわっていくことが必要です。現在の身体的・精神的な状況を把握することに加え、現在や過去の生活歴、家族や生まれ育った地域など、個別の多様な生活を理解することが重要です。

1 暮らし＝歴史と、その多様性を理解する

私たち介護福祉職は、多くの利用者にかかわる際、「認知症のＡさん」「右片麻痺のＢさん」「車いすのＣさん」「自閉症のＤさん」など、病気や障害の特徴で、その人たちを判断してしまいがちです。しかし、その人たちには、介護福祉を必要とする以前の暮らしのもとに、今の暮らしを送っています。私たち介護福祉職は、現在の状況をしっかりとアセスメントするとともに、本人や家族、地域や歴史的背景などさまざまな視点から、よりよい支援を行うための情報を得ていく必要があります。

個人の以前の暮らしは、その人の「歴史」といっても過言ではありません。個人の「歴史」については「ライフヒストリー」や「ライフストーリー」と呼ばれ、「ナラティブ」というキーワードで、医療・福祉分野において注目されています。

2 介護福祉職の利用者理解の視点

たとえば、家族や周囲の人から、いつも同じような話をすると言われている利用者は、本当にだれに対してもまったく同じ話をしているのでしょうか。話す相手によって話の順番が変わったり、日によって内容が変化したり、場合によっては新しいストーリーが追加されていたりしていることはないでしょうか。家族は、利用者本人の話をすでに何度も聞くことに疲れてしまい、先に述べたような多少の変化に気づくことがむずかしいケースがあります。しかし、介護福祉職がその小さな違いに気づくことができれば、介護過程を展開することにつなげていける可能性があります。

2 介護福祉を必要とする高齢者の暮らし

ここでは、介護福祉を必要とする高齢者の事例についてみていきます。

事例 **特別養護老人ホームに3年前から入所しているAさん（98歳、男性）のケース**

■現在の状態

Aさんは難聴で、軽度のアルツハイマー型認知症という診断を受けています。移動は車いすを使用していますが、トイレや自室など、手すりがあれば、短時間は立位が保持できます。毎朝5時に起きて、車いすで自室から食堂に移動し、自分のお気に入りの場所で新聞を読み、その場所からテレビを観るのが習慣になっています。

妻は2年前に亡くなり、Aさんは妻の死によるショックで寝たきりになるほどADL（日常生活動作）が低下したこともありましたが、現在はある程度まで回復しました。しかし、妻が亡くなったことを忘れることも多く、妻が自分をおいてどこかへ行ってしまい、自分の食事や身のまわりの面倒をみてくれないと、介護福祉職や面会に来た娘に言うことがあります。

98歳となった今でも、週に1回面会に来る70歳代の甥との囲碁を楽しみにしており、調子がよいときは甥に勝つこともあります。

写真1－1　囲碁をうつAさん（左）と甥

■入所前数年間の状態

現在の地域密着型特別養護老人ホームに入所する前、Aさんは妻と2人暮らしをしていました。妻は持病のリウマチがあり、病院に入院することが何回もありました。娘やかかりつけの医師は、何度も介護福祉サービスの利用をAさんに提案しましたが、Aさんはそのつど、利用を断り続けました。

ある日の朝、Aさんはいつものように新聞を取りに玄関を出たときに段差で転倒し、大腿骨頸部骨折で1か月近く病院に入院しました。

入院中、Aさんの生活意欲とADLが急激に落ちたため、娘が要介護認定の申請を行い、要介護3と認定されました。妻は要介護5と認定され、自宅での生活が困難だとAさんも理解し、自宅近くにできたサービス付き高齢者向け住宅に夫婦で入居しました。2年後、妻は病気で亡くなり、Aさんの生活意欲はさらに落ち、一時はほとんど寝たきりの状態になってしまいました。ほぼ同じ時期に、地域密着型特別養護老人ホームが開設することになったため、入所することになりました。入所後、寝たきりの状況から回復し、自分でベッドから車いすに移り、食堂まで行くことができるようになりました。

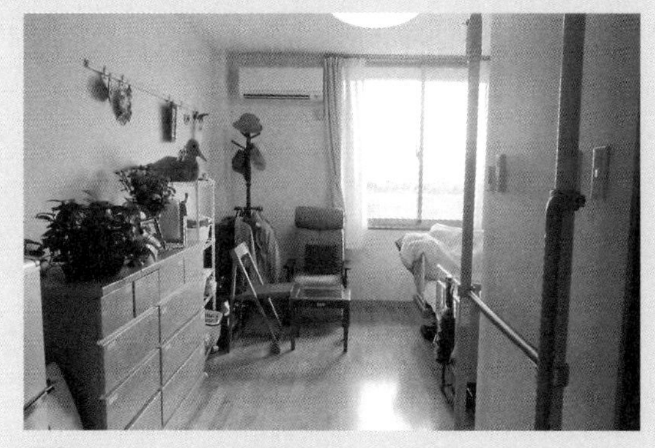

写真1－2　Aさんの居室

（1）ここまでの事例の解説

これまでのＡさんの事例は、地域密着型特別養護老人ホームに入居する前後の状況をまとめたものです。介護福祉サービス事業所では、ケース記録などに「入所にいたるまでの経過」として記載されていることもあります。

これらの情報は、認定調査員や介護支援専門員（ケアマネジャー）がおもに本人や家族からえた客観的情報が中心となっています。現在の状況や、介護福祉を必要とするようになった経過が把握できます。

ここまでの情報の中から、Ａさんの支援を行うにあたって特徴的なことを、以下にまとめました。

Ａさんの特徴の例

・朝は５時に起床し、決まった場所で新聞を読むことが日課になっている。
・妻の死で落ちこんでいるが、もの忘れの進行とともに徐々にそのことを忘れている。
・退職するまでは仕事に専念し、身のまわりのことは妻にまかせていた。
・現在も甥と囲碁をすることを楽しみにしている。
・妻の介護福祉サービスの利用について、はじめは否定的であった。
・大腿骨頸部骨折のあと、妻と自分自身に対する介護福祉サービスの必要性を理解した。
・妻の死後、寝たきり状態となったが、現在はADL（Activities of Daily Living：日常生活動作）はある程度回復している。

一方で、ここまでの情報では、本人の**ストレングス**❶や**エンパワメント**❷に関する情報が少ないようです。ストレングス視点での支援や、**エンパワメントアプローチ**❸につながる情報を引き出すためには、職歴や生活歴、特技や生まれ育った地域などの情報があることで、より適切な介護サービスの支援を組み立てることができます。

では、Ａさんの誕生から元気高齢者であった時代までの情報をみてみましょう。

❶ストレングス
社会福祉においてストレングスは、支援を必要としている人のもっている意欲や能力、希望や長所等の意味がある。日本語では、身体的にも、心理的にも、広く「力」に関する意味があり、「ストレングス」のまま用いられることが一般的である。

❷エンパワメント
もともとは「権限を与えること、能力を高めること」等の意味がある。社会や組織等のなかで抑圧されている人々が、支援をえながら抑圧から解放されるプロセスとその結果のこと。介護福祉領域では個人や家族がさまざまな面で支援を受けて力を得ることとして用いられる。

❸エンパワメントアプローチ
支援を行う支援者と受ける利用者が相互に依存しない関係をつくり、適度に距離を保ちながらエンパワメントの支援を行うこと。人々が何らかの原因で失ってしまった主体性や能力を取り戻し、可能な限り自分たちの課題を自分たちで解決する力を強めていくことを目指す。

■誕生～戦後まで

Ａさんは、1920（大正９）年に中国地方のある農村の５人きょうだいの四男として生まれました。

Ａさんが10歳代のころに戦争が始まり、兄たちは次々に兵隊に召集されていきました。Ａさんは先に兵隊になっていった兄からの助言で、召集される前に志願して入隊し、軍学校に入りました。国内で従軍した後に終戦を迎え、故郷に戻りました。

写真１－３　Ａさんの暮らしてきた農村の様子

写真１－４　Ａさん（後列右）ときょうだい

写真１－５　軍学校にて（後列の左から２番目がＡさん）

■戦後～定年退職まで

戦後、Ａさんは警察官として働きました。Ａさんは農家の四男であったこともあり、婿養子となりました。結婚後、２人の娘に恵まれました。Ａさんは数年に

写真１－６　警察署にて（前から２列目の右から７番目がＡさん）

一度、県内で転勤を命じられ、さまざまな地域の交番や駐在所、警察署での勤務を経験しました。

写真１－７　Ａさんと妻と２人の娘

■退職後～元気高齢者の時代

警察官を60歳で定年退職した後、Ａさんは65歳まで、県の交通安全協会に勤務し、また老人クラブや地域の活動にも積極的に参加しました。近くに住む孫の世話にも協力的でしたが、家事は妻に一切をまかせていました。Ａさんは退職前と同じように毎朝５時に起き、新聞を読み、その後妻とともに近所のお地蔵さんにお参りをしてから朝食をとることが習慣でした。また、町内の囲碁クラブに通うことを楽しみにしていました。

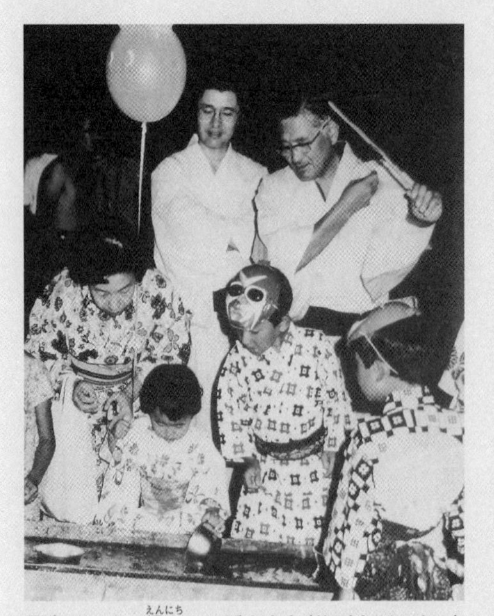

写真１－８　縁日にて孫たちと（後列右がＡさん）

Ａさんの妻は持病のリウマチが悪化し、家事が徐々にできなくなっていきました。しかし、Ａさんは妻の病気のリウマチと、そのために家事ができなくなったことの関連が理解できず、妻が家事をなまけていると娘に言うことが多くなりました。妻が車いすで移動することになったときも、そのことを受け入れることができず、妻が病気を理由に甘えているので、こころを入れ替えてもらわないといけないと娘に訴えていました。

写真1－9　妻と餅つきをするAさん

写真1－10　Aさんとリウマチ発症後の妻

（2）新たな情報についての解説

Aさんに関する新たな情報により、さらにAさんの人物理解が進んできたのではないでしょうか。

Aさんの特徴の例（追加）

・10歳代に戦争を経験している。

・戦後は警察官として採用され、退職までつとめた。

・朝は5時に起きて新聞を読み、お地蔵さんにお参りをする習慣がある。

・囲碁が趣味で、地域や老人クラブの活動に積極的に参加していた。

・妻が自分の世話をしてくれるのがあたりまえだと考えている。

・妻が車いすで移動することは、妻が病気を理由に甘えているのが原因だと考えている。

新たな情報と当初の情報を統合してみると、戦時中の軍学校や警察官としての経験から、Ａさんのまじめな性格がみえてきます。なぜ、朝５時に起床して新聞を読むのかについては、警察官という仕事柄、その日のニュースをできるだけ早く知っておこうという習慣だったのかもしれません。現在ではインターネットでニュースが24時間配信されていますが、Ａさんが働き始め、退職するまでは新聞がもっとも早く情報をえる手段でした。

また、Ａさんが退職した1980年代の時点では、介護保険によるサービスはまだ始まっていませんでした。親の介護が必要になれば、子どもが請け負うことが当然だといわれた時代です。そのような状況にあったために、介護福祉サービスの利用に対しては否定的であったのかもしれません。

同様に、当時は夫（男）が外で働き、妻（女）が家事や育児をするという、性別により役割が分担されていた時代でもありました。そういった時代背景により、妻がＡさんの世話をすることが生活習慣となっていたことから、妻が病気によってＡさんの世話をすることができなくなったことに、Ａさんは不満と不安をもっていたのでしょう。

現在では、男女共同参画社会やジェンダー・フリー、フェミニズムなど社会的な運動や変化もあり、Ａさんの考え方は、古い考え方であるといえるでしょう。

こういった場合の介護福祉職の支援は、現在のＡさんの考え方を改めてもらうことではありません。Ａさんの今の不満や不安は、生活歴に由来する部分が大きいといえるでしょう。それはＡさんの生まれた時代や文化を背景に、きょうだいや家族、妻との関係によって今まで築かれてきたものです。そのため、今の時代に合わないからという理由で、Ａさん本人を否定したり、矯正しようとしたりするよりも、Ａさんの考えは考えとして尊重しつつ、介護福祉職は、現在の社会や倫理に配慮した形で支援を行う必要があります。

Aさんは娘や親戚からは継続して支援を受けていますが、家族介護者である娘の精神的な介護負担が重いのではないかということも想定できます。介護福祉職としては、こういった傾向を把握した場合、家族介護者の会等の情報を提供して、家族の精神的な負担を軽減できる可能性を考えていくことなども重要です。

現在では、多くの施設に家族介護者の会がつくられています。また、各地域に「認知症の人と家族の会」の支部が設立されていたり、認知症コーディネーターが配置されたりしてきており、電話や直接相談をすることができます。また、認知症カフェなど、相談だけでなく気軽に利用者本人や家族が出向くことができる場所も増えてきています。介護福祉職はこういった地域の情報をしっかりと把握し、必要に応じて利用者や家族に情報を提供していく必要があります。注意点として、介護福祉職が個人的に知りえた情報をそのまま提供するのではなく、施設や事業所として、情報を提供することを検討し、合意を得た後に提供することがあげられます。

3 介護福祉を必要とする障害者の暮らし

ここでは、介護福祉を必要とする障害者の事例についてみていきます。

事例　身体障害をもち、介護福祉サービス等を利用しながら働くBさん（23歳、女性）のケース

■現在の状態

Bさんは、**骨形成不全症**[4]という難病で、「体幹機能障害により座位不能なもの」等として身体障害者手帳1級、障害支援区分6と認定されています。移動は電動車いすを使用しており、自力での歩行はできません。上肢も「両上肢機能のいちじるしい障害」として腕の変形等の障害等があり、手の届く範囲が限られています。生活上での介護ニーズは、衣服の更衣と排泄介助です。

大学卒業後、社会福祉士の資格を取得し、現在は社会福祉法人が運営する障害福祉サービス事業所の常勤事務職員として勤務しています。現在の職場は、障害者の雇用の促進等に関する法律の障害者雇用率制度にもとづき、Bさんを常勤職員として雇用しました。Bさんの職場の雇用に際し

4 骨形成不全症
骨形成不全症（Osteogenesis imperfecta）は、全身の骨がもろいため、骨折しやすく、また、進行性の骨変形等をおもな症状とする先天性疾患。約2～3万人に1人の割合で発症し、症状等によって区分される。

て、採用担当者でもある施設長は、Bさんのもっている能力をいかすとともに、法人の職員に対して、単に施設を利用している利用者の支援を行うだけではなく、障害をもつ職員との協働についても考えてもらうことを主な目的として雇用を決めた、と述べています。Bさんが勤務中に介護が必要になった場合は、職員が対応しています。

現在のBさんは、自宅では訪問介護と訪問リハビリテーションを、外出支援として移動支援サービスを利用しています。しかし、大好きなアーティストのライブで遠方に行く際には、移動支援サービスが使えないケースがあります。そこでソーシャルネットワークを活用して呼びかけたところライブ仲間が会場に電動車いすでスムーズに入る方法や、Bさんの一時的な介助方法を共有してくれるようになりました。

（1）ここまでの事例の解説

Bさんは、難病であること、身体障害者手帳の等級や、障害支援区分等から重度の障害をもっていることがわかります。現在は、徐々に研究が進んできていますが、骨形成不全症は致死率が高く、また生まれた直後から骨折のリスクが非常に高いです。Bさんも高校卒業までは、ちょっとした動作で骨折していました。

しかし、重度の障害であっても、Bさんの必要とする現在の介護ニーズは主として更衣と排泄であり、実際に利用している介護福祉サービスは居宅介護支援と移動支援です。移動支援サービスについても、主として外出先での排泄介助が中心です。

介護福祉職は、利用者の情報を判断する際、「障害支援区分」「要介護度」「身体障害者手帳の等級」や病名から、その人は介護ニーズが高いと判断してしまいがちです。しかし、Bさんの事例からわかることは、障害のレベルが必ずしも介護ニーズと比例しないことがあるということです。

■誕生から保育園の通園まで

Bさんは、出生前の検査で、骨形成不全症の疑いがあると医師から言われていました。Bさんは1990年代後半に生まれましたが、生まれた直後、すでに10か所以上を骨折していました。病院では、出産直後から母子分離をして治療を行いました。その結果、Bさんの母親は1か月以上も自分の子どもと接することができませんでした。

医師から母親には、骨形成不全症の乳児は3か月未満で亡くなるケースが多いと説明がありましたが、Bさんは毎日元気に泣き声をあげていたこともあり、母親はその点では落ち込まずに過ごせていたということでした。

その後、Bさんと母親は、骨形成不全症の専門医のいる病院を紹介され、そこで専門的な治療を受けていくことになりました。

そこでは、医学的な治療やリハビリテーションに加え、同じ病気をかかえる子どもや、その家族との出会いもありました。Bさんの母親は、ここで骨形成不全友の会の活動にも参加するようになりました。

Bさんはその後、総合療育センター内に併設されている保育園に通園しました。ここでは、病児保育に加え、リハビリテーションも積極的に行われました。Bさんは4歳ころまで首がすわらず、立位もとれませんでしたが、装具等を使用し、立位の訓練も行われました。

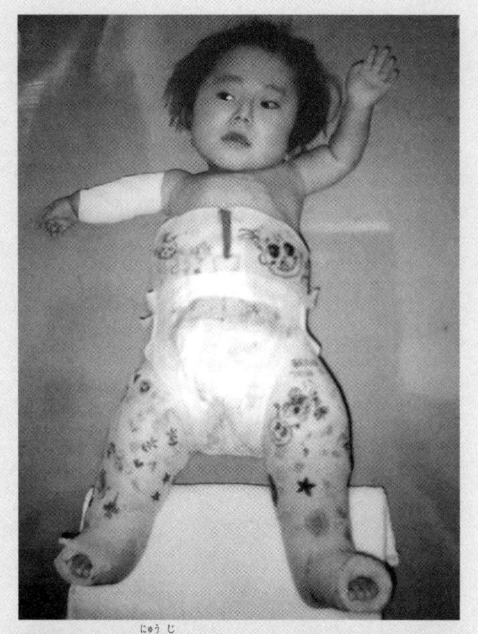

写真1－11　乳児のころのBさん

写真1－12　幼児のころのBさん

■小学校～中学校まで

Bさんは地元の公立小学校に通うことになりました。Bさんの父親も通っていた小学校であったことや、校長先生がかつてBさんの父親の担任をしていたこともあって、小学校がBさんをスムーズに受け入れてくれました。

小学校入学と同時に、Bさんは電動車いすで移動することになりました。Bさんの入学当時、電動車いすはまだめずらしく、しかも小学校低学年で電動車いすに乗っているケースはほとんどありませんでした。あるとき、Bさんは母親と移動中、警察官に止められました。警察官は、子どもが電動の車いすに乗って道を走って遊んでいると勘違いしたのです。母親が身体障害者手帳を見せ、事情を説明して理解してもらう必要がありました。

電動車いすで移動ができるようになったBさんですが、小学校にはエレベータがなかったので、その移動範囲には制限がありました。そのため、入学前から、小学校を管轄する教育委員会にはエレベータの設置を要望しました。そして、Bさんが小学3年生になったときに、エレベータが設置されました。それまでは、先生がBさんをかかえ、クラスメイトが車いすを持ち上げて階段を登ったこともありました。

写真1－13　プールの授業に参加するBさん

小学校への入学後、必要な介護ニーズは現在と同様、体育の授業のときなどの更衣と排泄の介護でした。小学校では、介護福祉職をつけることができないかわりに、支援学級の先生が介護を担当しました。体育やプールの授業もできる限り参加しました。

当時、まだ骨形成不全症で骨折リスクが高かったBさんですが、担任と支援学級の先生が協力してBさんを支援しました。Bさんは介護が必要なときだけ支援学級を利用し、それ以外の時間はすべて通常学級で過ごしました。

小学校で一番困ったのは、子ども同士の関係でした。男の子は、Bさんの身体や電動車いすについて遠慮なく質問をしてきたり、外遊びにも積極的に誘ってきてくれたりしました。一方で、女の子はBさんの障害について陰で話し合っていたり、障害を理由にいじめをする子もいました。そのため、Bさんは男の子とよく遊ぶようになり、女の子を避けるようになりました。

Bさんの自宅や外出先での介護は、小学3年生まではすべて母親がになってきました。しかし、小学4年生から、地元の少年少女合唱団に入り、活動を始めました。この合唱団への参加をきっかけに、Bさんは外出支援サービス利用を始めました。おもに外出先の排泄支援が中心でしたが、合唱団の活動に参加する時間は、母親ではなく、介護福祉職がつきそうようになりました。

また、この合唱団では歌とともに、リコーダー演奏にも力を入れていました。Bさんは両上肢の障害がありましたが、指先の巧緻動作（細かい動作）は可能でした。そのため、片手演奏用のリコーダーを使用して、合唱団の活動に参加しました。合唱団への参加は、その後高校まで続きました。

写真１－14　合唱団でリコーダーを演奏するＢさん

Ｂさんは中学校に進学することになり、地元の公立中学校に通いました。中学校においても、体育等の着替えのときと排泄時のみ、支援学級を利用しました。

Ｂさんの通った中学校は、体育系の活動に力を入れていました。体育の授業では参加できない活動もありましたが、その場合は授業の様子を観察し、あとでクラスメイトにレポートや絵などで報告することを教師から毎回指示されていました。体育の教師からは、レポート等について何度もやり直しを命じられましたが、Ｂさんはこの難題をクリアしていきました。

この経験は、障害を理由にして困難から逃げかけていたＢさんが、自分自身の弱さを理由にせずに、課題に立ち向かう態度を形成するきっかけになりました。

また、この中学校には生徒の代表が体育委員として、体育や運動会等での活動を決めて生徒主体で実施することになっていました。そのなかで、体育委員はＢさんのできることだけでなく、Ｂさんの可能性にも着目し、自分たちで計画を立て、工夫して実施する必要がありました。Ｂさんに求める内容があまりにも簡単すぎたり、また、あまりにもむずかしすぎたりすると、教師が体育委員に厳しく注意することもありました。この経験はＢさんにとって、支援者に適切に、遠慮なく自分のニーズを伝えることで、かえって支援者も適切な支援ができるのではないかと気づくきっかけになりました。

一方で、支援学級で介助を担当した教員との関係においては、悩みがありました。Ｂさんが自分のニーズや介助時の希望を伝えても、「身体障害者には今まで自分はこう支援してきたから」と、聞き入れてもらえないということです。その結果、Ｂさんは支援学級に行きづらくなってしまいました。幸い、そのような事情を知ったクラスメイトが、Ｂさんへの支援を申し出てくれたので、Ｂさんはクラスメイトに授業の準備等を気軽に頼めるようになりました。

この経験を経て、Ｂさんは、支援者の「やってあげる」という思いに対して、強い違和感をもつようになりました。「やってあげる」という支援者の思いは、「こうしてほしい」という受け手側の思いと異なる場合が多くなる傾向があります。また、「やってあげる」という思いは「好意」であることから、受け手側が断ることがむずかしいということにも気づきました。

■高校入学〜高校卒業まで

Bさんは、パソコンや携帯電話など、電子機器類の扱いが得意になっていました。また、小学校で女の子たちからいじめられたといういやな思い出もあり、工業系の高校への進学を考えていました。工業系は自分の得意な分野であり、男の子が多いので自分も気をつかわなくてすむと考えていました。

しかし、母親からは、今後は介護を受ける際、基本的に同性による介護になることから、同性への苦手意識をこれ以上高めるのはよくないのではないかと言われました。そこでBさんは、福祉系の高校への進学も検討しました。しかし、福祉系の高校は介護福祉士の養成が中心でした。自分に障害があるため、他人に対する介護を提供することは難しいと考えたBさんは、福祉系の高校への進学はあきらめ、また、母親の意見も尊重して総合高校に進学することにしました。

写真１−15　吹奏楽部でのBさん

進学した高校は、設立後間もなかったため、エレベータも複数設置されており、また、車いす利用の学生を受け入れた実績もあったため、構内はバリアフリー化が進んでおり、Bさんの受け入れには問題はありませんでした。高校では、おもにパソコンや情報技術等の理系分野を学びました。また、部活動では吹奏楽部に入部し、打楽器を担当しました。

高校に支援学級はありませんでしたが、担任と非常勤の体育教員、また教育委員会で募集したアルバイトの大学生を数人、ローテーションでBさんの支援を行う体制がとられました。学校の配慮で３年間同じ教師がBさんの担任となったため、高校生活では中学校にくらべ、人間関係で悩まされることは少なくなりました。

■高校卒業〜大学卒業まで

Bさんは、高校卒業後は事務職として働きたいと考えていました。しかし、高卒の事務職の募集を行っている企業は少なく、なかなか就職先はみつかりませんでした。ある日、Bさんは自分と同じ骨形成不全症のソーシャルワーカーに就職相談をする機会がありました。そのとき、はじめて社会福祉士という資格について知ったBさんは、「自分もこの人のように、人の相談に応じる仕事に就きたい」と強く思い、福祉系の大学に進学することに決めました。

Bさんが合格した大学は、障害をもつ学生を受け入れてきた実績があり、また骨形成不全症の学生や卒業生がいたため、受け入れ体制についてもとくに問題はありませんでした。Bさんは社会福祉学科に入学し、手話サークルにも入り、大学生活を送りました。

写真1－16　手話サークルでのBさん

また、授業時間帯に介護を必要とする学生には、大学側が介護福祉職を調整して手配する制度がありました。大学では体育の講義は履修しなかったので、学内での更衣の必要はなく、排泄介助がおもなニーズとなりました。しかし、サークル活動や課外講座の受講中の介護福祉職による介助の利用は調整がむずかしいという課題もありました。そのため、Bさんは学内の保健室や友人の支援を受けながら、これらの課題を乗り越えていきました。

まず、通常の介護福祉職による介助の利用ができないとき、どうやって自分を介助してくれる人をみつけるかという課題がありました。見ず知らずの学生に声をかけることはむずかしく、同じ学科の女子学生または顔見知りの女性の教職員に声をかけることになります。

そして、どのように排泄介助を頼めばよいか、介助を引き受けてもらえるかどうかということや、引き受けてくれた学生には、どのようにお願いすると、自分にも相手にも不安や身体的負担がなく、介助ができるかという課題がありました。

これらの課題を解決したのは、在籍した学科が社会福祉を学ぶ学科であったことに加え、中学時代にクラスメイトに自分の授業準備等を手伝ってもらった際の経験が大きかったといえます。

Bさんは、相手に自分のニーズを具体的に伝えることを工夫しました。たとえば、「私を持ち上げることができますか」と聞くかわりに、「20kgのものを持ち上げることができますか」というように、相手に自分の介助をイメージしてもらいやすい言い方をするといったことです。このようなBさんの工夫と、大学での友人たちの支援もあって、Bさんは在学中に社会福祉士の受験資格を取得し、卒業と同時に社会福祉士の国家試験にも合格、そして、事務職として社会福祉法人に採用されました。

■**就職活動～現在まで**

Bさんは現在、社会福祉法人の障害福祉サービス事業所の事務職員として、障害福祉サービス費等の請求事務や会計処理の業務を行っています。

大学４回生になり、就職活動をしているなか、ある法人の就職説明会に行った際に、外から事業所に入るときには電動車いすのタイヤを自分で清掃するように言われたり、Bさんには目を合わせようとしない採用担当者がいたりして、心が折れそうになったことが何度もありました。

現在の職場である社会福祉法人の事務職員の募集を見たBさんは、相談支援職としての採用を希望してきましたが、これまでの苦い経験に加え、事務職としても、もしかしたら自身の特性と高校や大学での学びや経験を活かすことができるかもしれないと思い、採用試験に挑戦することにしました。

採用された後、この社会福祉法人は従来の障害のある利用者の支援の視点に加え、新たに職員であるBさんの視点で環境を整えていきました。例えば事業所内のエレベーターについては、Bさんが操作できるような位置にボタンの増設を行い、排泄時に必要なベッドを配置し、可動範囲の限られるBさんのデスク回りの環境を整えるなど、Bさんのニーズに対して可能なものから対応しています。

Bさんは事務職員であるため、障害福祉サービス事業所の利用者への直接的な支援は行っていませんが、休憩時間等にコミュニケーションを取ることがあります。

ある日、Bさんが事務所内で乾電池を20本以上床に落としてしまいました。Bさんは床に落ちたものを自分で取ることができません。このとき、たまたま強度行動障害のある利用者が事務所の外からその様子を見ていたのですが、すぐにBさんのもとにきて床に落ちた乾電池をすべて拾い、Bさんの机の上に置きました。

また、施設内を走って移動することが多い別の利用者も、Bさんの姿を見ると走る速度を落としてくれます。

こういった日々の職場における経験の積み重ねは、身体障害のある職員と知的な障害のある利用者との共存の可能性について、Bさん自身をはじめ、事業所の職員や保護者に考えてもらうきっかけになっています。

（２）新たな情報についての解説

Bさんは、難病であり、重度の身体障害をもっているにもかかわらず、資格取得や就職ができました。これは、一時的な偶然や幸運ではなく、本人のライフヒストリーから理解できることがあります。

追加の事例をストレングスの視点からみていくと、小学校で同性である女の子からいじめを受けたために、男の子と活発に遊んだことや、中学校で介護担当者から受けたネガティブな経験が、Bさんの積極的な活動の基礎になっていて、高校や大学で友人からの支援を受けるきっかけになっています。Bさんは、このときにフォーマルな支援で不足する場合のインフォーマルな支援環境をみずからつくり出すための能力を身につけることができたといえます。また、Bさんの母親が専門医に出会い、その後、同じ難病をかかえる家族や当事者団体と接点ができたこと、同様にBさんが高校時代に骨形成不全症のソーシャルワーカーに出会ったことも、ピア・サポートやピア・カウンセリングという視点から、とても大切だったといえます。

Bさんの事例から介護福祉職が学ぶべきことは、私たちが過去に経験したことや知識だけで利用者に接するべきではないということです。介護福祉職が、みずからの経験や知識にもとづいて支援を行うことは否定すべきではありません。しかし、Bさんのようにみずからのニーズを明確に伝えることができる場合は、そのニーズにそった支援が重要です。

また、Bさんの事例は、介護福祉職ではなくても排泄支援を行うことができた点をとりあげています。骨折のリスクが非常に高い状態ですが、高校時代から大学時代まで排泄介助を友人等に頼んだ結果、骨折したことはありません。しかし、これはあくまでBさんのコミュニケーション力の高さと、介助者を選ぶアセスメント能力の高さの結果で、本来は介助については、介護福祉職が常にかかわるべき事例です。実際に、Bさんは常に介助時の事故のリスクを感じていますが、一方で、そのリスクにこだわって消極的になるよりも、自分の活動を積極的に広げていきたいと考えています。

Bさんが積極的に活動することで、現在は法律や制度で対応することができないインフォーマルな支援が、近い将来にフォーマルな支援になれば、Bさんや彼女と同じ難病をかかえる人たち、さらには同じ状態で苦しむ人たちが、より地域や社会で活動できるようになります。

Bさんが障害福祉サービス事業所に採用された後、事業所側はBさんにとって働きやすい環境を整えました。Bさんにとって働きやすい環境は、他の人にとっても働きやすい環境であるということは、バリアフリーやユニバーサルデザインの観点からみれば当然のことです。しかし、福祉サービス事業所の多くは、障害をもつ利用者への視点はある一方、障害をもつ職員への視点は充分ではありません。Bさんを採用した社会福祉法人は、このような背景も考え、職員1人ひとりが今後の事業所における働く視点について、今までにはなかった視点から考える契機となったといえます。

インフォーマルな部分においても、Ｂさんの大好きなアーティストのライブでは、Ｂさんの呼びかけに応じて、ライブ参加者のなかで自発的な支援体制がつくられていきました。その結果、Ｂさんがライブに行き始めた当初は車いすの利用者はＢさんを含めて２人程度でしたが、最近では４～５人ほどが参加しています。Ｂさんをとりまく環境の変化により、今まで参加が難しいと考えていた人達の参加を促進し、それを受け入れる体制が自然とつくり出されていったといえるでしょう。

介護福祉職は、このような課題についても積極的に取り組み、場合によっては利用者ニーズの代弁を行っていくことが求められています。

4 個人の暮らしや歴史を聴く場合の注意点

まず、介護を必要とする人が常に主体となるように配慮します。介護福祉職が「傾聴」するつもりで利用者の話を聴き始めたにもかかわらず、途中から介護福祉職の話を利用者が聴いている場面も見られます。あくまでも介護福祉職は聴く側にいるように心がける必要があります。介護福祉職は、利用者の話を聴くことで、利用者の体調面や心理面のアセスメントを行い、介護過程につなげていくことができます。

そして、相手の話を勝手に自分の経験などに置き換えたり、自分なりの意味づけをしたりしないようにすることも大切です。利用者の話を聴いた介護福祉職が、独自に意味づけをしてしまうと、利用者の語った思いとはまったく異なる内容になってしまう可能性があります。

また、介護福祉職としてえた個人情報は、支援のために活用する一方で、適切に保護・管理していくことが求められます。職場のなかでの適切な保護とは、たとえ職場の同僚であっても、支援の目的で使用しない個人情報は、不必要に共有しない、させないことです。介護福祉職は「生活」を支えるなかで、介護福祉を必要とする人々の「他人に知られたくないこと」や「隠しておきたいこと」などを含む、多くの個人情報にふれることになります。その人が介護福祉職に話してくれたからといっても、それはだれにでも話してよいということではありません。さらに、業務時間外や退職後に家族や知人に話したり、SNS等で公開したりすることは、個人情報保護の観点からも、介護福祉職の守秘義務という倫理的な視点からも絶対にしてはならないことです。

◆参考文献

- 六車由実『驚きの介護民俗学』医学書院、2012年
- 矢原隆行『リフレクティング＝Reflecting：会話についての会話という方法』ナカニシヤ出版、2016年
- 斎藤環著・訳『オープンダイアローグとは何か』医学書院、2015年
- C. A. ラップ、R. J. ゴスチャ、田中英樹監訳『ストレングスモデル 第3版——リカバリー志向の精神保健福祉サービス』金剛出版、2014年

演習1－2　介護福祉を必要とする人たちの暮らし

本文の事例のＡさん、Ｂさんを対象として、介護福祉士としてかかわる視点を整理してみよう。

1 特別養護老人ホームに入居している現在のＡさんの「生活のしづらさ」とは、具体的にどのようなことだろうか。

2 Ａさんの事例を読んで、介護福祉職として、さらに必要だと思われる情報はどのような内容だろうか。

3 現在のＢさんの「生活のしづらさ」とは、具体的にどのようなことだろうか。

4 Ｂさんの事例を読んで、介護福祉職として、さらに必要だと思われる情報はどのような内容だろうか。

第3節

「その人らしさ」と「生活ニーズ」の理解

学習のポイント

- その人らしさや、その多様性について理解する
- 生活ニーズや、その多様性について理解する

1 「その人らしさ」とは何か

私(わたし)たちはふだんの生活において、**「自分らしさ」**をどのように感じているのでしょうか。「自分らしさ」は、前節で学んできた「暮(く)らし」や「個人の歴史」と同じく、じつにさまざまです。たとえば、自宅(じたく)で家族といっしょにいるときと、学校でクラスメートといっしょにいるとき、仲のよい友人といっしょにいるときの「自分らしさ」は、同じ自分であっても違う部分があるのではないでしょうか。また、小学生のころ、中学生のころ、高校生のころ、そして専門(せんもん)学校や短大、大学に通うようになった自分をふり返ってみると、それぞれの時期の「自分らしさ」があり、時期や環境によって刻々(こっこく)と変化してきている部分もあるのではないでしょうか。

一方で、特定の時期によっては変わらない自分らしさというものもあります。その人らしさとは、これらのすべての部分を含(ふく)む、その人の現在(げんざい)の状態(じょうたい)であるといえるでしょう。

「自分らしさ」をもっているということは、精神的にストレスが少ない状態(じょうたい)であることです。では、介護福祉が必要となった人の視点(してん)で具体的に考えてみます。毎日入浴するのが習慣(しゅうかん)であった人が、病院に入院し、入浴が1週間に2回までに制限(せいげん)されたとしたら、ストレスがたまるでしょう。これは、今までの習慣(しゅうかん)が継続(けいぞく)されないことや清潔(せいけつ)面から、「自分らしさ」を維持(いじ)できなくなると感じることが大きいといえます。

「その人らしさ」とは、「その人」に「第三者」が「その人らしい」

と感じた印象であるといえます。「自分らしさ」との違いは、「その人らしさ」は、「第三者」の印象の数だけあることだといえます。

介護福祉職として大切なことは、利用者の「その人らしさ」を、家族や知人からの情報のみで決めつけたり、自分の過去の経験から、別の利用者と重ねてイメージしたりすることはしてはいけないということです。「その人らしさ」とは、本人の状況やかかわる人の立場、その場、そのときのかかわりの内容、環境などの多様な状況のなかから個別につくり上げられていくものだといえます。

2 「その人らしさ」の背景

1 介護福祉を必要とする人が経験してきた時代や文化を知る

介護福祉を必要とする人の支援を行う場合、その人の過ごしてきた時代や文化について、興味や関心に加えて、ある程度の知識がないと「その人らしさ」を理解することはむずかしくなります。たとえば、高齢の利用者に「若いころの話を聞かせてほしい」といっても、その人が生きてきた時代の歴史や地域に関する知識がないと、利用者の話のなかから「その人らしさ」の要素をみつけ出し、具体的な支援へとつなげていくことはむずかしいといえます。そのため、利用者の「その人らしさ」を支えていくためにも、介護福祉職は歴史的な出来事、社会や政治の状況、地域の文化などを学ぶことや、知ろうとする姿勢が必要です。

3 「その人らしさ」の介護福祉における活用

では、具体的に「その人らしさ」は、介護福祉サービスではどのような形で活用していくのでしょうか。それは、日々の介護記録による活用が最も効果的でしょう。日々の利用者へのかかわりのなかで、まずは、介護福祉職が「その人らしい」と思った言葉や行動を記録することが重要です。

近年では従来の手書きの記録にかわり、ICTを活用し、パソコンやタブレットを活用した電子化された介護記録が増えてきました。電子化された介護記録は、キーワード検索をすることによって、特定の利用者の記録や職員のかかわりのプロセスなどをすぐに把握することができます。そのような機能を使うと、各職員が感じている「その人らしさ」をまとめることができます。

実際に、「その人らしさ」という利用者の「個別性」に着目することにより、「本当に『その人らしい』とは、どういうことだろう」という疑問と、自分を含め、介護福祉職のかかわりにより生じた「その人らしさ」について、「どうしてそうなったのか」という原因を考えるきっかけになるのです。

4 「生活ニーズ」の理解

「その人らしさ」を私たち介護福祉職が支えるためには、利用者の介護ニーズだけではなく、より広く、多様な「生活ニーズ」についても理解していく必要があります。

たとえば、長年ペットを飼っていた人の場合、施設に入所しても動物と接したい、あるいはペットとともに入所したいというニーズがあれば、それは生活ニーズになります。高齢の夫婦で家事ができなくなった妻が、夫の食事をつくってほしいということや、仏壇や神棚をきれいに掃除し、供物を毎日交換したいということも、生活ニーズといえます。

5 個々の生活ニーズにどこまでこたえるか

現在の公的な介護福祉サービスは、利用者の個別の生活ニーズすべてにこたえられる制度とはなっていません。少なくとも「公的」な介護福祉サービスは、介護保険料や税金という公的な財源をもとに、サービスの対価が時間やサービス内容によって定められています。介護保険制度では、個人の障害や病気の程度によって、提供できるサービスの内容や上限が決められ、そのなかで、さらに規定されるサービス種別や時間を選択していくようになっています。そのなかに、家族やペットへの支援など、利用者本人以外を対象とするサービス項目は想定されていないのです。

こういった現状を改善するためには、「地域包括ケア」を私たち介護福祉職がいかに活用していくかが重要です。厚生労働省は2016（平成28）年７月に「我が事・丸ごと」地域共生社会実現本部を設置しました。そのなかで、福祉分野においても「支え手側」と「受け手側」に分かれるのではなく、地域のあらゆる住民が役割をもち、支え合いながら、自分らしく活躍できる地域コミュニティを育成し、公的な福祉サービスと協働して助け合いながら暮らすことのできる「地域共生社会」に向けた地域づくりに取り組むことを示しています。

具体的には、「生活ニーズ」の全部を公的な介護福祉サービスで解決するのではなく、地域の社会福祉協議会、社会福祉法人、民生委員・児童委員、老人クラブ、NPO、ボランティア、企業や商店、学校、自治会など、フォーマル・インフォーマルを問わず協働し、その地域力で「生活ニーズ」を含むさまざまな課題を解決できるように取り組んでいくということをめざしています。そのために、介護福祉職は、公的な介護福祉サービス以上に、利用者、そして自分の住む地域の情報をえる必要があるでしょう。

第4節

生活のしづらさの理解とその支援

学習のポイント

- 私たち自身の生活のしづらさの視点について理解する
- 介護を必要とする人の生活のしづらさの視点について理解する
- 家族介護者とその支援について理解する

関連項目
⑬『認知症の理解』▶第5章「介護者支援」
⑭『障害の理解』▶第5章「家族への支援」

1 生活のしづらさについて考える

みなさんは、日々生活を送るなかで、今までできていたことが急にできなくなって、不便を感じたことはありませんか。たとえば、手をけがして洗顔や食事、着替えがむずかしくなったことや、足をけがして湯船に浸かることに困難を感じたことはありませんか。また、病気や出産などで入院すると、今まで自分のペースでしてきた生活のリズムが保てなくなることもあります。また、同居していた家族が入院や旅行などで不在になると、食事や洗濯、掃除などに困った経験もあるかもしれません。しかし、このような不便さは、けがが治ったり退院したりするなど、ある程度の日数で元の状態に戻る場合や、自分自身が不便さに適応していくことで解消していく場合が多いでしょう。

介護を必要とする人たちがかかえている**「生活のしづらさ」**は、このような不便さがずっと続いていくことになります。さらに、認知機能の低下や身体機能の低下、障害から、こういった環境の変化、不便さに適応していくことがむずかしいという点で、私たちが経験する「生活のしづらさ」とは大きく異なります。そのため、介護福祉職の視点として重要なことは、本人の意欲や能力を引き出すような支援、つまり、利用者のできることとやりたいことを日々のかかわりのなかから把握し、介護福祉職として実現できる環境を整え、支援を行うことが求められます。

このような視点がないままに介護福祉サービスが提供されると、職員や事業所の業務効率化が中心となってしまい、不適切なケアが行われる要因となってしまいます。

1 生活のしづらさへの誤った支援を防ぐ

介護福祉士は、その倫理綱領や行動倫理、そして職場の倫理規定などをもとに、介護福祉を必要とする人々の「生活のしづらさ」を支えていきます。本人のニーズに反した「生活のしづらさ」への支援をすることは避けなければなりません。

たとえば、特別養護老人ホームにおける入居者の支援、入浴、排泄、そしておむつ交換については、次の基準が定められています。

特別養護老人ホームの設備及び運営に関する基準（平成11年厚生省令第46号）

第16条　介護は、入所者の自立の支援及び日常生活の充実に資するよう、入所者の心身の状況に応じて、適切な技術をもって行われなければならない。

2　特別養護老人ホームは、1週間に2回以上、適切な方法により、入所者を入浴させ、又は清しきしなければならない。

3　特別養護老人ホームは、入所者に対し、その心身の状況に応じて、適切な方法により、排せつの自立について必要な援助を行わなければならない。

4　特別養護老人ホームは、おむつを使用せざるを得ない入所者のおむつを適切に取り替えなければならない。

上記の基準第16条第2項をサービス提供側で都合のよいように解釈してしまうと、「入浴は週2回でよい」となってしまいます。本来、入浴の回数については、利用者のニーズが最も重要視されるべきです。そして、介護保険制度であれば、そのニーズにもとづき介護支援専門員（ケアマネジャー）のケアプランによってサービスが組み立てられます。しかし、事業所や介護福祉職に「入浴は介護福祉職の業務の負担が大きいので、回数を少なくしたい」という思いがあれば、いとも簡単に「1週間に2回以上」という基準が「1週間に2回でよい」というサービス内容であると解釈されてしまいます。

利用者の入浴は1週間に2回までとするのか、施設側が可能な限り、本人が希望するように入浴ができるように支援するのかどうかによって、その事業所の力量が問われているといっても過言ではありません。

排泄の支援についても、同基準第16条第3項では「適切な方法により、排せつの自立について必要な援助」を行わなければならないとされています。しかし、同基準の中での「適切な方法」や「自立について必要な援助」という言葉は、非常に広く解釈できてしまいます。同様に同基準第16条第4項の「おむつを適切に取り替えなければならない」という項目においても「適切」とは、「利用者」にとって「適切」なタイミングと、「事業所や介護福祉職」にとって「適切」なタイミングは異なります。後者のタイミングを優先すると、定時でのおむつ交換となってしまいかねません。そうなると、「今、おむつを交換してほしい」という利用者のニーズよりも、事業所や介護福祉職の都合が優先されるという、誤った支援となってしまいます。

介護福祉を必要とする人々は、生活のしづらさをかかえています。そこに寄り添い、その生活のしづらさを解消していくのが介護福祉職です。介護福祉職の支援によって、利用者のニーズ、生活のしづらさが解消されるどころか、さらに増してしまうということはあってはならないことです。

2 家族介護者への支援

1 介護福祉士の介護者に対する支援の根拠

社会福祉士及び介護福祉士法には、介護福祉士の業務のうち、介護者の支援について、**介護者に対して介護に関する指導を行う**ことが明記されています。同法では「指導」と書かれていますが、実際の介護の現場では、介護福祉職は「支援」と読み替えて、介護者にかかわっていく姿勢が必要でしょう。

また、厚生労働省が示した「求められる介護福祉士像」にも「介護ニーズの複雑化・多様化・高度化に対応し、本人や家族等のエンパワメントを重視した支援ができる」という項目が設けられています。

介護福祉士は、生活のしづらさをかかえる高齢者や障害者といった当事者と、その介護をになう介護者に対して、単なる介護の提供ではなく、現在の状態や能力、そして潜在的な能力や可能性を引き出していく支援を行うことが求められています。

2 家族介護者に対する理解

ここまで、第２節、第３節では、おもに生活のしづらさをかかえる高齢者や障害者のような当事者の状況を理解してきましたが、生活のしづらさをかかえているのは、当事者だけではありません。

シャドウ・ワークともいわれる無給の家事労働は、かつては家庭内で母親や娘、妻などの女性が請け負うことが一般的でした。この家事労働に介護が加わり、家族介護者も当事者と同じように生活のしづらさをかかえてきました。

1970（昭和45）年に高齢化率が７％を超えて高齢化社会となって以降、1994（平成６）年には高齢化率14％を超えて高齢社会、そして2007（平成19）年には高齢化率が21％を超えて超高齢社会となった日本は、女性が社会で働き活躍できるようになってきたことや、家族体系が３世代同居型から核家族型となり、生活スタイルが大きく変化してきたことから、従来の家族介護では限界が生じていました。また、**性別役割分業**として、介護を女性中心でになうことへの批判もフェミニズム運動等を通じて社会のなかで大きくなってきました。

現在、介護保険法や障害者の日常生活及び社会生活を総合的に支援するための法律の整備により、徐々に、家族は、家庭での24時間介護から解放されつつあります。しかし、一方ではまだまだ家族介護を継続せざるをえない状況が、現実には多く存在しています。近年では妻や父母の介護をになう男性を「男性介護者」、祖父母や父母の介護をになっている若い子どもや孫のことを「ヤングケアラー」と呼び、介護をになう側の苦悩や生活のしづらさにも注目が集まっています。

3 認知症の人の列車事故からみる家族介護への理解

2007（平成19）年12月、当時91歳だった認知症の男性（要介護４）が、駅構内の線路で列車にはねられて死亡するという事故がありました。男性は常に介護を必要とする状態でしたが、自宅で妻がほんの少し目をはなした間に１人で外出し、事故にあいました。

この事故で鉄道会社は、責任能力のない人（認知症の人）が起こした事件の損害は、監督義務者である介護者が負うべきとして、家族に振替輸送等の費用である約720万円の支払いを求めて訴訟を起こしました。

地方裁判所は1審で妻と長男に支払いを命じる判決を下しました。2審の高等裁判所は、妻のみに約360万円の支払いを命じる判決を下しました。この判決について、家族と鉄道会社のどちらもが上告しましたが、最終的に最高裁判所が鉄道会社の請求を退け、家族の逆転勝訴となりました。

この裁判を通じて、家族介護者に責任を押しつけることへのさまざまな議論が行われました。そして、あらためて家族介護の大変さや困難さ、そして一般社会が家族介護者に強制的ともいえる介護責任を押しつけていたことも明らかになりました。

4　家族介護者に対する具体的な支援

介護福祉職が家族介護者に行える支援は、制度上でのサービスにおいては限られています。訪問介護等では、居宅における利用者の支援時に、その家族に対する食事や生活支援は原則として行うことができません。また、実際に家族の思いをじっくり聴くことも、利用者本人への対応が中心となっているため、サービス時間中はむずかしいことが多いでしょう。このような場合、家族介護者を支援している団体や家族会の活動の紹介が、家族介護者の支援につながることがあります。

たとえば、「認知症の人と家族の会」は電話相談を行っており、全国に支部があります。「若年性認知症支援コーディネーター」などの専門の相談担当者を配置している自治体も増えています。また、各自治体やNPO法人、社会福祉法人を中心として、家族介護者やヤングケアラーの相談、支援の活動も広がりつつあります。

特別養護老人ホームやグループホーム、入所施設の多くは、家族会の活動を行っています。地域包括支援センターでも、地域住民向けの介護相談や介護予防相談などを行っています。障害や難病をかかえる人についても同様に、当事者会や家族会が活動しているケースが増えてきています。

近年では、同じ悩みをかかえ、それを経験または克服した当事者や家族がSNS上で悩みを共有したり、SNSをきっかけに、実際に会って悩みを相談したりするなど、SNSがいわゆるピアカウンセリング的な機能を果たしていることもあります。こういった活動は、地域によって差があります。このような地域の情報をしっかりとらえて、必要としている人に提供することも、介護福祉職による家族介護者に対する支援の方法の1つです。

◆参考文献

- I. イリイチ、玉野井芳郎・栗原彬訳『シャドウ・ワーク――生活のあり方を問う』岩波書店、2006年
- 鎌田とし子・矢澤澄子・木本喜美子編『講座社会学14 ジェンダー』東京大学出版会、1999年
- 公益社団法人認知症の人と家族の会　http://www.alzheimer.or.jp/

第 2 章

介護福祉を必要とする人の生活を支えるしくみ

第1節

利用者の生活を支えるしくみ

学習のポイント

- 地域共生社会について理解する
- 地域包括ケアシステムについて理解する

関連項目 ②『社会の理解』▶第2章「地域共生社会の実現に向けた制度や施策」

❶フォーマルサービス（社会的サービス）
p.51参照

❷インフォーマルサービス（私的サービス）
p.64参照

介護福祉を必要とする人に対して提供されるサービスは、**フォーマルサービス（社会的サービス）**❶と、**インフォーマルサービス（私的サービス）**❷に大別されます。適切なサービスを提供するためには、個々のサービスの特徴を理解するだけでなく、介護福祉士がかかわるサービスが、社会のしくみのなかで、どのような位置づけにあるか、また、それぞれのサービスはどのように連動しているのかを理解する必要があります。

ここでは、それぞれの具体的なサービスを理解するうえで必要な知識について解説します。

1 地域共生社会

介護福祉を必要とする人が地域で生活するためには、医療と福祉の連携が必要です。また、フォーマルサービスと、インフォーマルサービスは、それぞれ独立した形で提供するのではなく、さまざまな調整を図り、連携や協働が求められます。近年、このような連携、調整、協働のための理念として、地域共生社会というキーワードが登場しました。これは、2015（平成27）年に、厚生労働省の新たな福祉サービスのシステム等のあり方検討プロジェクトチームから提出された、「誰もが支え合う地域の構築に向けた福祉サービスの実現――新たな時代に対応した福祉の提供ビジョン――」で示された考え方です。

ここでは、現状と課題として、①家族・地域社会の変化に伴い複雑化する支援ニーズへの対応、②人口減少社会における福祉人材の確保と質の高いサービスを効率的に提供する必要性の高まり、③誰もが支え合う社会の実現の必要性と地域の支援ニーズの変化への対応、の3点があげられています。このなかでは、「福祉の世界においても、今まで以上に、高齢者、障害者、児童、生活困窮者等、すべての人が世代やその背景を問わずに共に生き生きと生活を送ることができ、また、自然と地域の人々が集まる機会が増え、地域のコミュニティが活発に活動できる社会の実現が期待される。そして、この共生社会を実現するためのまちづくりが地域において求められる」[1)]と記載されています。

このような地域共生社会を実現するためには、フォーマル・インフォーマルのさまざまなサービスの連携、調整、協働が必要であるということが理解できると思います。

2 地域包括ケアシステム

地域共生社会の理念の先駆けとして、**地域包括ケアシステム**があります。これは、2013（平成25）年12月に成立した持続可能な社会保障制度の確立を図るための改革の推進に関する法律（社会保障改革プログラム法）第4条第4項に規定されたものです。地域包括ケアシステムとは、「地域の実情に応じて、高齢者が、可能な限り、住み慣れた地域でその有する能力に応じ自立した日常生活を営むことができるよう、医療、介護、介護予防、住まい及び自立した日常生活の支援が包括的に確保される体制」のことです。この考え方を図にしたものが、「植木鉢」の図です（**図2－1**）。

地域包括ケアシステムでは、税による公的な負担（公助）、相互に支え合うことのうち、制度的な費用負担が発生するもの（共助）、相互に支え合うことのうち、費用負担が制度的に裏づけられていない自発的なもの（互助）、自分のことは自分でする（自助）、のバランスのなかで、生活支援に関する社会資源を確保することをめざしています。介護福祉士には、さまざまなサービスを適切に調整するケアマネジメントが求められます。

図２－１　地域包括ケアシステムの「植木鉢」

出典：三菱ＵＦＪリサーチ＆コンサルティング「〈地域包括ケア研究会〉地域包括ケアシステムと地域マネジメント」（地域包括ケアシステム構築に向けた制度及びサービスのあり方に関する研究事業）、平成27年度厚生労働省老人保健健康増進等事業、p.15、2016年

◆引用文献

1）厚生労働省「誰もが支え合う地域の構築に向けた福祉サービスの実現――新たな時代に対応した福祉の提供ビジョン」 https://www.mhlw.go.jp/file/05-Shingikai-12201000-Shakaiengokyokushougaihokenfukushibu-Kikakuka/bijon.pdf

第2節

生活を支えるフォーマルサービス（社会的サービス）とは

学習のポイント

- 高齢者の生活を支えるフォーマルサービスを理解する
- 障害者の生活を支えるフォーマルサービスを理解する
- フォーマルサービスにおける介護福祉士の支援の視点を理解する

関連項目
② 『社会の理解』 ▶ 第3章第3節「日本の社会保障制度のしくみ」
② 『社会の理解』 ▶ 第4章第3節「介護保険制度」
② 『社会の理解』 ▶ 第5章第4節「障害者総合支援制度」

ここでは、**介護サービス**を必要とする人が地域で暮らし続けるために必要な支援のうち、**フォーマルサービス（社会的サービス）**についてみていきます。フォーマルサービスは、国や地方公共団体などの公共機関が法制度にもとづき、専門的な視点から提供するサービスのことをいいます。高齢者支援における介護保険法や、障害者支援における障害者の日常生活及び社会生活を総合的に支援するための法律にもとづくサービスを中心に理解を深めていきます。

フォーマルサービスは利用者支援で大きな役割をになっており、**インフォーマルサービス（私的サービス）**との協働や地域連携は不可欠です。また、サービスが画一的で柔軟性にとぼしいとの指摘もありますが、介護福祉士や介護支援専門員（ケアマネジャー）などの専門職が、利用者とフォーマルサービスをより適切に結びつける機能を果たすことで、おぎなっていくことができます。

1 高齢者のためのフォーマルサービスの概要

介護保険制度におけるサービスの種類

高齢者の生活を支援するフォーマルサービスの多くは、介護保険制度にもとづいたものです。介護保険制度は、社会全体で介護を必要とする人々を支えるため、それまでの**措置**❶を中心とした制度を大きく変更し、給付と負担の関係が明確な社会保険方式として創設されたものです。

❶措置
行政がその権限によって、福祉サービスの利用を決定すること。行政処分であるため、利用者が主体的にサービスを選択することができない。

利用者自身の選択で保健医療サービスや福祉サービスを総合的に受けられるようにし、これまでの生活が継続できるよう支援します。**表2－1**にサービス等の種類を示しました。

介護保険制度のサービスには、**居宅サービス**等（**表2－2**）、**施設サービス**（**表2－3**）、**地域密着型サービス**（**表2－4**）、**地域支援事業**（**表2－5**）があります。

居宅サービスは、居宅生活の継続を重視するとともに、住み慣れた地域での暮らしが継続できることに重点がおかれています。**訪問サービス**や**通所サービス**は、居宅生活の継続を支援する代表的なサービスです。利用者一人ひとりの状態に応じて、さまざまなサービスが選択できます。施設サービスも、利用者の生活ニーズや医療ニーズに応じられるよう、現在は、４種類の施設があります。施設サービスを利用する際も、できる限り住み慣れた地域で利用できることが望ましいといえます。地域密着型サービスは、高齢者が住み慣れた地域で、きめ細かく配慮されたサービスの提供を受けられるよう、地域の実情を反映した小規模な事業所によってサービスが提供されます。そのため、事業所のある市町村の住民だけが利用できるサービスとなっています。

地域支援事業は、要介護・要支援となる可能性のある高齢者を対象に、できる限り介護を必要としない生活が、住み慣れた地域で継続できるようそれぞれの市町村が地域の実情に合わせてサービスを提供しています。

１人の利用者が複数のサービス提供を受けている場合もあります。介護福祉士は、どのようなサービスを提供するにしても、利用者の生活の

表２－１　介護保険制度におけるサービス等の種類

2018（平成30）年４月

	予防給付におけるサービス	介護給付におけるサービス
都道府県が指定・監督を行うサービス	◎介護予防サービス 【訪問サービス】 ○介護予防訪問入浴介護 ○介護予防訪問看護 ○介護予防訪問リハビリテーション ○介護予防居宅療養管理指導 【通所サービス】 ○介護予防通所リハビリテーション 【短期入所サービス】 ○介護予防短期入所生活介護 ○介護予防短期入所療養介護 ○介護予防特定施設入居者生活介護 ○介護予防福祉用具貸与 ○特定介護予防福祉用具販売	◎居宅サービス 【訪問サービス】 ○訪問介護 ○訪問入浴介護 ○訪問看護 ○訪問リハビリテーション ○居宅療養管理指導 【通所サービス】 ○通所介護 ○通所リハビリテーション 【短期入所サービス】 ○短期入所生活介護 ○短期入所療養介護 ○特定施設入居者生活介護 ○福祉用具貸与 ○特定福祉用具販売 ◎施設サービス ○介護老人福祉施設 ○介護老人保健施設 ○介護療養型医療施設 ○介護医療院
市町村が指定・監督を行うサービス	◎介護予防支援 ◎地域密着型介護予防サービス ○介護予防小規模多機能型居宅介護 ○介護予防認知症対応型通所介護 ○介護予防認知症対応型共同生活介護（グループホーム）	◎居宅介護支援 ◎地域密着型サービス ○定期巡回・随時対応型訪問介護看護 ○小規模多機能型居宅介護 ○夜間対応型訪問介護 ○認知症対応型通所介護 ○認知症対応型共同生活介護（グループホーム） ○地域密着型特定施設入居者生活介護 ○地域密着型介護老人福祉施設入所者生活介護 ○看護小規模多機能型居宅介護（複合型サービス） ○地域密着型通所介護
その他	○住宅改修	○住宅改修

	市町村が実施する事業
市町村が実施する事業	◎地域支援事業 ○介護予防・日常生活支援総合事業 （１）　介護予防・生活支援サービス事業 ・訪問型サービス ・通所型サービス ・その他生活支援サービス ・介護予防ケアマネジメント （２）　一般介護予防事業 ・介護予防把握事業 ・介護予防普及啓発事業 ・地域介護予防活動支援事業 ・一般介護予防事業評価事業 ・地域リハビリテーション活動支援事業 ○包括的支援事業（地域包括支援センターの運営） ・総合相談支援業務 ・権利擁護業務 ・包括的・継続的ケアマネジメント支援業務 ○包括的支援事業（社会保障充実分） ・在宅医療・介護連携推進事業 ・生活支援体制整備事業 ・認知症総合支援事業 ・地域ケア会議推進事業 ○任意事業 ・介護給付等費用適正化事業　・家族介護支援事業　・その他の事業

出典：厚生労働統計協会編『国民の福祉と介護の動向 2018／2019』p.152、2018年を一部改変

表２－２　介護保険制度における居宅サービス等

サービスの種類	サービスの内容
訪問介護 （ホームヘルプサービス）	ホームヘルパーが要介護者の居宅を訪問して、入浴、排せつ、食事等の介護、調理・洗濯・掃除等の家事、生活等に関する相談、助言その他の必要な日常生活上の世話を行う。
訪問入浴介護	入浴車等により居宅を訪問して浴槽を提供して入浴の介護を行う。
訪問看護	病状が安定期にあり、訪問看護を要すると主治医等が認めた要介護者について、病院、診療所または訪問看護ステーションの看護師等が居宅を訪問して療養上の世話または必要な診療の補助を行う。
訪問リハビリテーション	病状が安定期にあり、計画的な医学的管理の下におけるリハビリテーションを要すると主治医等が認めた要介護者等について、病院、診療所または介護老人保健施設の理学療法士または作業療法士が居宅を訪問して、心身の機能の維持回復を図り、日常生活の自立を助けるために必要なリハビリテーションを行う。
居宅療養管理指導	病院、診療所または薬局の医師、歯科医師、薬剤師等が、通院が困難な要介護者について、居宅を訪問して、心身の状況や環境等を把握し、それらを踏まえて療養上の管理および指導を行う。
通所介護 （デイサービス）	老人デイサービスセンター等において、入浴、排せつ、食事等の介護、生活等に関する相談、助言、健康状態の確認その他の必要な日常生活の世話および機能訓練を行う。
通所リハビリテーション （デイ・ケア）	病状が安定期にあり、計画的な医学的管理の下におけるリハビリテーションを要すると主治医等が認めた要介護者等について、介護老人保健施設、病院または診療所において、心身の機能の維持回復を図り、日常生活の自立を助けるために必要なリハビリテーションを行う。
短期入所生活介護 （ショートステイ）	老人短期入所施設、特別養護老人ホーム等に短期間入所し、その施設で、入浴、排せつ、食事等の介護その他の日常生活上の世話および機能訓練を行う。
短期入所療養介護 （ショートステイ）	病状が安定期にあり、ショートステイを必要としている要介護者等について、介護老人保健施設、介護療養型医療施設等に短期間入所し、その施設で、看護、医学的管理下における介護、機能訓練その他必要な医療や日常生活上の世話を行う。
特定施設入居者生活介護 （有料老人ホーム）	有料老人ホーム、軽費老人ホーム等に入所している要介護者等について、その施設で、特定施設サービス計画に基づき、入浴、排せつ、食事等の介護、生活等に関する相談、助言等の日常生活上の世話、機能訓練および療養上の世話を行う。
福祉用具貸与	在宅の要介護者等について福祉用具の貸与を行う。
特定福祉用具販売	福祉用具のうち、入浴や排せつのための福祉用具その他の厚生労働大臣が定める福祉用具の販売を行う。
居宅介護住宅改修費 （住宅改修）	手すりの取り付けその他の厚生労働大臣が定める種類の住宅改修費の支給
居宅介護支援	在宅の要介護者等が在宅介護サービスを適切に利用できるよう、その者の依頼を受けて、その心身の状況、環境、本人および家族の希望等を勘案し、利用するサービス等の種類、内容、担当者、本人の健康上・生活上の問題点、解決すべき課題、在宅サービスの目標およびその達成時期等を定めた計画（居宅サービス計画）を作成し、その計画に基づくサービス提供が確保されるよう、事業者等との連絡調整等の便宜の提供を行う。介護保険施設に入所が必要な場合は、施設への紹介等を行う。

出典：厚生労働統計協会編『国民の福祉と介護の動向 2018／2019』p.153、2018年を一部改変

表2－3 介護保険制度における施設サービス

サービスの種類	サービスの内容
介護老人福祉施設	老人福祉施設である特別養護老人ホームのことで、寝たきりや認知症のために常時介護を必要とする人で、自宅での生活が困難な人に生活全般の介護を行う施設
介護老人保健施設	病状が安定期にあり入院治療の必要はないが、看護、介護、リハビリテーションを必要とする要介護状態の高齢者を対象に、慢性期医療と機能訓練によって在宅への復帰を目指す施設
介護療養型医療施設	脳卒中や心臓病などの急性期の治療が終わり、病状が安定期にある要介護状態の高齢者のための長期療養施設であり、療養病床や老人性認知症疾患療養病棟が該当する。
介護医療院	主として長期にわたり療養が必要である要介護者に対し、療養上の管理、看護、医学的管理の下における介護および機能訓練その他必要な医療ならびに日常生活上の世話を行う施設

注 介護療養型医療施設の経過措置期間（平成30年3月末まで）は、平成29年の法改正により、令和6年3月末まで6年間延長されている。
出典：厚生労働統計協会編『国民の福祉と介護の動向 2018／2019』p.153、2018年を一部改変

表2－4 介護保険制度における地域密着型サービス

サービスの種類	サービスの内容
定期巡回・随時対応型訪問介護看護	重度者をはじめとした要介護高齢者の在宅生活を支えるため、日中・夜間を通じて、訪問介護と訪問看護が密接に連携しながら、短時間の定期巡回型訪問と随時の対応を行う。
小規模多機能型居宅介護	要介護者に対し、居宅またはサービスの拠点において、家庭的な環境と地域住民との交流の下で、入浴、排せつ、食事等の介護その他の日常生活上の世話および機能訓練を行う。
夜間対応型訪問介護	居宅の要介護者に対し、夜間において、定期的な巡回訪問や通報により利用者の居宅を訪問し、排せつの介護、日常生活上の緊急時の対応を行う。
認知症対応型通所介護	居宅の認知症要介護者に、介護職員、看護職員等が特別養護老人ホームまたは老人デイサービスセンターにおいて、入浴、排せつ、食事等の介護その他の日常生活上の世話および機能訓練を行う。
認知症対応型共同生活介護（グループホーム）	認知症の要介護者に対し、共同生活を営むべく住居において、家庭的な環境と地域住民との交流の下で、入浴、排せつ、食事等の介護その他の日常生活上の世話および機能訓練を行う。
地域密着型特定施設入居者生活介護	入所・入居を要する要介護者に対し、小規模型（定員30人未満）の施設において、地域密着型特定施設サービス計画に基づき、入浴、排せつ、食事等の介護その他の日常生活上の世話、機能訓練および療養上の世話を行う。
地域密着型介護老人福祉施設入所者生活介護	入所・入居を要する要介護者に対し、小規模型（定員30人未満）の施設において、地域密着型施設サービス計画に基づき、可能な限り、居宅における生活への復帰を念頭に置いて、入浴、排せつ、食事等の介護その他の日常生活上の世話および機能訓練、健康管理、療養上の世話を行う。
看護小規模多機能型居宅介護	医療ニーズの高い利用者の状況に応じたサービスの組み合わせにより、地域における多様な療養支援を行う。
地域密着型通所介護	老人デイサービスセンター等において、入浴、排せつ、食事等の介護、生活等に関する相談、助言、健康状態の確認その他の必要な日常生活の世話および機能訓練を行う（通所介護事業所のうち、事業所の利用定員が19人未満の事業所。原則として、事業所所在の市町村の住民のみ利用）。

注 「看護小規模多機能型居宅介護」は、従来、「複合型サービス」と称していたが、平成27年度介護報酬改定において名称が変更された。
出典：厚生労働統計協会編『国民の福祉と介護の動向 2018／2019』p.154、2018年を一部改変

表2－5 地域支援事業

<介護予防・日常生活支援総合事業（総合事業）>

介護予防・生活支援サービス事業（第1号事業）

事業	内容
訪問型サービス（第1号訪問事業）	要支援者等及び継続利用要介護者に対し、掃除、洗濯等の日常生活上の支援を提供する。
通所型サービス（第1号通所事業）	要支援者等及び継続利用要介護者に対し、機能訓練や集いの場など日常生活上の支援を提供する。
その他生活支援サービス（第1号生活支援事業）	要支援者等及び継続利用要介護者に対し、栄養改善を目的とした配食や1人暮らし高齢者等への見守りを提供する。
介護予防ケアマネジメント（第1号介護予防支援事業）	要支援者等に対し、総合事業によるサービス等が適切に提供できるようケアマネジメントを行う。

一般介護予防事業

事業	内容
介護予防把握事業	収集した情報等の活用により、閉じこもり等の何らかの支援を要する者を把握し、介護予防活動へつなげる。
介護予防普及啓発事業	介護予防活動の普及・啓発を行う。
地域介護予防活動支援事業	住民主体の介護予防活動の育成・支援を行う。
一般介護予防事業評価事業	介護保険事業計画に定める目標値の達成状況等を検証し、一般介護予防事業の評価を行う。
地域リハビリテーション活動支援事業	介護予防の取り組みを機能強化するため、通所、訪問、地域ケア会議、サービス担当者会議、住民主体の通いの場等へのリハビリテーション専門職等による助言等を実施する。

<包括的支援事業>

事業	内容
地域包括支援センターの運営	地域包括支援センター等において、多職種協働による個別事例の検討等を行い、地域のネットワーク構築、ケアマネジメント支援、地域課題の把握等を推進する。
在宅医療・介護連携推進事業	地域の医療・介護関係者による会議の開催、在宅医療・介護関係者の研修等を行い、地域のめざすべき姿を共有し、切れ目のない在宅医療と介護を提供する体制の構築を推進する。
認知症総合支援事業	認知症初期集中支援チームの関与による認知症の早期診断・早期対応や、認知症地域支援推進員による相談対応、認知症カフェの設置やボランティアによる認知症の人の居宅訪問等を推進する。
生活支援体制整備事業	生活支援コーディネーター（地域支え合い推進員）の配置や協議体の設置等により、地域における生活支援のにない手やサービスの開発等を行い、高齢者の社会参加および生活支援の充実を推進する。
地域ケア会議推進事業	地域ケア会議を効果的に推進していくために、地域ケア会議の目標と実施方法等を市町村と地域包括支援センターとの間で十分に共有するなど、地域ケア会議の円滑な実施に向けた環境を整備する。

継続という視点を念頭においた支援を行うことが求められています。居宅で介護サービスを提供する場合、利用者にとっては他人が自分の生活に入りこむことに大きな抵抗感があるでしょうし、そのこと自体がこれまでの生活を大きく変えることになります。施設サービスの場合は短期、長期の利用にかかわらず、これまでの生活が中断してしまうという側面があります。生活の場が変化してしまうことへの影響を最小限にとどめるため、人やモノなど、利用者と関係するさまざまなことを継続し、つながりをもてるよう配慮することも必要になります。福祉、保健、医療の従事者等と連携することで、さまざまな利用者ニーズに、的確に対応することができます。詳細については『社会の理解』（第 2 巻）第 4 章第 3 節を参照してください。

2 介護福祉士に求められる支援の視点

介護サービスが必要になったとき、多くの利用者がまずフォーマルサービスの利用を検討します。利用者が適切なサービスを選択できるように、相談窓口の整備や適切な情報提供が求められます。サービス利用開始後は、利用者の状態の変化に合わせて、それぞれのサービスが適切に提供されることが重要です。単に居宅でのサービス利用か施設入所かという判断ではなく、各種サービスを適切に利用しながら住み慣れた地域で利用者の生活が継続できるよう支援していきましょう。そのためには、サービスごとの特徴を把握し検討すること、検討した支援内容を利用者とその家族等と、きちんと共有しておく必要があります。

介護サービスが必要な状態になると、生活の基盤も揺らいできます。生活の基盤が揺らぐことは大きな不安につながります。安心して介護サービスを利用してもらうためには、まず不安となる要因を取り除き、生活の基盤を固めることに細心の注意を払います。また、施設入所を必要とする場合でも、介護サービスはこれまでの生活を大切にしつつ、生活の継続が最優先されることを納得が得られるまでていねいに説明しましょう。

2 障害者のためのフォーマルサービスの概要

1 障害者総合支援法によるサービス

（1）障害者総合支援法によるサービス

2006（平成18）年に施行された**障害者自立支援法**は、2013（平成25）年４月に、障害者の日常生活及び社会生活を総合的に支援するための法律（以下、**障害者総合支援法**）に改正されました。障害者自立支援法では障害の種類別のサービスを１つにまとめ、施設単位ではなく機能に着目したサービス体系への再編成が行われました。障害者総合支援法では、目的規定に、「障害者及び障害児が基本的人権を享有する個人としての尊厳にふさわしい日常生活又は社会生活を営むことができるよう……」と個人の尊厳が明記され、基本的人権を強調し、権利擁護の理念が盛りこまれています。

障害福祉サービスについては、「必要な障害福祉サービスに係る給付、地域生活支援事業その他の支援を総合的に行い……」とされ、地域に密着した支援である地域生活支援事業が、法の目的に追加されました。障害者の範囲についても見直され、政令で定める難病患者等が加わっています。さらに、身体障害者手帳の有無にかかわらず、必要と認められた障害福祉サービス等を利用することができるようになるなどの改正が行われました。

2016（平成28）年の障害者総合支援法の改正により、障害者がみずからの望む地域生活を営むことができるよう、「生活」と「就労」に対する支援のいっそうの充実や、高齢障害者による介護保険サービスの円滑な利用を促進するための見直しが行われ、「自立生活援助」「就労定着支援」などのサービスも新たに追加されました。

（2）サービスの体系

障害者に提供されるサービスとして、入浴、排泄、食事の介護や外出時の移動支援などの支援を受ける場合には**介護給付**（表２－６）、身体機能や生活能力の向上、就労のための訓練などの支援を受ける場合には**訓練等給付**（表２－７）があります。また、**地域生活支援事業**（表２－

表2－6　介護給付費の対象となる障害福祉サービス

サービス名	事業内容
居宅介護	自宅で、入浴、排泄、食事の介護等を行う。
重度訪問介護	重度の肢体不自由者または重度の知的障害･精神障害で常に介護を必要とする人に、自宅で、入浴、排泄、食事の介護、外出時の移動支援などを総合的に行う。
同行援護	視覚障害により、移動にいちじるしい困難がある人等に、移動に必要な情報の提供（代筆・代読を含む）、移動の援護等の外出支援を行う。
行動援護	自己判断能力が制限されている人が行動するときに、危険を回避するために必要な支援、外出支援等を行う。
療養介護	医療と常時介護を必要とする人に、医療機関で機能訓練、療養上の管理、看護、医学的管理のもとにおける介護および日常生活の世話を行う。
生活介護	常に介護を必要とする人に、おもに昼間に、入浴、排泄、食事の介護等を行うとともに、創作的活動または生産活動の機会を提供する。
短期入所	自宅で介護する人が病気にかかっている場合などに、短期間、夜間も含めて施設等で、入浴、排泄、食事の介護等を行う。
重度障害者等包括支援	介護の必要性がとても高い人に、居宅介護等複数のサービスを包括的に提供する。
施設入所支援	施設に入所する人に、おもに夜間に、入浴、排泄、食事の介護等を行う。

表2－7　訓練等給付費の対象となる障害福祉サービス

サービス名	事業内容
自立訓練（機能訓練・生活訓練）	自立した日常生活または社会生活ができるよう、一定期間、身体機能または生活能力の向上のために必要な訓練を行う。
就労移行支援	一般企業等への就労を希望する人に、一定期間、就労に必要な知識および能力の向上のために必要な訓練を行う。
就労継続支援A型（雇用型） 就労継続支援B型	一般企業等での就労が困難な人に、働く場を提供するとともに、知識および能力の向上のために必要な訓練を行う。
共同生活援助	夜間や休日、共同生活を行う住居で、相談、入浴、排泄、食事の介護等や日常生活上の援助を行う。
就労定着支援	就労移行支援等を利用して、一般企業等に新たに雇用された障害者が継続して働き続けられるように、企業、障害福祉サービス事業者、医療機関等との連絡調整を行う。また、雇用にともなって生じる日常生活や社会生活を営むうえでのさまざまな問題に関する相談助言等の必要な支援を行う。
自立生活援助	障害者支援施設等から１人暮らしへの移行を希望する知的障害者や精神障害者等に、本人の意思を尊重した地域生活を支援するため、一定の期間にわたり、定期的な巡回訪問や随時の対応を行い、障害者の理解力、生活力等をおぎなう観点から適宜、適切な支援を行う。

表2－8　地域生活支援事業

都道府県地域生活支援事業	市町村地域生活支援事業
○必須事業 ①専門性の高い相談支援事業 ②専門性の高い意思疎通支援を行う者（手話通訳者、要約筆記者、盲ろう者向け通訳・介助員、失語者向け意思疎通支援者）の養成研修事業 ③専門性の高い意思疎通支援を行う者の派遣事業 ④意思疎通支援を行う者の派遣にかかる市町村相互間の連絡調整事業 ⑤広域的な支援事業 ○任意事業	○必須事業 ①理解促進研修・啓発事業 ②自発的活動支援事業 ③相談支援事業 ④成年後見制度利用支援事業 ⑤成年後見制度法人後見支援事業 ⑥意思疎通支援事業 ⑦日常生活用具給付等事業 ⑧手話奉仕員養成研修事業 ⑨移動支援事業 ⑩地域活動支援センター機能強化事業 ○任意事業

8）も含まれます。障害福祉サービスが障害の特性に応じて適切に利用できるよう、障害者総合支援法では**障害支援区分**を導入しています。障害支援区分によって、障害の多様な特性、その他の心身の状態の変化に応じて必要とされる標準的な支援の度合いが示されています。

利用者の個々の状況に応じた柔軟なサービス提供を行う地域生活支援事業（**表2－8**）もあります。地域生活支援事業には**都道府県地域生活支援事業**と**市町村地域生活支援事業**があります。

（3）日中の活動支援と生活支援サービス

障害福祉サービスは、生活支援サービスや就労移行支援サービスのように、機能によって編成されています。日中活動と居住支援が明確になり、地域生活支援事業が法に規定されたことから、フォーマルな障害福祉サービスは障害者が地域で活動しながら生活するための支援であることがわかります。

1 日中活動の支援等

安定した生活のために介護等の支援や自立のための訓練、就労支援や移動などの活動を支援します。

介護給付としての**重度訪問介護**、**同行援護**、**行動援護**、**療養介護**、**生活介護**、訓練等給付としての**自立訓練**、**就労移行支援**、**就労継続支援**、**就労定着支援**、地域生活支援事業の**移動支援**、**地域活動支援センター**がこれにあたります。

2 生活支援等

夜間や休日、施設での生活など生活の基盤となる支援を行います。介護給付としては居宅介護、重度障害者等包括支援、短期入所、障害者支援施設での夜間ケア等（施設入所支援）、訓練等給付のうちの共同生活援助、自立生活援助、地域生活支援事業の任意事業のなかの福祉ホームがこれにあたります。

2 介護福祉士に求められる支援の視点

障害者総合支援法では、基本理念として、

① すべての障害者および障害児が可能な限りその身近な場所において必要な日常生活または社会生活を営むための支援を受けられることにより社会参加の機会が確保されること

② どこでだれと生活するかについての選択の機会が確保され、地域社会においてほかの人々と共生することをさまたげられないこと

③ 障害者および障害児にとって日常生活または社会生活を営むうえで障壁となるような社会における事物、制度、慣行、観念その他一切のものの除去

が総合的かつ計画的に行われなければならないと規定しています。

介護福祉士は障害者の人権を擁護するとともに、基本理念が具体的に実現されるようほかの専門職等と連携をはかり、具体的な支援を実践することが求められています。

また、障害者の高齢化に対応するため、介護保険サービスと障害福祉サービスの利用が円滑に行えるように、利用者の状態を適切に把握するとともに、対応する制度をよく理解しておき、障害者が生涯にわたって一貫性のあるサービス利用ができるよう支援することも必要です。

利用者の豊かな地域生活を支援するためにはフォーマルサービスだけでなく、インフォーマルサービスの活用や地域連携が不可欠です。

演習2－1 生活を支えるフォーマルサービス（社会的サービス）とは

高齢者支援における代表的なフォーマルサービスである介護保険サービスの特徴をまとめてみよう。

1 居宅サービス等の特徴

サービス	特徴
訪問介護	
訪問リハビリテーション	
通所介護	
通所リハビリテーション	
短期入所生活介護	
短期入所療養介護	
居宅介護支援	

2 施設サービスを提供する介護保険施設の特徴

施設	特徴
介護老人福祉施設	
介護老人保健施設	
介護療養型医療施設	
介護医療院	

3 地域密着型サービスの特徴

サービス	特徴
定期巡回・随時対応型訪問介護看護	
小規模多機能型居宅介護	
認知症対応型共同生活介護（グループホーム）	

第3節

生活を支える インフォーマルサービス（私的サービス）とは

学習のポイント

- フォーマルサービスとインフォーマルサービスの関係について学ぶ
- 一般的に想定されるインフォーマルサービスについて学ぶ

関連項目 ②『社会の理解』▶第3章第3節「日本の社会保障制度のしくみ」

ここでは、介護サービスを必要とする人が地域で暮らし続けるために必要な支援のうち、**インフォーマルサービス（私的サービス）**について学んでいきます。インフォーマルサービスとは、法制度にもとづき専門的な視点から提供される**フォーマルサービス（社会的サービス）**「以外」のサービスすべてがあてはまります。家族、友人、近隣住民、当事者団体、ボランティア団体などが提供する「制度化されていないサービス」のことであり、その内容は地域によって大きく異なります。

フォーマルサービスは、国や自治体が制度をつくり、その枠組みのなかで整備されていきますが、インフォーマルサービスは、必要に応じてつくり上げていくことになります。そのため、地域によって大きく異なるのです。

1 費用負担による区分

地域包括ケアシステムでは、**公助**、**共助**、**互助**、**自助**のバランスのなかで、生活支援に関する社会資源を確保することをめざしています。このなかで、互助がインフォーマルサービスにあてはまります。

1 公助

税による公の負担のことであり、生活保護や一般財源による高齢者福祉事業等が該当します。

2 共助

相互に支え合うことですが、制度的な費用負担が生じます。介護保険に代表される社会保険制度およびサービスが該当します。

3 互助

相互に支え合っているという意味で共助と共通点がありますが、費用負担が制度的に裏づけられていない自発的なものが該当します。

4 自助

「自分のことは自分でする」ことに加え、市場サービスの購入も含まれます。

これらは費用負担による分類ですが、はっきりと分類できないものもあります。たとえば、ボランティア活動や住民組織の活動への公的な支援は、互助と公助の２つの視点が入りますし、当事者団体による取り組みや高齢者自身によるボランティア活動、生きがい就労などは、互助と自助の２つの視点が入っています。

今後、高齢者の１人暮らしや高齢者のみの世帯がよりいっそう増加することから、自助と互助の概念、求められる範囲や役割が新しい形に変化していくと考えられます。都市部では、強い互助を期待することがむずかしい一方で、民間サービス市場が大きいため、自助によるサービス購入が可能です。都市部以外の地域は、民間サービス市場は限定的ですが、互助の役割が大きい傾向があります。少子高齢化や財政状況から、共助と公助の大幅な拡充を期待することはむずかしく、自助と互助を意識した取り組みが求められています。

2 フォーマルサービスとインフォーマルサービスの関係

フォーマルサービスとインフォーマルサービスの関係については、それぞれから提供されるケア、すなわちフォーマルケアとインフォーマルケアの観点から３つのモデルがあると考えられています。

1 階層的補完モデル

階層的補完モデルでは、支援の提供について、利用者と支援者との関係（社会的距離）が影響し、その関係の強弱により支援の順序が決まると考えられています。高齢者を例に考えると、まずはもっとも社会的距離が近い配偶者、次に子ども、その後、親戚、友人・知人が支援者となります。それでも支援が十分でない場合に、最後のよりどころとしてフォーマルケアが選択されます。インフォーマルケアでの支援を可能な限り行い、それでも不十分な場合にフォーマルケアを受けるというモデルです。

2 課題特定モデル

課題特定モデルでは、ケア提供者にはそれぞれ機能特性があり、ケアの課題（当事者のニーズ）に合わせて適切な支援を選択すると考えられています。たとえば、重度の要介護者に対しては、専門職が配置された訪問系のサービス事業所など、フォーマルな機関による支援が適しているというような考え方です。

3 代替モデル

代替モデルでは、フォーマルケアの充実により、それまで家族などが行ってきたインフォーマルケアを代替すると考えられています。たとえば、訪問介護サービスを手厚く利用することにより、介護をになってきた家族の負担が軽くなるというような考え方です。

3 インフォーマルサービスの種類

法制度にもとづいて提供されるフォーマルサービスの場合、その内容をはっきりと示すことができますが、インフォーマルサービスは、「フォーマルサービス以外」のすべてが該当するので、その内容をはっきりと示したり、限定したりすることができません。

ここでは、一般的に想定されるインフォーマルサービスについて学んでいきましょう。

1 身体的ケア

身体的ケアとは、食事、入浴、排泄などのことをいいます。介護保険法や障害者の日常生活及び社会生活を総合的に支援するための法律（以下、障害者総合支援法）にもとづいて提供される場合はフォーマルサービス、家族や友人によって提供される場合はインフォーマルサービスになります。

2 手段的ケア

手段的ケアには、外出支援や家事支援があり、身体的ケアと同様にフォーマルサービスとインフォーマルサービスが混在しています。介護保険法や障害者総合支援法にもとづいて提供される場合はフォーマルサービス、家族や友人によって提供される場合はインフォーマルサービスになります。

3 情緒的ケア

情緒的ケアは、会話をとおして悩みや孤独感の解消をはかるようなことで、家族や友人などにより、インフォーマルサービスとして提供されることが多いと考えられます。

4 金銭的ケア

金銭的ケアには、成人した子どもが高齢の親を扶養することや、認知症の人の家族が金銭管理を行うことなどがあります。

5 声かけ・見守り・安否確認

民生委員、別居している家族や親戚、近隣住民、友人による家庭訪問だけでなく、訪問系販売員による見守りや安否確認が行われています。町内会・自治会のネットワークによる、声かけ・見守り・安否確認が有効に機能している地域もあります。

6 相談

相談相手としては、家族、友人・知人、近隣住民、民生委員などが考えられます。さまざまな機関が提供している電話相談や市民相談なども、インフォーマルな相談業務です。家族会や患者会などの当事者団体による活動の1つであるピアサポートも、インフォーマルな相談の1つの形です。

7 情報交換

当事者団体の活動であるピアサポートは、相談としての機能と、情報交換としての機能の両方を兼ねています。インターネットの普及により、ソーシャルネットワークサービスを利用した掲示板なども、有効な情報交換の手段になっています。

4 インフォーマルサービスの提供者

すでに述べたように、フォーマルサービスは法制度にもとづいているのでその提供者は限定されますが、インフォーマルサービスの提供者の場合、ありとあらゆる機関や人々が想定されます。家族、親戚、近隣住民、友人、同僚、ボランティア（有償ボランティアも含む）、民生委員、自治会、家族会、商店など、地域に存在する社会資源のすべてが、インフォーマルサービスの提供者になる可能性があります。

5 介護福祉士に求められる支援の視点

ケアマネジメントにおいては、フォーマルサービスとインフォーマルサービスを適切に組み合わせることが推奨されています。地域包括ケアシステムで示されている「可能な限り、住み慣れた地域で生活を継続することができるような包括的な支援」を念頭におくことが大切ですが、フォーマルサービスのみで「包括的な支援」を提供するのは困難です。そのため、日ごろから地域に存在するインフォーマルサービスに関して情報収集しておくことが重要です。さらに、必要があれば新たなインフォーマルサービスを開発することも介護福祉士の仕事の1つです。

アセスメントに際しては、利用者や家族の状況、地域の状況を総合的に分析する能力が求められます。家族との関係性においては、それまで行ってきたインフォーマルな家族介護を軸にして、それをおぎなう形でフォーマルサービスを展開したほうがよい場合もあれば、フォーマルサービスを軸に展開して、家族の介護負担感の軽減をはかる必要がある場合もあります。

施設介護においても、インフォーマルサービスの活用は重要です。介護施設での生活は、制度上、フォーマルサービスが生活の基盤となりますが、QOL（Quality of Life：生活の質）の向上の観点から、適切なインフォーマルサービスの導入が求められます。ただし、単にマンパワーをおぎなうためのものとして、インフォーマルサービスを導入してはいけません。インフォーマルサービスの導入にあたっては、介護福祉士が専門職の視点できちんとマネジメントすることが大切です。

◆参考文献

- 冷水豊編著『「地域生活の質」に基づく高齢者ケアの推進――フォーマルケアとインフォーマルケアの新たな関係をめざして』有斐閣、2009年
- 井岡勉監、牧里毎治・山本隆編『住民主体の地域福祉論――理論と実践』法律文化社、2008年
- 太田貞司編集代表、朝倉美江・太田貞司編著『地域ケアシステムとその変革主体――市民・当事者と地域ケア』光生館、2010年

演習2－2 生活を支えるインフォーマルサービス（私的サービス）とは

1 インフォーマルサービスの考え方に関して、次の文章の空欄に入る適切な語句を考えてみよう。

- インフォーマルサービスとは、家族、友人、近隣住民、当事者団体、ボランティア団体などが提供する「①＿＿サービス」のことであり、その内容は②＿＿によって大きな違いがある。

2 生活を支えるしくみは、以下のようにフォーマルサービス・インフォーマルサービスの２つに分けられる。費用負担による区分に関して、次の文章の空欄に入る適切な語句を考えてみよう。

●フォーマルサービス

- 公助とは、③＿＿による公の負担のことであり、④＿＿や一般財源による高齢者福祉事業等が該当する。
- 共助とは、相互に支え合うことであるが、⑤＿＿が生じる。⑥＿＿に代表される⑦＿＿およびサービスが該当する。

●インフォーマルサービス

- 互助とは、相互に支え合っているという意味で「共助」と共通点があるが、⑧＿＿が制度的に裏づけられていない⑨＿＿が該当する。
- 自助とは、「自分のことは自分でする」ことに加え、⑩＿＿の購入も含まれる。

第4節

地域連携

学習のポイント

- 地域連携の意義と目的について学ぶ
- 地域福祉にかかわる組織・団体について学ぶ
- 地域福祉のにない手について学ぶ

関連項目
②『社会の理解』▶第２章「地域共生社会の実現に向けた制度や施策」
⑭『障害の理解』▶第４章第１節「地域のサポート体制」

1 地域連携の意義と目的

1 地域連携の意義と目的

連携とは、同じ目的をもつ者が互いに連絡をとり、協力し合って物事を行うことです。介護福祉実践における**地域連携**とは、「介護福祉を必要とする人の生活を支える」という共通の目的のもと、地域に存在するフォーマルおよびインフォーマルなサービスの提供者が互いに連絡をとり、協力し合って支援を行うことです。実際には、サービス提供者だけが協力し合うのではなく、利用者本人を主体として、家族、そしてサービス提供者が協力し合うことになります。

2025（令和７）年の構築をめざしている**地域包括ケアシステム**とは、高齢者の尊厳の保持と自立生活の支援の目的のもとで、可能な限り住み慣れた地域で生活を継続することができるような包括的な支援・サービス提供体制のことです。具体的には、「介護・リハビリテーション」「医療・看護」「保健・福祉」という専門的なサービスと、その前提としての「住まい」と「介護予防・生活支援」が相互に関係し、連携しながら在宅の生活を支えていくこととされています。そこでは、地域の社会資源を活用するだけでなく、必要に応じて新たな社会資源を開発しながら、利用者の主体性や力を引き出し、地域社会の一員としての社会参加を促進する支援が必要です。利用者および家族のもっとも近くで支援を行う介護福祉士は、地域包括ケアシステムの実現に向けて重要な役割をになっています。

2 地域連携の形

地域連携はさまざまな人々がかかわるので、複雑化してしまうことがありますが、**「個人レベルの地域連携」「組織間レベルの地域連携」「制度レベルの地域連携」**という3つのレベルで考えると、理解しやすいでしょう。

「個人レベルの地域連携」とは、利用者を取り巻く地域の関係者や関係機関が、互いに連絡をとり合って利用者を支援するレベルの連携です。

「組織間レベルの地域連携」とは、関係機関が互いに連絡を取り合い、よりよい支援につなげるために、約束事を取り交わして対応するレベルの連携です。

「制度レベルの地域連携」とは、特定の組織間で結ばれる連携を越えて、制度となったレベルの連携です。

地域連携では、個人レベルでの地域連携が発展して組織間レベルの地域連携となり、さらにその活動が制度をつくっていく、いわゆるボトムアップ形式の地域連携が展開されることがあります。たとえば、在宅要介護高齢者を支える活動がデイサービスとなり、その後、デイサービス間で情報交換しながら、宿泊可能な「お泊りデイ」が誕生し、さらにその活動の広がりが、介護保険制度における地域密着型サービスの1つである、小規模多機能型居宅介護に発展したことなどが、その一例です。

一方、政府が制度をつくり、その枠組みのなかで組織や個人レベルでの地域連携が整えられていく、いわゆるトップダウン形式の地域連携もあります。たとえば、政府が介護保険制度をつくり、その後、各種介護保険サービス事業所が誕生し、さらに地域住民の互助組織が展開されたことなどがあります。

どのような形の地域連携であれ、常にその主体は利用者本人です。利用者にもっとも近い存在である介護福祉士は、利用者の望む生活を実現させるために、地域連携の要として活動することが求められます。

3 地域連携における介護施設の役割

地域連携は、「在宅で生活している利用者に対して、連携して居宅サービスを提供することであり、介護施設は対象ではない」というのは誤解です。介護施設は地域を構成する要素の一つであり、地域から独立した機関ではありません。介護施設に入所している利用者に対しても地域連携は必要です。また、介護施設が、在宅で生活している利用者に対する支援に重要な役割を果たすこともあります。

特別養護老人ホーム（指定介護老人福祉施設）を例に考えてみましょう。特別養護老人ホームは終身型の入所施設というイメージが強いですが、介護保険制度では「居宅において日常生活を営むことができるかどうかについて定期的に検討すること」や、「居宅において日常生活を営むことができると認められる入所者に対し、その者及びその家族の希望、その者が退所後に置かれることとなる環境等を勘案し、その者の円滑な退所のために必要な援助を行うこと」と明記されており、在宅生活が可能な入所者に対しては、在宅復帰を検討しなければなりません。在宅復帰を検討するにあたっては、当然、退所後の生活環境を整備する必要があり、地域連携が欠かせません。

在宅生活を送る要介護高齢者を対象にした特別養護老人ホームのサービスの1つに、「在宅・入所相互利用」があります。これは、特別養護老人ホームの専用のベッドを、複数人が3か月を限度にシェアリングする制度です。在宅生活を基軸にしながら施設と自宅を行き来してもらい、地域住民に「くり返し利用できる」という安心感を提供する、介護報酬の加算対象になっている制度です。このように、地域連携においては、介護施設も含めた多様な社会資源を活用することが求められます。

2 地域連携にかかわる機関の理解

地域連携においては、介護保険法や障害者の日常生活及び社会生活を総合的に支援するための法律（以下、障害者総合支援法）などで定められたフォーマルサービス（社会的サービス）と、インフォーマルサービス（私的サービス）の両方がかかわってきます。そのため、地域にどのような社会資源があるのかを理解しておくことが大切です。ここでは、地域連携にかかわるおもな社会資源を、「組織・団体」と「にない手」に分けて学びましょう。

1 地域福祉にかかわる組織・団体

（1）地域包括支援センター

2006（平成18）年に創設された**地域包括支援センター**は、多角的なサービスを提供する地域包括ケアの具体的な推進機関です。設置の責任主体は市町村で、多様な主体に事業を委託することができます。日常生活圏域に配置されることになっており、地域の保健医療福祉をつなぐ包括的で継続的な支援を行います。

地域包括支援センターには、主任介護支援専門員（主任ケアマネジャー）、社会福祉士、保健師等が配置されています。具体的な業務としては、住民に対して、保健医療の向上および福祉の増進、地域におけるネットワークの構築、権利擁護、虐待防止、介護予防ケアマネジメントなどを総合的に行うことがあげられます。

現在、地域包括ケアシステムをさらに推進するために、在宅医療と介護の連携推進、生活支援コーディネーターや認知症初期集中支援チーム、認知症地域支援推進員の設置、地域ケア会議の設置、包括的・継続的ケアマネジメント支援業務、介護予防・日常生活支援総合事業など、地域包括支援センターの機能強化や拡充が進められています。

（2）福祉事務所

福祉事務所は、社会福祉行政を総合的にになう専門機関で、生活保護法、児童福祉法、身体障害者福祉法、知的障害者福祉法、老人福祉法、母子及び父子並びに寡婦福祉法に定める援護、育成または更生に関する業務を行う第一線の社会福祉行政機関です。社会福祉サービスの多くは、こうした社会福祉の諸法令を根拠として提供されます。

都道府県および指定都市、特別区および市においては義務設置、町村においては任意設置となっています。社会福祉法による福祉事務所の職員体制は、福祉事務所長、査察指導員、現業員、事務職員と定められており、社会福祉主事、身体障害者福祉司、知的障害者福祉司などが配置されています。

（3）社会福祉協議会

社会福祉協議会（以下、社協）は、社会福祉法において地域福祉を推進する団体として位置づけられた、公共性の高い非営利の民間福祉団体で、地域福祉の代表的な専門機関です。全国、都道府県、指定都市、市町村のすべてで組織配置され、それぞれの社協は、独立した組織であると同時に、全国ネットワークとしての機能も果たしています。市町村社協の事業体制は、社協により異なりますが、法人運営部門、ボランティアセンターを含む地域福祉活動推進部門、地域福祉権利擁護事業・相談・情報提供などの福祉サービス利用支援部門、介護事業を含む在宅福祉サービス部門の4つに整理されています。

日常生活自立支援事業の窓口業務については、基幹的な市町村社協で実施されています。

（4）NPO（民間非営利組織）

NPOとは、Non-Profit Organization または Not-for Profit Organizationの略で、利潤追求を目的とせず行政から独立して運営される組織です。そのなかで、1998（平成10）年施行の特定非営利活動促進法（以下、NPO法）により、認証を受けて法人格が与えられたNPOを、NPO法人といいます。この法律では、**表2－9**に示す20の活動分野にあてはまる特定非営利活動の促進を目的としており、2021（令和3）年3月31日までに5万898法人が認証を受けています。

NPO法人のなかでは、保健・医療または福祉関連の団体がもっとも多くなっています。

NPO法人の地域福祉における意義は、法人格をもたなければ提供できない、と法律で定められているサービスを提供しながら、その一方で、組織本来の目的である福祉の増進のための活動も、地域で自由に法律にしばられない活動として展開できるという点です。その結果、制度と制度の隙間をうめるような活動も多くなっています。

（5）市町村の総合事業にかかわる機関や事業所

2014（平成26）年の介護保険制度の改正によって、市町村に**介護予防・日常生活支援総合事業（総合事業）**が創設されました。これは、高齢者が要介護状態になるのを防ぐ（介護予防）ために、市町村に対してその実施を義務づけたものです。要支援者などに対する介護予防・生活

表2－9　NPO法の20分野と法人数

号数	活動の種類	法人数
第1号	保健、医療又は福祉の増進を図る活動	29,756
第2号	社会教育の推進を図る活動	24,660
第3号	まちづくりの推進を図る活動	22,553
第4号	観光の振興を図る活動	3,738
第5号	農山漁村又は中山間地域の振興を図る活動	3,033
第6号	学術、文化、芸術又はスポーツの振興を図る活動	17,922
第7号	環境の保全を図る活動	13,262
第8号	災害救援活動	4,472
第9号	地域安全活動	6,307
第10号	人権の擁護又は平和の活動の推進を図る活動	8,668
第11号	国際協力の活動	9,869
第12号	男女共同参画社会の形成の促進を図る活動	4,751
第13号	子どもの健全育成を図る活動	23,518
第14号	情報化社会の発展を図る活動	5,715
第15号	科学技術の振興を図る活動	3,109
第16号	経済活動の活性化を図る活動	8,934
第17号	職業能力の開発又は雇用機会の拡充を支援する活動	13,143
第18号	消費者の保護を図る活動	2,949
第19号	連絡、助言又は援助の活動	23,268
第20号	都道府県又は指定都市の条例で定める活動	292

注：法人数は2021年3月31日までに認定を受けたもの。ただし1つの法人が複数の活動分野の活動を行う場合があるため、合計は50,893法人にはならない。

出典：内閣府資料を一部改変

支援サービス事業と、すべての高齢者を対象とした一般介護予防事業からなっています。

予防給付（要支援者が対象）の「訪問介護」と「通所介護」は、全国一律サービスではなくなり、市町村独自の地域支援事業「介護予防・生活支援サービス事業」の訪問型・通所型の各サービスに移行されています。市町村独自の訪問型サービスとしては、従来の訪問介護事業所による身体介護・生活援助の訪問介護に加え、NPOや民間事業者等による掃除・洗濯等の生活支援サービスや、住民ボランティアによるごみ出し等の生活支援サービスがあります。また、通所型サービスとしては、従来の通所介護事業所による機能訓練等の通所介護に加え、NPOや民間事業者等によるミニデイサービスや、コミュニティサロン、住民主体の運動・交流の場、リハビリテーション・栄養・口腔ケア等の専門職等がかかわる教室などでのサービスがあります。

(6) 社会福祉法人

社会福祉法において社会福祉法人とは、「社会福祉事業を行うことを目的として、この法律の定めるところにより設立された法人」と定義されています。ここでいう「社会福祉事業」とは、**第一種社会福祉事業**[1]および**第二種社会福祉事業**[2]をいいます。

また、社会福祉法人は、社会福祉事業のほか、公益事業および収益事業を行うことができます。

提供する福祉サービスについては、特定の人々だけではなく広く地域住民が利用できるよう、地域を基盤としたものであることが求められています。地域福祉の観点からは、介護保険法や障害者総合支援法など、変化し続ける制度に柔軟に対応したサービスや、制度にはない地域住民の福祉ニーズにこたえられる福祉サービスの開発と実施も、重要な役割の1つです。

(7) 住民参加型在宅福祉サービス組織

住民参加型の組織による在宅福祉サービスの活動は、実際に介護等の問題をかかえた人々などが、他人まかせではなくみずからが取り組もうとする活動から始まり、1970年代から広がりました。この活動のもっとも大きな特徴は、「困ったときはお互いさま」という相互扶助を基盤にしつつ、サービスを受けることの精神的な垣根やサービス提供者への気兼ねを取り払うために、サービス提供の際に金銭を介在させていることです。サービスの内容としては、利用者の自宅に訪問して行う家事援助や介護を中心に、移送サービスや一時保育、配食サービス等があります。

この背景には、さまざまな生活課題が地域のなかで出てきたことに対

❶第一種社会福祉事業
利用者への影響が大きいため、経営安定を通じた利用者の保護の必要性が高い事業（主として入所施設サービス）である。老人福祉法に規定する特別養護老人ホームや、生活保護法に規定する救護施設などが該当する。

❷第二種社会福祉事業
比較的利用者への影響が小さいため、公的規制の必要性が低い事業（主として在宅サービス）である。老人福祉法に規定する老人居宅介護等事業、老人デイサービス事業、児童福祉法に規定する保育所などが該当する。

して、それらの課題に対する福祉サービスの不足や硬直的な運用から、ニーズにこたえきれていない実態がありました。こうした状況に危機感を抱いた人々による、互いに支え合う試みが、住民参加型在宅福祉サービスの始まりです。その数は徐々に増加し、現在は全国で約2000団体が活動しています。

（8）当事者組織・セルフヘルプグループ

地域福祉における当事者組織とは、基本的には在宅福祉・地域保健サービスの利用者から構成される消費者団体で、その多くは行政地区（市区町村）を単位として結成されます。それに対して、セルフヘルプグループは行政地区とは無関係に自由に集まり、「わかちあい」と呼ばれるメンバー同士の交流を重視します。いずれもそのメンバーが特定の体験を共有し、その体験における困難な問題に対処することを目的として、自発的かつ主体的に展開されている持続的な市民運動の形態です。患者会や家族会、さまざまな依存症からの回復をめざした組織などがあります。

（9）ボランティアグループ

ボランティア活動にはいくつかの定義がありますが、自由な意思で、金銭的な報酬を得ることを動機とするのではなく、公共の利益のためになることを目的とした活動がボランティア活動と考えられ、それらの活動を目的につくられた集団がボランティアグループです。日々の生活を支える活動や、災害をはじめとした非常事態に力を発揮する活動など、さまざまなボランティア活動が展開されています。

（10）保健所

保健所は保健行政の実施・展開をになう機関で、地域保健法によって位置づけられた、住民の健康や衛生を支える行政機関です。都道府県、指定都市、中核市その他政令で定める市または特別区が設置することになっています。

対人保健サービス分野としては、生活習慣病の集団検診や予防接種、妊婦や乳児に対する検診や指導、エイズの検査・相談・啓発、結核などの感染症への対応、精神保健や難病に関することなどの業務をになっています。また、食中毒や水質管理、環境衛生上の管理などに関することや、美容所、理容所、公衆浴場などの営業手続き、イベントなどで食品を取り扱うときの相談など、多様な業務も行っています。

保健所には、医師、歯科医師、薬剤師、獣医師、保健師、栄養士、歯科衛生士、統計技術者などの職員が配置されています。

（11）市町村保健センター

市町村保健センターは地域保健法によって設置が定められており、母子保健、地域住民の健康増進についての相談や指導を中心に、地域住民に直接保健サービスを提供する機関です。

（12）町内会・自治会

町内会・自治会は、全国の都市や農村、住宅団地などに居住あるいは営業するほとんどの世帯や小規模事業所を対象にしています。住民の生活課題に対処するために、地域生活にかかわる施設やサービスを管理・運営している地域活動組織です。

現在、町内会・自治会の組織や活動内容はとても多様化していますが、地域福祉活動を支え行政と協働する基礎的な地域集団として、重要な役割をになっています。一方で、他者とのつながりが弱い地域では、活動内容や規模が小さくなっていることなどが課題になっています。

2　地域福祉のにない手

（1）当事者

当事者は長い間、援助の対象にすぎず、「対象者」と呼ばれていました。地域福祉のにない手というと、サービスを提供する組織や人をまず思い浮かべます。しかし、どのように地域福祉を発展させていくかを決めるにあたり、優先的な権利が与えられているのは当事者であるべきです。地域福祉のにない手としての当事者は、サービス提供者にとってはクライエントではなく、ともに働くパートナーとして位置づけ、信頼しながら活動を展開するパートナーシップが求められます。

（2）ボランティア

ボランティア（volunteer）の語源は、ラテン語で「意志する」という意味をもつウォロ（volo）から派生したウォルンタス（voluntas）

です。そこに人を意味するerがついて「意志をもつ人」となりました。ボランティアは、インフォーマルサービスや住民参加型サービスなど、地域福祉活動の中心的なにない手として位置づけられています。地域福祉活動においては、地域で生活している1人ひとりがボランタリーな生き方を実践していくことが重要と考えられています。

(3) 民生委員・児童委員

民生委員は、地区を担当して相談活動を行い、地域の声を吸い上げ、状況をよく把握し、関係機関につなぐ役割をもっています。民生委員は、都道府県知事の推薦によって、厚生労働大臣が委嘱します。任期は3年間です。民生委員は、児童福祉法にもとづく児童委員を兼務しています。

児童委員は、地域の子どもたちが元気に安心して暮らせるように、子どもたちを見守り、子育ての不安や妊娠中の心配ごとなどの相談・支援等を行います。1994（平成6）年には、新たな児童分野の事項を専門的に扱う委員として、**主任児童委員制度**が創設され、現在の児童委員制度は、区域を担当する児童委員と主任児童委員によって構成されています。区域または事項を担当する民生委員・児童委員の配置基準を**表2－10**に、主任児童委員の配置基準を**表2－11**に示します。

(4) 各種相談員（委嘱型）

社会福祉関係の機関には、さまざまな**相談員**が配置されています。そ

表2－10　区域または事項を担当する民生委員・児童委員の配置基準

区分	配置基準
1　東京都区部および指定都市	220から440までの間のいずれかの数の世帯ごとに民生委員・児童委員1人
2　中核市および人口10万人以上の市	170から360までの間のいずれかの数の世帯ごとに民生委員・児童委員1人
3　人口10万人未満の市	120から280までの間のいずれかの数の世帯ごとに民生委員・児童委員1人
4　町村	70から200までの間のいずれかの数の世帯ごとに民生委員・児童委員1人

れらの相談員は、その機関の職員として専門知識や資格をもった人が配置されている場合がありますが、地域で活躍している人々のなかから専任されている相談員も多くいます。法令等にもとづいて配置されている相談員は**表2－12**のとおりです。これらの相談員は、専門職と住民とを

表2－11 主任児童委員の配置基準

民生委員協議会の規模	主任児童委員の定数
民生委員・児童委員の定数39人以下	2人
民生委員・児童委員の定数40人以上	3人

表2－12 福祉関係のおもな相談員

種類	委嘱等	根拠となる法令等	要件
身体障害者相談員	都道府県・市町村（委託）	身体障害者福祉法	社会的信望、熱意と見識のある者
知的障害者相談員	都道府県・市町村（委託）	知的障害者福祉法	同上
精神保健福祉相談員（職員）	都道府県知事・市町村長（任命）	精神保健及び精神障害者福祉に関する法律	精神保健福祉士、その他政令で定める資格
母子・父子自立支援員	都道府県知事、市長、福祉事務所を管理する町村長	母子及び父子並びに寡婦福祉法	社会的信望、熱意と見識のある者
婦人相談員	都道府県知事、市長（委嘱）	売春防止法	同上
家庭相談員	福祉事務所（任用）	家庭児童相談室設置運営要綱	大学等で児童福祉、社会福祉等を修めた者等
民生委員・児童委員	厚生労働大臣	民生委員法、児童福祉法	人格見識が高い、広く社会の実情に通じ、熱意のある者

出典：日本地域福祉学会編『新版 地域福祉事典』中央法規出版、p.275、2006年を一部改変

結ぶ貴重な存在になっています。

（5）コミュニティワーカー

コミュニティワーカーとは、地域の生活問題の解決や福祉コミュニティの形成などを目的として、コミュニティワークという専門援助技術を用いて、住民、家族、集団、組織との協働活動のなかで支援を行うソーシャルワーカーのことです。日本におけるコミュニティワーカーの多くは、1951（昭和26）年の社協の設立以降、市町村社協に所属していましたが、コミュニティワークという専門技術を用いて活動する専門職は、社協以外にも数多く存在しています。地域の特徴をいかして、地域における課題の把握、制度だけでは対応できない問題の解決など、多様な活動を行っています。

（6）ソーシャルワーカー

ソーシャルワーカーとは、個人・家族の個別支援といったミクロから、政策決定といったマクロまでの広範なレベルに適用できる、さまざまなモデル、理論、技術を習得し、支援を必要とする対象者と、おかれている状況にアプローチする専門職です。

ソーシャルワーカーは、単に何らかの資源とクライエントを結びつけることが仕事ではありません。クライエントの個別性を尊重し、その人がもつ力、変化の可能性を見逃さず、最終決定を下すのはクライエント自身であるという考えにもとづいて支援しています。

（7）介護支援専門員

介護支援専門員（ケアマネジャー）とは、要介護者・要支援者からの相談に応じるとともに、要介護者等がその心身の状況等に応じて適切な居宅サービス、地域密着型サービス、施設サービス、あるいは各種の介護予防サービスを利用できるように、市町村、サービス事業者や施設との連絡調整を行う専門職です。要介護者等が自立した日常生活を営むために必要な援助に関する専門的知識および技術を有する者として、介護支援専門員証の交付を受けた者となります。

（8）保護司

保護司は、「社会奉仕の精神をもって、犯罪をした者及び非行のある少年の改善更生を助けるとともに、犯罪の予防のため世論の啓発に努め、もって地域社会の浄化をはかり、個人及び公共の福祉に寄与すること」を使命として、更生保護の仕事に従事しています。身分上は非常勤の国家公務員ですが、給与や報酬はなく、実質的には地域社会から選ばれた社会的信頼の厚い民間の**篤志家**[3]です。具体的な活動は、①保護観察の実施、②刑務所や少年院に収容されている人について、釈放後の社会復帰が円滑に果たせるような環境調整の実施、③犯罪予防活動などです。

[3]**篤志家**
社会福祉や慈善事業などを熱心に行う人や支援する人のこと。

3　利用者を取り巻く地域連携の実際

ここでは、地域連携により在宅生活を継続している利用者を例にあげ、学んだことを深めましょう。

1　重度の障害のあるAさんの現状

Aさん（男性）は現在68歳で、妻と2人で在宅生活を送っています。30歳のときに交通事故に遭い、脊髄損傷（**T4番髄節残存**[4]）となって車いす生活を送っています。体幹はやや不安定ですが、上肢機能は維持されているため、住宅改修をした自宅内では車いすを使用して、おおむね自立した生活を送ってきました。また、65歳までは地域の自立生活支援センターで、障害者の自立生活に向けた活動を行っていました。しかし、最近は、体力低下とともに意欲も減退し、日常生活にも介助が必要な場面が増えてきたため、自宅に閉じこもりがちです。

Aさん自身は、このまま自宅での生活継続を希望しています。現在の要介護度は3ですが、最近の様子をみていて、妻は将来が不安になり、施設入所も検討しなければならないと思い始めています。

[4]**T4番髄節残存**
脊髄損傷は、損傷したレベルによって残存機能が異なる。T4番髄節残存とは、第4胸髄まで残存している状態。上肢機能は完全に可動だが、両下肢は麻痺の状態。

2　Aさんへの支援

担当の介護支援専門員は、在宅生活の継続のためには、身体状況の安定をはかると同時に、地域でいきいきと生活するための支援が必要と考えました。そこで、外出の機会を確保し、かつ他者との交流による意欲向上を目的に、週２回の通所介護（デイサービス）と、週２回の訪問リハビリテーションを居宅サービス計画に組み入れました。

介護支援専門員は、通所介護事業所の職員から「Ａさんは、かつて自立生活支援センターで活動していたとき、障害者の防災対策というテーマで研修講師をしていたらしい」という情報を聞きました。そこで介護支援専門員は、地域の自治会長にはたらきかけ、自治会が定期的に開催している防災に関する勉強会に、Ａさんが参加するように段取りをしました。

Ａさんは、当初は参加を渋っていましたが、「障害のある当事者として、万が一の災害時にどのような支援が必要かを話してほしい」と自治会長に頼まれ、講師役を引き受けました。

3 Ａさんの現在

Ａさんは現在、心身ともに安定しています。要介護度は２に改善し、妻と２人での在宅生活を継続しています。閉じこもりがちな生活を送っていたときには要介護度の悪化が心配されましたが、現在はその心配はありません。

それでは、このように生活が安定した理由を考えてみましょう。

① 心身状態に悪化傾向がみられ、閉じこもりがちな生活になっていたＡさんを心配した家族が、担当の介護支援専門員に相談した。
- 相談相手としての介護支援専門員の存在
- 早い段階での相談

② 介護支援専門員が立案したフォーマルサービス（適切な居宅サービス計画）が効果的だった。
- 週２回の通所介護による外出機会の確保
- 通所介護による他者との交流
- 訪問リハビリテーションによる身体状況の改善と自信の回復

③ 介護支援専門員が結びつけたインフォーマルサービスが意欲向上につながった。
- 自治会主催の防災に関する勉強会への参加
- 自治会長がＡさんに講師を依頼したことによって獲得した社会的役割

Aさんの事例からの学び

この事例から、Aさん自身が望む生活を実現するために、家族、介護支援専門員、通所介護事業所の職員、ほかの通所介護利用者、訪問リハビリテーション事業所の職員、自治会長、自治会の会員がかかわっていることが分かります。そこでは、それぞれが単独でかかわっているのではなく、Aさんがかつて防災対策の講師をしていたことなどの情報を共有し、その情報をいかして連携が行われています。

今回は介護支援専門員が中心になって支援の枠組みをつくりましたが、地域連携のキーパーソンは介護支援専門員だけではありません。専門職や地域住民が、必要に応じて適切な社会資源を活用できるような情報発信も、地域連携のためには重要な要素といえます。

◆参考文献

- 日本地域福祉学会編『新版 地域福祉事典』中央法規出版、2006年
- 髙橋紘士・武藤正樹編『地域連携論――医療・看護・介護・福祉の協働と包括的支援』オーム社、2013年
- 太田貞司編集代表、朝倉美江・太田貞司編著『地域包括ケアシステムとその変革主体――市民・当事者と地域ケア』光生館、2010年

第3章

介護における安全の確保とリスクマネジメント

第1節

介護における安全の確保

学習のポイント

- セーフティマネジメントの考え方を理解する
- 安全の確保を組織全体で取り組む重要性を学ぶ
- 安全な暮らしの支援が、利用者の尊厳の保持に結びつくことの重要性を理解する

関連項目 ⑥『生活支援技術Ⅰ』▶第１章「生活支援の理解」

1 介護福祉士の責務と安全の確保

介護は、その対象となる利用者の暮らしの場面で展開されます。介護が必要になっても利用者がみずからの意思で日常生活の営みを決定し、利用者を取り巻く人や地域との関係性を継続、構築していくことを**「尊厳のある暮らし」**と考え、１人ひとりの価値観やこだわりが尊重され、自己決定にもとづく暮らしを継続できるよう支援することが求められます。それは、社会福祉士及び介護福祉士法第44条の２でも、介護福祉士の誠実義務として「その担当する者が個人の尊厳を保持し、自立した日常生活を営むことができるよう、常にその者の立場に立って、誠実にその業務を行わなければならない」と規定されているとおりです。

利用者にとっての安全で安心な暮らしの提供を考えることは当然のことですが、時には「安全」を重要視するあまり、利用者の生活が制限されたり、利用者の自立性を阻害する可能性があります。介護福祉士は、利用者が介護を必要とする場面で、安全を優先するあまり、尊厳のある暮らしが損なわれることがないように、常に専門職としての倫理や責務に立ち返る姿勢が必要です。

2 介護の場におけるセーフティマネジメント

人が暮らしを営む環境には、さまざまなリスクがあります。しかし通常は、私たちは経験や知識から予測をして、そのリスクを回避しようとしています。介護の場でも同様に、ヒヤリとした場面や、実際に起きてしまった出来事から学び、事故を未然に防止するように努めることが重要です。

しかし、より重要なことは、事故が起きてしまってから対処をするのではなく、事故が起きる前に可能な限り予測をし、安全な環境を整えることです。そのためには、安全を確保できるしくみや環境を整え、それを日常の介護場面に組みこんでいくことで、安全管理を行い、そもそも事故が起こりにくい状態をつくるという視点が求められます。つまり、個々の事故をふり返り、同じ事故をくり返さないだけでなく、類似の場面を想定するなど、先手を打った検討をすることが重要です。それにより、ほかの利用者やほかの援助場面に関しても有効で安全な環境を整えることができます。このような考え方をセーフティマネジメントといいます。

3 安全を重要視する組織風土の醸成

セーフティマネジメントは、組織全体で取り組む安全の確保の考え方です。組織にセーフティマネジメントを浸透させるには、利用者の安全を検討したり、環境を整えるという考え方が、組織全体の共通認識として尊重されなければなりません。具体的には以下のような実践をとおして、組織風土が醸成されることになるでしょう。

1 個人の責任を追及することなく、チームで検討するしくみづくり

事故が起きるのは、個人の力量不足や不注意からではなく、だれにでも起こる可能性があることととらえる姿勢が重要です。事故報告書が、個人の責任を問う始末書のような扱いになることや、事故が起きたのは

個人の不注意のせいだと片づけてしまうような対処の仕方は間違いです。それぞれの事故には、必ず共通の要因があるなど、次にいかすことのできる手がかりが含まれています。チームのだれが行ってもミスが起きないような手順や環境を整えることができるよう、日常のさまざまな場面で意見を出し合い、検討できる会議運営や委員会の設置をします。

2 事故を防止するための記録の活用

後の節で述べるように、記録は介護にかかわる環境改善のための重要な要素となります。事故報告書はもちろんのこと、日常の支援経過の記録や介護のさまざまな記録を活用し、安全を損なうような場面がないかを検討します。記録から導かれる安全にかかわる内容は、個々の利用者の状態だけでなく、たとえば、スタッフの動線や業務の手順、段取りも含まれます。どのような状況で介護が行われているかを適切に記録することで、課題となる部分を検討することができます。

3 介護の質の向上が安全の確保につながるという共通認識

提供している介護の質の向上が、何よりも利用者の安全に結びつくということを理解し、チーム全体でその共通認識をもって、専門的な知識や技術の向上に努めます。

たとえば、認知症高齢者が興奮して落ち着かないなどといったBPSD（行動・心理症状）は、認知症であれば必ず起きるというものではありません。その多くは、その人のおかれている環境や痛み・苦痛をともなう健康状態、介護者のかかわり方、服用している薬の影響などが複雑に関係しているといわれています。知識や技術がともなっていない不適切な介護の結果、利用者が落ち着かず転倒をするなどの事故につながることも多いです。

利用者の安全で安心な暮らしの提供には、適切な介護が不可欠と考え、組織で常に新しい知識や技術をみがき深めていくことが重要です。

4 利用者の尊厳の保持と安全な暮らしの提供を第一に考える

セーフティマネジメントの基本は、利用者が安全な状態で過ごすためのしくみづくりです。しかし、最初に述べたように安全を優先するあまり、利用者の自立性を阻害するような方法では、適切な安全確保の対応とはいえません。

介護福祉の専門職は、利用者の主体性を尊重し、利用者本人がどのように暮らしたいのかという意思決定を支援しながら、同時に安全な環境を整えることが重要です。時には、利用者の意向を尊重すると安全が確保できない場面があるかもしれません。生命の危険や緊急性などを基準にして、やむを得ず安全を優先する場合もありますが、そのような場面でも利用者の意思を確認しながら対応する姿勢が求められます。

また、一度決めて終わりではなく、利用者の状態に応じて、チームでくり返し検討することが重要です。より適切な対応の仕方や環境の整え方が見いだされることも考えられます。画一的に安全な環境をつくることがむずかしいのは、利用者の暮らしや人生を支援する介護提供の場の特徴です。人生や暮らしという個別性と多様性のある環境を前提に、安全を確保すること自体が、とても高度な実践なのです。だからこそ、常にこれでよかったのか、もっとよい方法はないのかという、継続的な検討と点検が欠かせません。どのような場面でも、利用者の尊厳の保持を念頭におきながら、安全な暮らしの提供に努めます。

第2節

リスクマネジメントとは何か

学習のポイント

- ルールや約束を守ることの重要性について学ぶ
- 福祉サービスに求められる安心や安全について学ぶ
- 事故防止・予防のための対策について学ぶ

関連項目
③『介護の基本Ⅰ』 ▶第3章「介護福祉士の倫理」
⑥『生活支援技術Ⅰ』 ▶第2章第4節「安全に暮らすための生活環境」
⑮『医療的ケア』 ▶第1章第2節「安全な療養生活」

1 尊厳のある暮らしの継続のためのリスクマネジメント

人は皆、安全・安心に生活することを望みます。安全で安心できる生活は、生命と健康を守ることにあります。介護は、障害があって身体的・精神的・社会的に自立することが困難な人の生活を、直接的または継続的に支援する、生命と生活にかかわるサービスです。そのサービスは、単に介護の技術的な提供だけではなく、その人の権利を守り、自己決定の保障や習慣・価値観の尊重、自立支援を行うことを目的にしています。つまり、介護を受ける人の心身がどのような状態であっても、だれもが望む安全・安心を守るためには、介護にたずさわる人の適切な介護実践が必要といえます。

リスクとは、「ある行動にともなって生じる損失や危険の可能性」という意味で使われます。リスクは心身の変化や疾病の特性、環境などが要因となって起こります。

さらに、**リスクマネジメント**とは、これから起こるかもしれない事故や災害、感染症に対して事前に対応（予測、予防）しておく予防活動だけでなく、事故や災害が起こってしまったら、その被害が拡大しないようにするための事後の対応も含まれます。

介護は生活を継続するための支援であり、生活の場で提供されます。介護を必要とする人であっても、自分の意思や感情をもっています。そこで介護福祉職は、利用者の意向を尊重して尊厳を保持しようとすると、何らかのリスクが生じることが予想されても、それをわかったうえでサービスを提供せざるを得ないことが多くあります。

2000（平成12）年、日本の社会福祉制度は、それまでの措置制度（行政がサービスを決定、指示をする）から契約制度（自分でサービスを選択して、個々に事業所と契約を結ぶ）に移行しました。事業所では、措置制度のときには問われなかった損害賠償請求等の対応が法人の責任として問われることとなり、1999（平成11）年ころからリスクマネジメントの検討が始められていました。また、2001（平成13）年には、当時の厚生省が「身体拘束ゼロ作戦」をかかげて、利用者の安全確保のために身体拘束を日常的に行っていた特別養護老人ホームなどが、身体拘束の廃止と利用者の安全確保を同時に取り組むように推進することとしました。

リスクマネジメントのガイドラインとしては、厚生労働省から「福祉サービスにおける危機管理（リスクマネジメント）に関する取り組み指針――利用者の笑顔と満足を求めて」や、全国社会福祉施設経営者協議会から、「社会福祉法人・福祉施設におけるリスクマネジメントの基本的な視点」が2002（平成14）年に作成されました。福祉サービスのリスクマネジメントの基本的視点として、①セーフティマネジメント（安全管理）の視点の重要性を理解すること、②福祉サービスのリスクマネジメントは、おもに現場で起こる事故・過誤や苦情への対応になること、③事故や過誤の未然防止に加え、それらの発生を想定し、そのときの適切な対応を視野に入れた、セーフティマネジメント（安全管理）の視点が重要であることが書かれています。

福祉サービスの利用者の状態は変化していき、認知症の高齢者や医療的ケアが必要な要介護者の数は増加しています。そのため、福祉サービスの提供の場は地域へと移行していますが、提供する場では認知症高齢者の対応方法や、基礎的な医療の知識が必要となっており、これらの知識がないと過誤や事故につながる可能性が高くなります。

1 過誤・事故・苦情とは

（1）過誤とは

あやまちやり損じをさし、サービス提供側の不適切な行為で発生するものです。サービス提供中に利用者に対して起こりうる過誤としては、配薬のミス、手洗いの不備による食中毒や感染症の発症、介助中の皮膚への傷や打撲、見守りの不足による転落、転倒があります。また、福祉用具や送迎車、特殊浴槽等の設備等の定期点検や取り扱いの不備によるものがあげられます。

（2）事故とは

思いがけず起こった悪い出来事をさします。何か1つの要因があって発生するものではなく、さまざまな事柄が重なり合って発生します。サービス提供側にすべて要因があるのではなく、利用者自身がとった行動で起きることが多いです。とくに、施設を利用している利用者は、そこが生活の場であるので、利用者自身の特性から、必ずしも介護福祉職が注意するよううながしたことについて理解を示して実践してもらえるとは限りません。もっとも多いのが転倒事故であり（**表3－1**）、利用者の歩行や移動中に多く発生します。

表3－1　各施設において多く発生している上位3つの事故類型

施設種別	1	2	3
特別養護老人ホーム	転倒 198件（50.0%）	誤嚥 37件（9.3%）	転落 37件（9.3%）
身体障害者療護施設	転倒 225件（40.3%）	転落 62件（11.1%）	打ち付け 62件（11.1%）
知的障害者更生施設（入所）	転倒 86件（34.8%）	利用者の行為 59件（23.9%）	転落 16件（6.5%）
重症心身障害児施設	転倒 34件（24.8%）	転落 17件（12.4%）	利用者の行為 19件（13.9%）

出典：厚生労働省福祉サービスにおける危機管理に関する検討会「福祉サービスにおける危機管理（リスクマネジメント）に関する取り組み指針――利用者の笑顔と満足を求めて」2002年を一部改変

（3）苦情とは

苦情とは、被害を受けたり、不公平な扱いをされたり、迷惑を受けたりしたことに対する不満・不快な気持ち、またはそれを述べた言葉をさします。福祉サービスは、生活の全般にかかわるサービスを提供しているため、人それぞれで異なる生活習慣や価値観をもっており、その多様な要望のすべてに応えることはむずかしいです。しかし、利用者との信頼関係を築くためには、要望を聴き取り、実現するにはどこがむずかしいのかを利用者に納得してもらえるよう、根拠を含めてていねいに説明していく必要があります。

2 苦情解決制度

社会福祉法第82条にもとづき、2000（平成12）年に社会福祉事業の経営者による苦情解決のしくみの指針を当時の厚生省が示し、苦情解決体制として「苦情解決責任者」「苦情受付担当」「第三者委員」を設置して苦情の解決にあたるように求めました。また、同法第83条にもとづき、都道府県社会福祉協議会には、利用者からの福祉サービスに関する苦情の解決のための運営適正化委員会が設置されました。介護保険の事業所では、国民健康保険団体連合会（国保連）が苦情の窓口とされています。

福祉サービスの内容は、物を買うように視覚や触覚を使って確認できず、利用してはじめてその具体的な内容を知ることになります。福祉サービスを利用するときは身体機能や判断力が低下している状況であるため、事業所側がサービス内容を説明したとしても十分な理解がえられないこともあります。返品を要求できるものではないため、「こんなことではなかった」「聞いていない」などの苦情につながりやすいです。

苦情には**表3－2**のような段階があります。

利用者の苦情のなかには、サービスを提供する側からは見落としてしまいそうな問題を鋭く指摘するものが少なくありません。見すごしてしまえば、大きなトラブルにつながってしまう場合もあります。たとえば、「ベッドへの移乗後の車いすを置く位置が、職員によって異なるから統一してほしい」という要望が出されていながらも対策を考えず、その間に転落事故が発生し、利用者が骨折などのけがをした場合にはどうなるでしょうか。要望の段階でしっかりとした早期対応ができていれ

表3－2　苦情の段階

	段階	内容
1	質問レベル	説明やサービスの具体的内容に「なぜだろう」、「自分の考えと少し違うところがあるから理由を聞こう」など気軽な気持ちで質問できる段階。
2	希望・要望レベル	前段の質問をふまえて、「こうしてほしい」と要望が伝えられる段階。ここで、可能か不可能かを曖昧にしていると、苦情へとつながりやすい。十分な説明と納得を得られるように努力する必要がある。
3	請求レベル	伝えた要望がいまだかなえられない状態であるため、請求して実施を求める段階。前段の要望の内容の回答に納得を得られず、時間を要してしまうとこのレベルになり、コミュニケーションに問題を抱えてしまう。
4	責任追及レベル	請求されたことを実施せず、その結果事故に至り、なんらかの損害が生じたとき責任の追及がなされる段階。組織としての改善を求められるレベルとなる。

出典：全国社会福祉協議会編『[改訂]福祉職員キャリアパス対応生涯研修課程テキスト　1　初任者編』全国社会福祉協議会、pp.74-75、2018年

表3－3　苦情対応の基本原則

公平性	事業者が設置する苦情解決のしくみであっても、その基本は利用者の立場に立って対応することが基本となる。
公正性	第三者委員という客観的かつ公正な存在が、解決の方向性を正当化しうることになる。
迅速性	より迅速な苦情対応は利用者との円滑なコミュニケーションを助長し、よりいっそうの信頼関係の形成を促進する。
透明性	苦情を隠蔽することなく、苦情情報をプライバシーを侵害しない範囲内で公開するなど、組織として対応している姿勢を示す。
応答性	苦情に対する応答がなされ、それに対する利用者からの反応があるといった双方向のやり取りが継続的に行われて、サービスの質の向上につながる。

出典：厚生労働省福祉サービスにおける危機管理に関する検討会「福祉サービスにおける危機管理（リスクマネジメント）に関する取り組み指針――利用者の笑顔と満足を求めて」2002年をもとに作成

ば、大きな問題にならなかったと思われる場合であっても、その対応をとらなかったために施設側の責任問題にまでいたることがあります。

このように、事故が起こる前に防止するというリスクマネジメントの取り組みの1つとして、苦情解決の取り組みを積極的に行っていくことが求められます。苦情の受け付けは「いやなこと」ではなく、事故防止のための積極的な情報と位置づけて前向きにとらえ、少しでも早い段階で利用者とともに解決に取り組むことが必要です。

2 ルールや約束事を守ることの重要性

社会福祉の制度が措置から契約に移行したことで、利用者がみずからサービスを選択することができ、所得に関係なく適切な介護サービスを平等に利用できるようになりました。措置制度時代に重視されていなかったことで問題とされていた、利用者の意思が尊重されるようになったのです。そのサービス内容に関する約束事は、利用契約書や重要事項説明書、ケアプラン等の書面で明確にするしくみになりました。以前は口頭で行われていた説明を書面で行うことで、変更や取り消しなどについて、いつ、どのように行ったのかがわかりやすくなり、利用者の権利を守ることにつながります。また、書面を提示することによって、利用者とサービス提供を直接行う者との個人の間での約束事ではなく、そのサービスがサービスを提供する事業所全体で利用者に対して行う約束事であることが明確となりました。

利用者が安全・安心をえるためには、どのような心身の状況でも自分の思いをくみ取ってもらえる福祉サービスを受けられるようにすることが重要となります。人は1人ひとり個性があり、生活歴が異なり、その生活状況も十人十色で、まったく同じ人はいません。たとえば、認知症のある人の場合、少しの環境の変化やかかわる人たちの対応方法によって、想定外の行動障害やリスクが生じて事故につながることがあります。対応方法の選択は、その後の本人や家族の生活に何らかの影響を及ぼすことになります。その人を身体面だけにとらわれず、あらゆる側面から理解し、サービス提供者側で情報共有してサービスを検討していくことが重要です。

1 身体拘束

2000（平成12）年４月に介護保険制度が始まったときに、介護保険施設の基準に利用者の身体拘束の禁止規定が盛りこまれました。これにより、介護保険施設や居宅サービス等では、身体拘束は原則禁止とされました。

身体拘束とは、衣類や綿入り帯等を使って、一時的に利用者の身体を拘束し、運動することを抑制するなど、その行動を制限することをいいます（**表３－４**）。身体拘束には、身体機能の低下や精神的苦痛、認知症の進行等をもたらすだけでなく、利用者やその家族を精神的に傷つけるなど、さまざまな危険性があります（**表３－５**）。

たとえば、動く力のある人を「危険だから」と長時間縛りつけると、無理な姿勢で身体が固定され、関節等への負担がかかり、ひも等が皮膚に食いこんで、内出血を起こしたり、かゆくなってかきむしったりします。その後、自分で歩くことができていた人がどんどん衰えて歩けなくなり、よく転倒するようになります。皮膚もすり傷が常態化して傷口が

表３－４　身体拘束や行動を制限する行為

介護保険指定基準（「介護老人保健施設の人員、施設及び設備並びに運営に関する基準」（平成11年厚生省令第40号）等）において禁止の対象となっている行為は、「身体的拘束その他入所者（利用者）の行動を制限する行為」である。具体的には次のような行為があげられる。

❶徘徊しないように、車いすやいす、ベッドに体幹や四肢をひも等で縛る。
❷転落しないように、ベッドに体幹や四肢をひも等で縛る。
❸自分で降りられないように、ベッドを柵（サイドレール）で囲む。
❹点滴・経管栄養等のチューブを抜かないように、四肢をひも等で縛る。
❺点滴・経管栄養等のチューブを抜かないように、または皮膚をかきむしらないように、手指の機能を制限するミトン型の手袋等をつける。
❻車いすやいすからずり落ちたり、立ち上がったりしないように、Ｙ字型拘束帯や腰ベルト、車いすテーブルをつける。
❼立ち上がる能力のある人の立ち上がりを妨げるようないすを使用する。
❽脱衣やおむつはずしを制限するために、介護衣（つなぎ服）を着せる。
❾他人への迷惑行為を防ぐために、ベッドなどに体幹や四肢をひも等で縛る。
❿行動を落ち着かせるために、向精神薬を過剰に服用させる。
⓫自分の意思で開けることのできない居室等に隔離する。

出典：厚生労働省「身体拘束ゼロへの手引き」2001年を一部改変

広がっていきます。日常的に拘束しておくほうがその人の安全だ、という考えになってしまうと、「その人らしい」暮らしとはほど遠いものになってしまいます。

身体拘束の廃止を推進するための提言としては、**表3－6**にあるようなことがあげられました。

しかし、身体拘束は、次の3つの要件を事業所全体で厳密に検討し、

表3－5 身体拘束がもたらす多くの弊害

【身体的弊害】

身体拘束は、まず次のような身体的弊害をもたらす。

❶本人の関節の拘縮、筋力の低下といった身体機能の低下や圧迫部位のじょく創の発生などの外的弊害をもたらす。

❷食欲の低下、心肺機能や感染症への抵抗力の低下などの内的弊害をもたらす。

❸車いすに拘束しているケースでは無理な立ち上がりによる転倒事故、ベッド柵のケースでは乗り越えによる転落事故、さらには拘束具による窒息等の大事故を発生させる危険性すらある。

このように、本来のケアにおいて追求されるべき「高齢者の機能回復」という目標とまさに正反対の結果を招くおそれがある。

【精神的弊害】

身体拘束は精神的にも大きな弊害をもたらす。

❶本人に不安や怒り、屈辱、あきらめといった多大な精神的苦痛を与えるばかりか人間としての尊厳をも侵す。

❷身体拘束によって、さらに認知症が進行し、せん妄の頻発をもたらすおそれもある。

❸また、家族にも大きな精神的苦痛を与える。自らの親や配偶者が拘束されている姿を見たとき、混乱し、後悔し、そして罪悪感にさいなまれる家族は多い。

❹さらに、看護・介護するスタッフも、自らが行うケアに対して誇りをもてなくなり、安易な拘束が士気の低下を招く。

【社会的弊害】

こうした身体拘束の弊害は、社会的にも大きな問題を含んでいる。

身体拘束は、看護・介護スタッフ自身の士気の低下を招くばかりか、介護保険施設等に対する社会的な不信、偏見を引き起こすおそれがある。また、身体拘束による高齢者の心身機能の低下は、その人のQOLを低下させるだけでなく、さらなる医療的処置を生じさせ、経済的にも少なからぬ影響をもたらす。

出典：厚生労働省「身体拘束ゼロへの手引き」2001年を一部改変

表3－6　身体拘束廃止を推進するための提言

①「身体拘束を一切行わない」方針を明確にする ②「緊急やむをえない」場合について厳密に検討する（3要件） ③利用者の状態を把握し、身体拘束の危険性を検討するためのしくみをつくる ④身体拘束にかかわる手続きを定め、実行する ⑤認知症のケアに習熟する ⑥施設内外で学習活動を行い、施設全体に浸透させる ⑦家族の理解に努める ⑧廃止のための取り組みを継続する
事業所としての取り組み ①事業所としての身体拘束廃止の基本方針を策定する ・従業者全員への周知徹底 ・契約関係書類への明示 ②認知症高齢者へのケアと事故予防への積極的な取り組み（リスクマネジメント） ・その人がなぜ転倒するのか、なぜ徘徊するのかなど、行動障害や事故の誘発要因（生活パターン、心身状態、環境、ケア方法等）を継続的に探り、予測的に対応する ・代替手段の先駆事例の収集とケアへの活用 ・事故報告およびヒヤリハットの記録整備（原因分析と再発防止策の検討）と再発防止への活用 ・これらの取り組みについて、全従業者への周知方法を確立する

出典：社会福祉法人東北福祉会認知症介護研究・研修仙台センター「介護保険施設における身体拘束廃止の啓発・推進事業報告書」2005年をもとに作成

表3－7　「緊急やむをえない」と判断される要件

①「切迫性」：利用者本人やほかの利用者の生命または身体が危険にさらされる可能性がいちじるしく高いこと
②「非代替性」：身体拘束を行う以外に利用者の介護方法がないこと
③「一時性」：利用者の状態像に応じて必要とされる行動制限が一時的なものであること

これらの要件をすべて満たす場合、「緊急やむをえない」ものとして認められることがあります（**表3－7**）。その際に、記録が重要となり、「身体拘束の方法」「拘束をした時間」「利用者の心身の状況」「緊急やむをえなかった理由」を明記しておくとともに、書面による本人または家族の確認が必要になります。

実施にあたっての留意点は、3つの要件に該当する状況、身体拘束の内容・時間等を詳細に継続して記録し、家族などと常に情報共有していくことです。記録は、種類により2年間から5年間の保存が必要です。

また、身体拘束の実施は最小限にし、早期の解除に努めるために、身体拘束を実施している間、3つの要件に該当するかどうかを常にモニタリングして再検討し、要件に該当しなくなった場合には、すぐに解除します。モニタリングでは、実際に身体拘束を一時的に解除して状態を観察するなどの対応も含まれます。さらに、家族の理解をえるため、身体拘束の弊害と具体的な代替手段の提示、身体拘束廃止の基本方針を説明して、すぐに理解がえられない場合は、納得をえるための説明内容の検証と継続的なかかわりに努めることが必要です。

介護報酬の面では**身体拘束廃止未実施減算**[1]があり、施設において身体拘束等が行われていた場合ではなく、身体拘束等を行う場合の記録（その態様および時間、その際の入所者の心身の状況ならびに緊急やむをえない理由の記録）を行っていないなどの場合に、入所者全員について所定単位数から減算することとなっています。

なお、身体拘束にかかわらず、提供するサービス全体として提供者側にばらつきがないことが重要なポイントになり、サービスが継続して提供されることが重要です。職場に組織全体で決定した業務手順書があり、サービス提供者側に教育と研修の機会が十分にあることが求められます。

❶身体拘束廃止未実施減算

この減算を行う基準として、「身体的拘束等を行う場合には、その態様および時間、その際の入所者の心身の状況ならびに緊急やむをえない理由を記録すること」が行われていない場合に加え、2018（平成30）年の介護報酬改定により、以下の3点が行われていない場合が追加された。

①身体的拘束等の適正化のための対策を検討する委員会を3月に1回以上開催するとともに、その結果について、介護職員その他従業者に周知徹底をはかること

②身体的拘束等の適正化のための指針を整備すること

③介護職員そのほかの従業者に対し、身体的拘束等の適正化のための研修を定期的に実施すること

3 福祉サービスに求められる安全・安心

2015（平成27）年度厚生労働省による「社会福祉施設の安全管理マニュアル」では、ヒヤリハット活動を「仕事をしていて、もう少しで怪我をするところだったというこのヒヤリとした、あるいはハットしたことを取り上げ、災害防止に結びつけること」とし、災害防止に結びつける目的で行っています。たとえば「利用者を前から抱え、支えながら立位をとろうとしたところ、バランスを崩して利用者共々転倒し利用者の腕を床にぶつけた」といった事例では、転倒の状況や原因を把握し、ノーリフトの原則を徹底して、抱えあげながら立ち上がりの介助をしな

いこと、利用者の立ち上がりや立位保持能力のアセスメントを行い、状態に合わせて積極的に福祉用具を使用することが予防対策となります。

リスクの発生を防ぐためには、日ごろからどのような取り組みが必要でしょうか。

1 予測する力

利用者のふだんの生活をよく知ったうえで、その人の思いを尊重し、「この人ならこうするかもしれない」と予測する力を身につけることが重要です。その予測した行動に危険があれば、その対応策をサービス提供者側ですべて決定せず、常に利用者や家族とともに考えるようにすることが必要です。

2 利用者の健康状態の観察

利用者は複数の疾患をかかえていることが多いため、ふだんの状態を十分に観察し、その変化に気づくことが必要です。「いつもと違う」と感じられた場合、どこがどのように違うのか、具体的な説明が必要です。たとえば、身体の動き、顔色、身体のむくみ、話し方や表情、声の強弱、食事や水分の摂取量、排泄物や睡眠の状態などの側面から「違う」と感じた様子を説明できるようにします。

また、利用者がかかえる疾病の特性を理解して、医療機関等から観察のポイントについて説明を受け、そこから予測して病気の悪化を防ぐことも必要です。自分だけで解決しようとせず、すぐに医療職やかかりつけの医療機関等に相談し、家族に連絡をとって受診するなどの対応が必要です。

3 環境の整備

環境の整備には、設備などのハード面と介護技術や連携の方法などのソフト面があります。

（1）設備面

「その人らしい」落ち着いた生活環境を保つことが必要です。その人が長年使っていた家具や道具などは、その人に安心感を与えるものになるでしょう。また、心身の状況が変化してADL（Activities of Daily Living：日常生活動作）が低下しても、福祉用具や自助具を活用して生活の質を保ちます。まずは、適切なものを選定することが安全に生活をするうえで欠かせないこととなります。選定には専門家の意見を取り入れながら、バリアフリーの構造や手すりの設置などの住宅改修も検討して、自立支援を行います。福祉用具は日ごろから定期点検を計画的に行って、大きな事故につながらないようにします。

（2）組織体制

1 記録の整備

日常の生活を記録したケース記録（支援経過記録）は、利用者のふだんの様子をつかむために活用できます。日常のなかでヒヤッとしたことを報告する**ヒヤリハット報告書**（**表3－8**）や、事故が起きたときに記録する**事故報告書**（**表3－9**）の様式を整備し、情報を共有して積み重ねていくことで大きな事故を減らしていくことができます。記録はだれが見てもわかるような書き方で、観察したことを客観的に記録します。

2 多職種による環境整備

事故が起きたときは、事故原因を究明することが原則です。介護福祉職以外の専門職の意見は、リスクを多角的にとらえるのに有効です。サービス担当者会議やケアカンファレンスなどはそれらがえられる機会となり、情報をまとめて協力体制をつくることができます。それを積み重ねることが、リスクの軽減に有効です。

3 再発防止に向けての検討

事故が起こってしまったら、すみやかに再発防止策を検討し、同様の事故が起きないように環境を整備することが必要です。それは個人レベルで検討する内容ではなく、組織としての検討や決定、実践が必要になります。

4 緊急時の連絡体制

介護施設や事業所では、「緊急時対応マニュアル」が完備され、マニュアルにそった対応を行います。緊急時対応マニュアルは、①利用者や家族に安心して安全な介護サービスを受けてもらうため、②利用者や家族に信頼される質の高い介護サービスを提供するため、③介護サービ

表3－8 ヒヤリハット報告書（例）

報告年月日　　年　月　日

利用者氏名　　□男　□女　年齢　歳

利用状況　□入所者　□短期入所者　□通所リハビリテーション利用者

発生年月日　　年　月　日（　）	発生時刻　am／pm　時　分頃
発生場所	報告者氏名

（損害の対象）

①利用者への影響

□レベルⅠ　異常なし
□レベルⅡ　バイタルサインの変化・観察強化・要検査
□レベルⅢ　治療が必要な軽度の障害
□レベルⅣ　入院加療が必要な障害
□レベルⅤ　後遺障害が残る傷害あるいは死亡

②その他

□精神的苦痛を受けた
□器械・物品の破損
□その他（　　　）

（所見および治療）

□骨折（　　　）　□創傷（　　　）　□熱傷（　　　）
□打撲（　　　）　□肺炎　□脳挫傷・硬膜下血腫　□死亡
□その他（　　　）

（種類）

□転倒・転落　□外傷　□誤嚥・誤飲　□異食　□離設（離苑）　□食中毒　□熱傷　□感染　□自傷
□利用者同士のトラブル・暴力　□金銭　□紛失・破損　□与薬　□注射（皮下・筋注・静注）
□点滴　□介護保険・契約関連
□その他（　　　）

（発生状況）＊事実を記載

□介助中　□リハ中　□レク中　□その他

（下の欄は、受傷者・被害者が利用者の場合のみ記入して下さい）

◆障害高齢者の日常生活自立度　□A－1　□A－2　□B－1　□B－2　□C－1　□C－2
◆認知症高齢者の日常生活自立度　□Ⅰ　□Ⅱa　□Ⅱb　□Ⅲa　□Ⅲb　□Ⅳ　□M
◆要　介　護　度　□要支援1　□要支援2
□要介護1　□要介護2　□要介護3　□要介護4　□要介護5

（発生直後の緊急処置）

（利用者・家族への説明内容および施設への要望）

（事故原因または「ヒヤリ・ハット」の場合は防ぐことができた理由）

表3－9　事故報告書

（あて先）　　区・支所　　　　　　　　　　　　　　　　　　コード □□□□

保健福祉センター健康長寿推進課長

事業所（施設）名　　　　　　　　　　印

管理者名

事　故　報　告　書

報告年月日　　　年　　月　　日

1　事業所の概要					
法人の名称				事業所番号	
事業所（施設）の名称					
事業所（施設）の所在地					
電話番号	（　　）	担当者氏名		職名	
事故が発生したサービスの種類	1 訪問介護（※1）　2 訪問看護　3 訪問入浴介護 4 訪問リハビリテーション　5 居宅療養管理指導　6 通所介護（※1） 7 通所リハビリテーション　8 短期入所生活介護（※1）　9 短期入所療養介護 10 特定施設入居者生活介護　11 福祉用具貸与　12 特定福祉用具販売 13 居宅介護支援　14 介護老人福祉施設　15 介護老人保健施設 16 介護医療院　17 介護療養型医療施設　18 定期巡回・随時対応型訪問介護看護 19 夜間対応型訪問介護　20 地域密着型通所介護（※1）　21 認知症対応型通所介護 22 小規模多機能型居宅介護　23 認知症対応型共同生活介護 24 地域密着型特定施設入居者生活介護　25 地域密着型介護老人福祉施設入所者生活介護 26 看護小規模多機能型居宅介護　27 介護予防支援・介護予防ケアマネジメント 28 訪問型サービス（※2）　29 通所型サービス（※3） 99 その他（　　　　　　　　）				

2　利用者							
氏　名							
被保険者番号		性別	男　女	年齢	歳	要介護状態区分等	
住　所				電話番号			
障害高齢者日常生活自立度（寝たきり度）※4	自立　J1　J2　A1　A2 B1　B2　C1　C2			認知症高齢者日常生活自立度※4		自立　Ⅰ　Ⅱa　Ⅱb Ⅲa　Ⅲb　Ⅳ　M	
特記事項							

3　事故の概要	
発生日時	平成　　年　　月　　日（　　）　　時　　分
発生場所	
事故の種別（複数の場合は最も症状の重いもの）	1 死亡（死因：　　　）　2 骨折　3 火傷 4 創傷　5 誤嚥　6 異食 7 薬の誤配　8 財物の損壊・滅失　9 従業員の法令違反 10 交通事故（加害者又は自損の場合）　11 交通事故（被害者の場合）　12 その他（　　　　）
事故の経緯及び事故後の対応	

※1　共生型サービスを含む。
※2　介護型ヘルプサービス、生活支援型ヘルプサービス、支え合い型ヘルプサービス
※3　介護予防型デイサービス、短時間型デイサービス、短期集中運動型デイサービス
※4　自立度については事故当時の状態を選択してください。（事業対象者については、記載不要。）

4　利用者及び家族への対応等					
受診した医療機関名		主治医の氏名		診断名	
利用者の状況（病状・入院の有無等）					
利用者・家族・ケアマネジャー等への連絡・説明（連絡・説明の日時、方法、内容、連絡者、連絡した相手等）					
損害賠償等の状況					

5　事故の原因及び今後の改善策について	
事故の原因及び今後の改善策	
チェック（あてはまるもの全てに○）	1 本人要因　a 疾病　b 機能低下　c 薬物処方　d その他（　　　） 2 介護者要因　a アセスメント不足　b 利用者の状況変化の情報の共有化不足 c 観察・見守り不足　d 安全確認不足　e 介助手順が守られていない f 不適切な介助姿勢　g 介助者の人数不足　h その他（　　　） 3 環境要因　a 設備の不備　b 器具の不備　c 整理整頓の不備　d その他（　　　） 4 不明

記入欄に記入しきれない場合は、任意の別紙に記載・添付のうえ、提出してください。

出典：京都市事故報告書を一部改変

ス提供中の事故を未然に防止するため、④介護サービス提供中の急変および急病の処置の遅れをなくすため、⑤事故発生時および緊急時に、利用者が状況を理解できるよう、迅速で適切な対応ができるようにするために必要です。また、施設や事業所は、介護福祉職に対して危機管理体制の確立を周知徹底し、防災知識の啓発、事業所内の連絡体制と協力体制を強化して、ほかの関係機関と連携をはかるためにも重要です。状況に応じての迅速な対応をあわてずにできるよう、利用者の基本情報や連絡先を整理した書類を準備しておきます。

4 正しい介護技術を理解する

利用者の心身の状況に合わせて、適切な介護技術が実践されれば、事故やヒヤリハットは軽減されます。介護の原則をふまえて、利用者に合わせた安心、安全、安楽な介護を提供できるように、利用者のそのときの心身の観察や予測を行って実践する必要があります。

サービス提供側は、利用者の安全を重視するばかりに、行動制限してしまうことや利用者ができることも介護して自立支援を阻害してしまうことがあります。それが利用者の不満を募らせ、生きる意欲を低下させることにつながってしまうことがあるため、注意が必要です。

5 介護者のストレスを軽減する

介護の場面ではストレスをうまく軽減できないと、介護者自身が集中力を欠いてミスを起こしてしまい、そのミスが気になり、またミスをくり返してしまいます。そして不安感がさらに募り、自信がもてずにすべてが不十分だと思ってしまいます。心身ともにみずからの体調管理には十分気をつけることが必要です。それに加えて、業務についての不安や相談を気軽にでき、いっしょに目標達成をめざして達成感を味わえるチームづくりが求められます。

福祉サービスは、利用者となじみの関係を築きつつも常にチームで役割分担して利用者にサービス提供していることを認識しましょう。事故や過誤等が発生した際に、組織全体の問題としてとらえ、解決に向けて組織一丸となって取り組んでいこうとする姿勢が大切です。自分１人で解決しようとせず、またほかの職員が同様の状況におかれたときも、当事者個人が解決すべきだとして他人事のように考えてはいけません。

6 利用者・家族とのコミュニケーション

利用者や家族とともにリスクを探り、可能な限りその影響を最小限にとどめることが重要です。そのために、日常的に綿密なコミュニケーションをはかり、現在の状況の情報共有を細やかに行います。そうすることで、たとえ事故が起きたとしても、家族とサービス提供側との誤解は少なく、問題解決が早まります。事故の事実を誠実に説明し、真摯に対応することが求められます。

7 利用者の権利を守る

福祉サービスの利用者にとっては、生活環境の大きな変化などに適応することに困難をともないます。社会環境の変化にともなって、生活環境が一方的に変えられることで、権利や財産が失われることもあります。権利や財産については、家族などの身近な援助者がいなくて、自分で適切に決定できない場合のリスクに対する制度として、成年後見制度や福祉サービス利用援助事業、地域の消費生活センターがあります。これらの資源を利用することで、その人の権利は継続して守られます。

4 事故防止のための対策

1 事故直後の対応

事故防止に努めていても、完全に事故の発生を防止することはできません。事故の発生後は生命、身体の安全の確保を優先して対処する必要があります。緊急対応の訓練を日ごろから行うとともに、すみやかに医師と利用者の家族に連絡をします。また、事故原因を明らかにできるように、事故当時の状況をすみやかに記録していきます。

事故後に、利用者や家族に対する事業者側の説明や対応が不十分・不適切なために、責任を追及されることもあります。サービス提供側は、事故で不安を感じている利用者や家族の気持ちの理解に努めながら、事故にいたるまでの経緯や事故の内容等について、サービス提供側が認識している事実を隠すことなく十分に説明することが必要です。事前にサービス担当者会議等を通じて、利用者や家族に対して介護サービスの目標や内容とその根拠が説明されていれば、利用者側の理解もえやすくなります。

2 事故原因の分析と対策

事故原因を分析して事故のパターンを把握するために、事故に関するデータをできる限り収集することが必要です。そのためには転倒や骨折などの事故だけでなく、転倒の危険発生にとどまった事故（ヒヤリハット事故）についても、事業所内で積極的にデータを収集し、事故の報告書を作成します。収集した事故のデータをもとに、事故原因を多角的に分析して（**表3－10**）、利用者が受けた損害の回復をはかることが必要です。これらの原因に応じて、多面的に事故防止対策を立案して、利用者・家族に説明して同意をもらい、実施します。

表3－10 事故原因の分析の観点

①利用者自身の要因で事故が起きたか。
②その要因をアセスメントで把握して、ケアマネジメントにおいて適切に対応していたか。
③事故にかかわった職員の知識・経験、心身の状況等に問題はなかったか。
④福祉用具や建物の設備等の機能、利用者に対するそれらの適合性に問題はなかったか。
⑤職場での教育指導や勤務体制等に問題はなかったか。

3 リスクマネジメントの組織体制

事故発生後の利用者・家族への説明や市町村への連絡、事故原因の分析作業は、各事業所の規模や体制に応じて部署をあらかじめ決定し、サービス提供に関する記録を常に整備しておくことが必要です。厚生労働省が定める事業所の運営基準では、事故が発生した場合は、家族だけでなく市町村にも連絡することを求めています。これが、再アセスメントのきっかけになることもあります。

組織としてサービスの継続性を保つための環境を整備することは、必須事項です。サービス提供事業所の職員が、利用者の生活を1人で継続的に支援していくことはできません。その日の業務が終わると、ほかの職員に利用者の支援業務を引き継ぎます。たとえば居宅サービスでも、1つのサービスだけでは利用者の生活を支えられないため、ほかのサービスと組み合わせて提供します。このように職員間、事業所間でサービスを引き継ぐ連続性が保たれていることが、利用者を継続的に支援し続けることにつながるとともに、職員が安心して働くためにも重要です。サービスが連続して引き継がれていくためには、各職員の果たすべき役割を明確にしておく必要があります。

役割分担が不明確だと、職員は利用者の支援のために1人で多くの仕事を請け負っているように思ってしまうことがあります。1日の業務が明確になっていると、役割分担がはっきりしますので、業務手順や日程表、業務分担表があって、それらが実態に合わせて機能していることが求められます。日々の業務はトラブルなどで予定どおりに進まず、ほかの職員から支援が引き継げないこともあります。そこで、ほかの職員から支援が受けられるしくみが事前にあると、負担が少なくてすみます。

4 生活の場の安全管理

日常生活のなかのリスクと対策

介護施設などでは、ADLが不安定な高齢者や認知症高齢者が多いです。そのため、転倒事故の発生率は高く、転倒によって打撲や切り傷、骨折、脳の損傷といった大きなダメージを受ける場合があります。転倒を防ぐには、転倒しやすい場所を把握することや、入所生活に変化があったときなどにしっかりとアセスメントをしておくことが重要です。

1 転倒・転落の予防

転倒事故は、ベッドと車いすの間の移乗時に起こることが多いです。利用者がバランスをくずして転倒したり、車いすのブレーキが不十分であったために車いすごと転倒するケースや、介護者がバランスをくずしたり足をすべらせたりしたために、利用者が大腿骨を骨折したというようなケースもあります。事故原因としては、2人で介助しなければむずかしい利用者の介助を１人で行っていたり、車いすの基本操作の確認不足であったり、自力歩行可能な利用者の見守りや予測が不十分であったり、環境面では動線の確認ができていなかったりすることなどがあげられます。

利用者は環境の変化があると落ち着かず、そわそわして行動しようとすることが多くみられ、転倒につながることがあります。利用者が落ち着いて生活できるように声かけを行い、生活環境を整えます。

利用者に合っていない杖や歩行器、車いすなど、福祉用具によって事故の発生のリスクは高くなり、本来とは異なる適切でない使用方法によって大きな事故となることもあります。ベッドと車いすの配置が利用者の状態に合っていない場合の転落や、フロアやトイレ、居室などに利用者が移動する動線上に障害物があった場合に転倒事故の原因になってしまいます。通路に障害物や歩行をさまたげる突起物、水漏れがないかなど定期的な確認を行い、バリアフリー化とその人に合わせた家具の配置などに気を配ることが必要です。

2 食事の誤嚥予防

食事をおいしく食べられることは生活上の楽しみとなり、健康にも大きく影響します。利用者の好みを確認し、心身の状況に合わせて食べたいという意欲をもてるよう、楽しく、安全に食べられる環境づくりが求められます。嚥下能力が低下して、食べ物や飲み物などを正常に飲みこむことができずに喉につまらせて窒息したり、食べ物の残りかすなどが気管や肺に入って、呼吸を阻害したり肺炎を引き起こしたりする**誤嚥性肺炎**などを予防することが必要です。

事故を防ぐ基本としては、日常の口腔ケアと利用者本人の嚥下能力を把握したうえで、食事の形状を考慮し、飲食時の見守りを十分に行うことです。そして、「食事の際の見守り」に力を注ぐことが重要です。たとえば、食事をとる際の姿勢は良肢位を保持することで違いが出ます。いすやテーブルの高さ、座位保持機能が低下している場合はクッションなどの利用で姿勢保持をはかっているかどうか、食事時間が長時間にならないように気を配っているかどうかで、誤嚥事故を防ぐことができる確率がかなり高まります。

誤嚥事故を防ぐために、食事の形状（ミキサー食や、食材をムース状やゼリー状にしたもの、あるいはとろみをつけたものなど）に気を配るケースはよくみられます。食後の口腔ケアが不十分だと、口の中の雑菌が唾液とともに肺に入り、誤嚥性肺炎の発生につながることもあります。また、認知症が重度になると、口の中に食べ物を含んだままの状態であることが認知できなくなり、喉につまらせるケースもあります。傾眠状態（うとうとしている状態）での食事介助は危険であるため、しっかりと覚醒した状態で介助を行います。

3 誤薬の予防

服薬に関する事故は利用者にとって身体的に大きな影響があり、万が一の場合には命にかかわる危険性があります。知識を深め、注意点等を理解して服薬介助をしなければなりません。どのような薬を何のためにどのくらい飲んでいるか、決められた時間と用量を守って飲むことができているかという情報をえることが大切です。しっかりとした指示内容の確認や情報共有が行われていなければ、誤薬等の服薬事故のリスクが高くなってしまいます。服薬管理では、利用者にどのような疾患があってどのような薬を飲んでいるのかということと、常に残薬の種類や量などを把握し、残薬が少なくなってきた場合は通院予定を立てて、家族と通院する場合は家族に連絡するといったことにも留意することが必要となります。

日々の業務は多忙で時間がなく、落ち着いて利用者に向き合う時間が少ないのが現状ですが、このような状況に慣れて勤務していると、正確性に欠けて大きな事故につながってしまいます。この場合、ダブルチェックを行うことでミスを防ぐことができます。介護施設は、ミスをした本人を責めたてるのではなく、なぜミスが起こったのか、どのようにすればミスは防げたのかを検討し、服薬ミスを防止する環境や体制、マニュアルを整える必要があります。

高齢者の1人暮らしの場合、適切に服薬ができていないケースが少なくありません。服薬できていない状況が続く場合、服薬管理をしてもらうためにホームヘルパーは見守ることはできますが、直接身体に触れ、口を開け、水を飲ませて錠剤を飲ませるという行為はできません。

毎日適切に服薬できる方法を工夫したり、声かけを行ったりしてサポートすることも、介護福祉職の仕事の1つです。

介護の仕事を行ううえで、介護福祉職ができる行為と禁止されている行為（**医療行為**❷）の区別を理解しておくことが必要です。介護保険において、医療行為について拡大解釈されていたことにより、2005（平成17）年に厚生労働省から、原則医療行為でない行為について通知が発出

❷医療行為
医師の医学的判断および技術をもって行う者でなければ、人体に危害を及ぼすおそれのある行為。

されました（表３－11）。

４ 感染症の予防と発生時への対応

感染症は、環境を通じて病原体が主体へ感染することで起こる疾病です。病原体を身体に侵入させない、侵入しても増殖させないために、手洗い、アルコール製剤による手指消毒、飛沫感染予防のマスク使用、十分な休養とバランスのとれた栄養摂取など、適切な対策を講ずることで感染のリスクを軽減します。しかし、感染症の予防策を徹底していても発生することがあります。

感染症等発生時の対応として、①「発生状況の把握」、②「感染拡大の防止」、③「医療処置」、④「行政への報告」、⑤「関係機関との連携」を実施し、有症者の状況やそれぞれに講じた措置等を記録します。介護福祉職等が入所者の感染症、食中毒を疑ったときは、多職種の職員と連携して施設で策定した感染対策マニュアルに従い、速やかに感染対策担当者と状況を共有し、感染対策担当者は施設長に情報を共有します。このような事態が発生した場合に、速やかに情報共有できるよう、事前に体制を整備して、日頃から研修などを通して訓練をしておく必要があります。

５ 非常災害時の対策

サービスを提供する側では、非常災害に関する具体的計画をもとに、消防、地震や風水害への対応をはからなければなりません。防火措置としては、消防業務の実施に関する防火管理者を配置し、消防計画を策定します。消火器やスプリンクラー、煙感知器、熱感知器の設備を整えることはもちろん、避難訓練の定期的な実施が必要です。避難経路や避難誘導、早期の緊急通報の訓練を行い、利用者の安全をはかります。

防火対策以外にも、地震や風水害に対する防災マニュアルを整え、食料等の備蓄をしておくことも必要です。

同じことは、在宅で生活している利用者にもいえることです。施設では、地域の諸機関との連絡が確保されているので、火災や風水害に対する十分な対策が可能ですが、在宅生活を送る利用者にとっては、このような安全対策は、災害だけでなく生活上の安全についても施設ほど整備されてはいません。

いずれの場面においても、高齢の利用者が適切な判断ができるように、慎重に誘導、アドバイスをする必要があります。とくに在宅生活を送る利用者は、地域のコミュニティや支援機関からの情報提供・支援に

表3－11　医療行為ではないもの

爪切り	爪そのものの異常や爪の周囲の皮膚に化膿や炎症がない場合等に、爪切りをすること、やすりがけをすること
検温	水銀・電子体温計・耳式電子体温計を用いた体温測定に限る
血圧測定	自動血圧測定器による測定に限る
切り傷・やけど等の処置	軽い切り傷、擦り傷、やけど等について専門的な判断や技術を必要としない処置（汚れたガーゼの交換を含む）
歯磨き	歯ブラシや綿棒、巻き綿糸などを用いて、歯、口腔粘膜、舌に付着している汚れを取り除き、清潔にすること
耳垢の除去	耳垢塞栓の除去を除く
人工肛門の処置	ストマ装具のパウチにたまった排泄物を捨てること（肌に装着したパウチの取り替えを除く）※
カテーテルの管理	自己導尿を補助するため、カテーテルの準備、体位の保持などを行うこと
浣腸	市販のディスポーザブルグリセリン浣腸を用いて浣腸すること
パルスオキシメーターの装着	新生児以外で入院治療の必要がない者に対して、動脈血酸素飽和度を測定する

以下は、条件つきで医療行為ではないと認めている行為

軟膏塗布	褥瘡の処置を除く
湿布の貼り付け	
点眼薬の点眼	
内服薬の介助	ただし、一包化されたものに限り、舌下錠を含む
肛門からの座薬挿入	ただし、肛門からの出血の可能性が高ければ、専門的な配慮が必要
鼻腔粘膜への薬剤噴霧	

※：2011（平成23）年、厚生労働省より、ストマおよびその周辺の状態が安定し専門的な管理が必要とされない場合、パウチの交換は原則として医行為には該当しないとされる通知が出された。

注：条件つきとは、①入院・入所して治療する必要がなく、容態が安定していること、②副作用の危険性や投薬量の調整等のため、医師または看護職員による連続的な容態の経過観察が必要な場合ではないこと、③内用薬については誤嚥の可能性、座薬については肛門からの出血の可能性など、医薬品の使用方法そのものについて、専門的な配慮が必要な場合ではないこと。

限られ、その情報や支援というものはどうしても支援者からの一方通行的なものにおちいりがちで、適切な判断ができにくい状況におかれているといえます。サービス提供の際は、利用者の人権への注意深い配慮と介護サービスのすべてにきめ細かい配慮が必要です。高齢の利用者とサービス提供側は対等な関係を保ち、利用者が必要とする情報を十分かつていねいに説明を行い、しっかりと納得をえることによって、安全と安心のある生活の質を保証しなければなりません。

たとえば、2018（平成30）年7月の西日本豪雨では、過去に例をみない災害に際して、在宅生活を送る利用者にとっては、避難情報はもたらされても、いつ、どこへ、どのように、何をすればよいのかがわかるような情報が少なく、危険性の高い場所や状況の判断ができずに避難が遅れ、たくさんの人が亡くなりました。

在宅生活の安全性を担保するためには、かかわりをもつ家族、親族、地域包括支援センターの担当者、民生委員、担当する居宅介護支援事業所の介護支援専門員、訪問介護員など、利用者にとって一定のコミュニティをつくる周囲の支援者の役割が重要となります。

これらの支援者のかかわり方の密度や能力、経験によって、利用者の身体的な安全にとどまらず、生活の質を保証するための生活の安全が大きく左右されます。

近年の新型コロナウイルス感染症や大規模災害の発生を受けて、感染症や非常災害の発生時において、利用者に対するサービスの提供を継続的に実施するため、あるいは非常時の体制で早期の業務再開をはかるために、「**業務継続計画（BCP）**[3]」の策定が2021（令和3）年4月1日から介護保険施設や介護サービス事業所に義務づけられました（2024（令和6）年3月31日までは努力義務とされています）。

感染症や非常災害の発生時には、介護保険施設や介護サービス事業所は、業務継続計画に従い必要な措置を講じなければならないとされています。

❸ 業務継続計画（BCP）

Business Continuity Planの略称。感染症や大地震などの災害が発生すると、通常どおりに業務を実施することが困難になる。業務を中断させないように準備するとともに、中断した場合でも優先業務を実施するため、あらかじめ検討した方策を計画書としてまとめておくことが重要である。この計画書は「平常時の対応」「緊急時の対応」の検討を通して、①事業活動レベルの落ち込みを小さくし、②復旧に要する時間を短くすることを目的に作成され、災害発生時の対応について準備することが求められる。

6 消費者対策

最近では、「オレオレ詐欺」に代表される特殊詐欺被害が、高齢者を中心に多発しています（**表3－12**）。一般の感覚では、金銭が要求された時点でこれは怪しいと気づくことが多いものですが、なぜこのような詐欺による金銭被害が高齢者で増えているのでしょうか。

1995（平成7）年に起きた阪神・淡路大震災の後、高齢者は仮設住宅

表3－12 悪徳セールスの例

換気扇フードの交換・販売	巡回による訪問販売
浄水器の販売・設置	訪問販売、電話勧誘
住宅のリフォーム	電話勧誘、訪問
床下換気扇の設置	訪問販売

や災害復興住宅などで、住み慣れた地域やコミュニティを離れて暮らすなかで、孤立した生活や孤独死などが問題となりました。また、引きこもりがちの生活となる高齢者を対象にした、悪徳訪問販売業が発生した問題もありました。訪問販売の業者は高齢者住宅をターゲットに、浄水器の設置や換気扇フィルターの交換と販売などを行い、法外な金額を請求して問題化し、神戸市が対策に乗り出したことがありました。このような１人暮らしの高齢者や家族が外出して昼間は１人になる高齢者に対しては、神戸市は提携する福祉施設から相談支援員を派遣して見守り活動を行っていました。

悪徳のセールスマンが、警戒心の強い高齢者の玄関を開けさせることができ、高齢者を詐欺被害に遭わせていながら、他方で、相談支援員は、なかなか引きこもりがちの高齢者にドアを開けてもらえずに支援に困難をきわめたという話があります。このことは、何を示すのでしょうか。

それは、高齢者や支援を必要とする人々は、役所の肩書や名前では動かないということです。実の子ども以上に気配りして寄り添う悪徳のセールスマンには強い信頼感を抱いてドアを開け、公的な機関や団体の支援者の義務的な訪問活動にはドアを開けない。後者には、支援の根幹である「利用者に寄り添う」という、高齢者や障害者の支援の基本姿勢がおろそかになっているのではないでしょうか。

高齢者の生活の安全を確保する課題については、特殊詐欺被害や訪問販売などによる被害を防ぐために、怪しげな電話には出ない、住宅のリフォームや無料の設備点検のすすめにはのらない、玄関を開けて中に入れないなどの警告や対策がよくいわれます。これらのことについて、くり返し広報がされながら被害が減らないのは、この「寄り添う」支援が欠如しているからにほかならないのではないでしょうか。

7 「寄り添う」ことの大切さ

高齢者の生活の安全をおびやかすさまざまな被害への対策の根本には、この「寄り添う」という発想と社会福祉の支援の観点からのさまざまな方法論が重要であるといえます。よく、銀行のATMで、携帯電話を片手に慣れない手つきで振り込み操作をしている高齢者に、銀行員が動作と会話の不自然さに気づき、未然に振り込め詐欺を防止したという話があります。これは、ある意味で、そばで観察している人間の「気づき」が重要であるということを示しています。

要介護高齢者の支援においては、介護福祉職として、日常的に良好なコミュニケーションを確保しておくことが大切です。そして、利用者にとってどのような生活上のリスクが存在するのか、必要な聴き取りや観察を行います。サービス担当者会議やケース検討会議などの場で、支援内容を確認し、具体化しておくことは介護のプロフェッショナルである介護福祉士などの重要な役割だといえます。

そのためには、日常の「観察力」を駆使して、転倒や詐欺被害などの生活上のリスクを未然に防ぐ手立てを講じておく必要があります。

利用者が1人の人間である限り、私たちもそうであるように、利用者の状態は昨日と今日の間で何らかの変化が必ずあります。「気づき」を十分に意識することを通じて、介護のプロフェッショナルとして、冷静に観察力を発揮すること、それにもとづいて、小さな変化から事故等のリスクを予見して、事故等の未然防止の対策を講じることが肝要です。また、在宅の要介護高齢者であれば、家族や親族等に対策を提案して連携をはかっておくことも大切です。

8 リスクマネジメントと連携

さまざまな統計結果から、今後、超高齢社会の進展によって1人暮らしの高齢者や高齢夫婦世帯が増加することが予想されています。生活の安全は、災害から身を守ることだけでなく、詐欺や悪徳商法による被害から生活を守るためにも、その利用者をめぐるコミュニティの形成がもっとも重要な対策となります。とりわけ、居宅に訪問する、家族や親族をはじめ、訪問支援を行う介護支援専門員（ケアマネジャー）、地域包括支援センターの職員などは、コミュニティの重要な構成員となります。その人たちにとってまず重要な事柄は、その「観察力」です。もっとも避けるべきことは、高い目線からの「尋問」です。「尋問」というのは、犯罪の容疑者が警察で取り調べを受けるように、一方通行のコミュニケーションです。相手の意向や気持ちに対する配慮よりも、聞き手が欲しい情報のみを引き出す方法であるということです。「尋問」は高齢者にとっては苦痛ですし、決してそれによって本音や事実を語るとは限りません。言葉を交わして尋問せずとも、多くの生活状況の情報は的確な「観察力」によって収集できます。たとえば、玄関に置いてある履物の種類を見て遠方まで外出できているのか、台所のごみ箱を見て総菜の空き容器からどのようなものを飲んだり食べたりしているのか、洗われた食器から食事量を推測したり、洗濯ものの量や状態、風呂場の清掃状態などを見たりします。

また、家族や親族は、定期的に電話をかけることで、利用者の生活状況や活気など、健康状態を推測することもできます。

介護福祉職は、ていねいな傾聴姿勢に努め、適切なあいづちとうなずきから、生活情報を集めて課題を分析することが対策の秘訣となります。利用者の課題に個々の介護福祉職が個別で対応するのではなく、たとえば、連携する地域包括支援センターが地域包括ケアの一環として援助の中心となり、医療機関や関連する地域の団体や組織などを巻き込む形で援助の輪を形成することがリスクマネジメントでは重要といえます。また、災害に対する適切な避難行動についても、利用者やその家族を中心として地域でどのように連携していくのか、日々、想定訓練などを含めて行っていくことも重要です。

5 終わりに

リスクマネジメントによる生活の安全の確保は、要介護高齢者やその家族の生活の質、生活の満足度を高めることにつながります。そのため、積極的に取り組んでいく必要があります。リスクマネジメントが十分に実施されていない職場があると、介護福祉職の離職の増加や精神疲労などのストレス過多、人間関係の悪化につながります。こうしたことが続けば、結果として、利用者や家族の生活の質を低下させるだけではなく、生命の危険にもおちいらせてしまうおそれがあります。生活の場のリスクマネジメントの徹底は、利用者の尊厳ある暮らしの継続のためのものであり、その推進には介護現場の最前線で活躍する介護福祉士を中心とした多職種連携・協働を基盤とした行動力が必要不可欠となります。

◆参考文献

- 社会福祉法人全国社会福祉協議会「『苦情受付・解決の状況』平成28年度都道府県運営適正化委員会事業実績報告」2017年
- 厚生労働省福祉サービスにおける危機管理に関する検討会「福祉サービスにおける危機管理（リスクマネジメント）に関する取り組み指針——利用者の笑顔と満足を求めて」2002年
- 全国社会福祉法人経営者協議会「社会福祉法人・福祉施設におけるリスクマネジメントの基本的な視点〔改訂版〕」2016年
- 全国社会福祉協議会編『［改訂］福祉職員キャリアパス対応生涯研修課程テキスト1 初任者編』全国社会福祉協議会、2018年
- 社会福祉法人東北福祉会認知症介護研究・研修仙台センター「介護保険施設における身体拘束廃止の啓発・推進事業報告書」2005年
- 厚生労働省「身体拘束ゼロへの手引き」2001年
- 全老健共済会「介護老人保健施設のリスクマネジメントマニュアル」2006年
- 厚生労働省「社会福祉施設・事業所における新型インフルエンザ等発生時の業務継続ガイドライン」2015年
- 厚生労働省「高齢者介護施設における感染対策マニュアル改訂版」2019年
- 厚生労働省「介護施設・事業所における自然災害発生時の業務継続ガイドライン」2020年

演習3－1　身体拘束の廃止について

身体拘束が引き起こす弊害についてまとめ、身体拘束を廃止するためにどのような取り組みを行えばよいか、まとめてみよう。

1 身体拘束が引き起こす弊害

2 身体拘束を廃止するための取り組み

第 3 節

感染症対策

学習のポイント

- 介護福祉職に必要な感染に関する正しい知識について学ぶ
- 高齢者の特性を理解し、感染症対策について学ぶ
- 感染を予防するための具体的な方法を理解する

関連項目
⑫『発達と老化の理解』▶第 5 章「高齢者と健康」
⑮『医療的ケア』▶第 1 章第 3 節「清潔保持と感染予防」

1 介護福祉職に必要な感染に関する知識

1 感染症対策は目に見えないものへの対応

介護にたずさわる私たちは、対象者がさまざまな個別の事情をかかえながら生活を営んでいる環境を、可能な限り変えることなく、主体を常に対象者におきながら必要なケアを提供していきます。

日常生活を継続していくためには、日ごろから「感染症対策」の正しい知識をもち、いざ感染症が発症する状況になったとしてもいち早く対応できるように、日ごろから準備し、対応できる力が求められます。

まずはじめに、通常使われている言葉を整理しておきましょう。

(1) 感染

私たちの身のまわりには、目には見えませんがさまざまな微生物がいます。**感染**とは、病原微生物（病原体）が人の体内に侵入し、体内で定着・増殖することをいいます。

(2) 感染成立の 3 要素

感染が成立するには、①感染源、②感染経路、③宿主（人）の状態の

3つの要素が必要です。

- **感染源**：感染の原因となる微生物などを含むものです。たとえば、保菌者（感染して体内に細菌やウイルスをもっているが、発症していない人）の便・尿・痰などの分泌物や血液、動物などの生き物、土の中などがあります。また、食べ物の中で微生物が増殖すると、腐敗や食中毒の原因となり、感染源となることがあります。
- **感染経路**：病原体となる細菌やウイルスが人の体内に入り、広がっていく道筋のことをいいます。
- **宿主（人）の状態**：感染を起こすような抵抗力や免疫力の低下や、栄養状態の悪化などをいいます。同じ微生物が複数の人の体内に侵入しても、それぞれの人の体力や健康状態によっては、だれもが同じように感染するとは限りません。

（3）不顕性感染

感染と発病とは必ずしも一致しません。感染していても、発病しないことがあります。このような状態を**不顕性感染**といい、その状態にある人を保菌者といいます。

（4）二次感染

感染症が発症し、治るまでに**新たに別の病原体が加わる**ことをいいます。また、感染症を発症した人から別の人に感染することを**続発感染**といいます。

（5）潜伏期間

病原体が体内に侵入してから発症（症状が出る）までの期間をいいます。

2　生活の場における感染症対策

（1）高齢者の特性

人の身体は、健康をおびやかすものから身体を守るために、**恒常性維持機能**を備えています。恒常性（ホメオスタシス）とは生物が内部・外部環境に合わせて自己調整し、常に身体の安定をはかろうとするはたらきを意味します。

恒常性を維持するために、身体の中では次の4つの力がはたらいています。

① 防衛力：健康をおびやかす力（ストレッサー、ここでは病原菌）と闘ったり、回避する力
② 予備力：身体の中に蓄えているゆとりの力
③ 適応力：過度のストレス状態にならないように環境を調整する力
④ 回復力：ストレス状態におちいっても修復してもとに戻そうとする力

高齢期には加齢にともなって、この4つの力は低下していきます（**図3－1**）。これらの力は少しずつ変化しても通常の暮らしのなかでは対応できると思われます。しかし、病気等、何らかのストレス、たとえば病原菌の侵入等により、このバランスが大きく崩れやすい状態ではあります。高齢期における身体のメカニズムでは、少しの体調変化だと思われても重症化してしまうことがあります。

高齢者の特性をふまえ、感染症から利用者の身を守っていくことが、介護福祉職に求められます。

図3－1　加齢にともなう恒常性と4つの力の変化

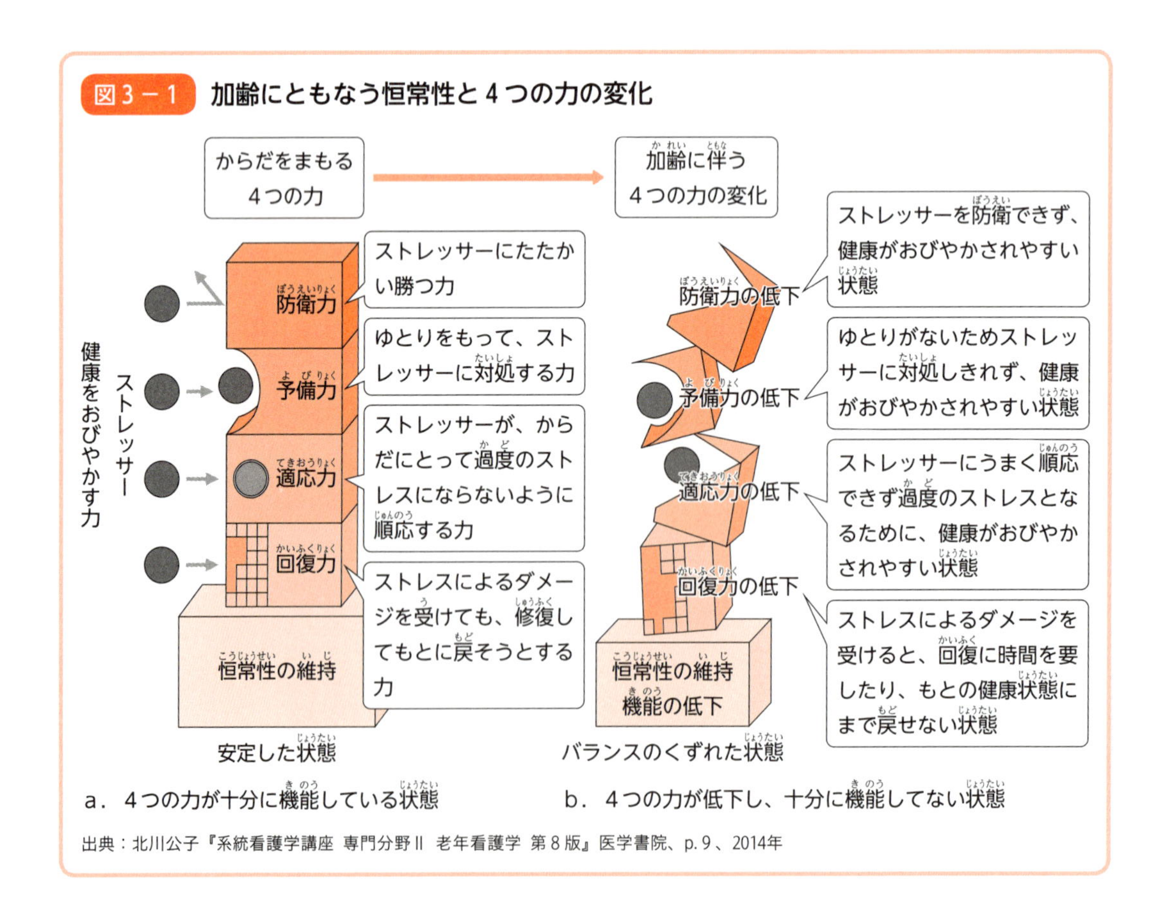

出典：北川公子『系統看護学講座 専門分野Ⅱ 老年看護学 第8版』医学書院、p.9、2014年

（2）高齢者施設の特性

高齢者介護の施設は、感染症を発症するリスクの高い高齢者が、集団で生活しているという環境であるため、一度感染すると広がりやすいという特徴をもっています。

日常の健康管理や衛生管理に重点をおいて、1人ひとりの高齢者が感染症にかかるリスクを減らす視点が求められます。感染が起きたときには、集団感染につながらないよう、その被害を最小限にくいとめることが重要となります（感染拡大防止）。

3　感染症対策の3原則

感染症対策の基本は、感染させないこと、感染しても発症させないことです。すなわち、

① 感染源をなくす
② 感染経路を断つ
③ 感染しないような体力や抵抗力をつける

という感染の3要素に着目した対策が必要です。

感染症対策の3原則として介護福祉の現場において**「もちこまない、もちださない、拡げない」**ことが重要な目標になるでしょう。

介護福祉職自身の健康管理が感染予防のはじめの一歩

感染症対策の3原則を徹底するためには、何よりもまず、介護福祉職自身の健康管理が重要です。

介護福祉職は、自分自身の健康管理に責任をもちましょう。交代勤務等で生活リズムが不規則になり、体調を整えることがむずかしかったり、対人援助の仕事であるために、ストレスをためやすいという傾向はありますが、自分のストレスマネジメントをうまくはかりながら、生活を整える必要があります。

まず、十分な睡眠・休息と栄養バランスのよい食事などで体力をつけること、帰宅時の手洗いやうがいの習慣を身につけ、日常生活のなかで自分自身が感染症にかからないよう気をつけることです。次に、業務を開始する前には手洗いやうがいをし、ケア前後にも手洗いやうがいを

行って、感染源をもちこまないこと、拡げないことが求められます。介護福祉職自身が介護の行為によって人から人へ感染源を運ばないためにも、自分自身の体調管理を前提に、感染症対策の知識と技術を身につけることが重要です。

5 手洗いは感染症対策の基本

手洗いは感染症対策の基本です。手洗いの正しい方法を身につけ、しっかりと行いましょう（図３－２）。

「１ケア１手洗い」「ケア前後の手洗い」が基本となり、手洗いの際の注意事項として、以下のものがあげられます。

- ・時計や指輪は、はずす。
- ・爪は短く切っておく。
- ・まず流水で軽く手を洗う。
- ・石けんを使用するときは、固形石けんではなく、必ず液体石けんを使用する。

図３－２ 手洗いの順序

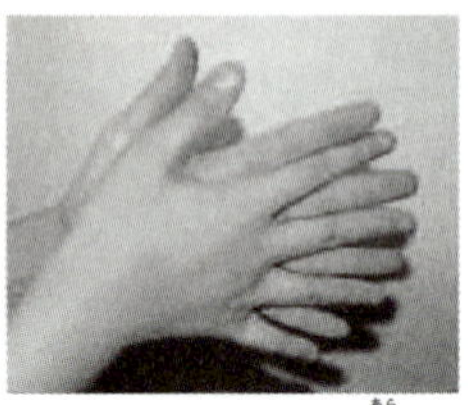
1. 手のひらを合わせ、よく洗う

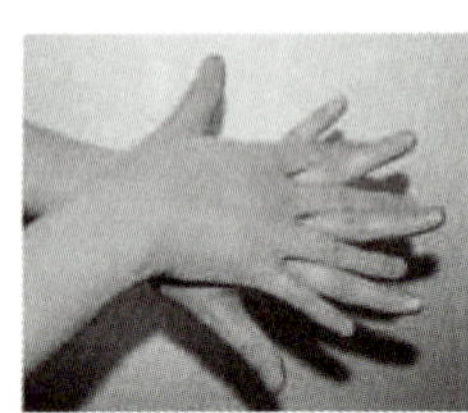
2. 手の甲を伸ばすように洗う

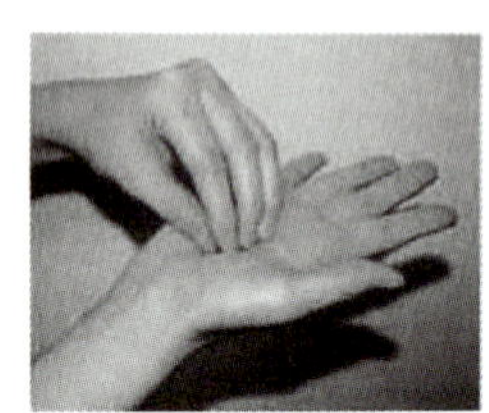
3. 指先、爪の間をよく洗う

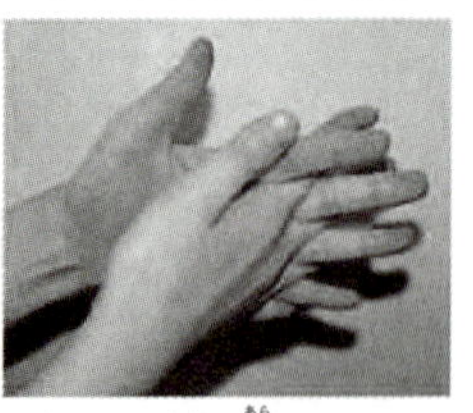
4. 指の間を十分に洗う

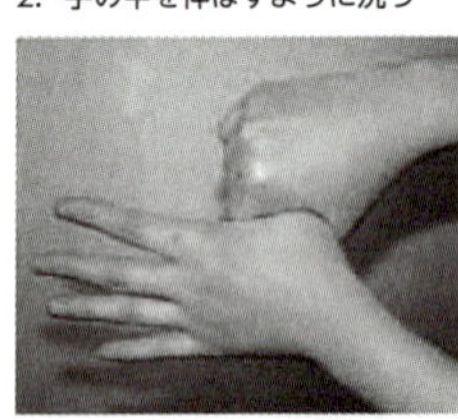
5. 親指と手掌をねじり洗いする

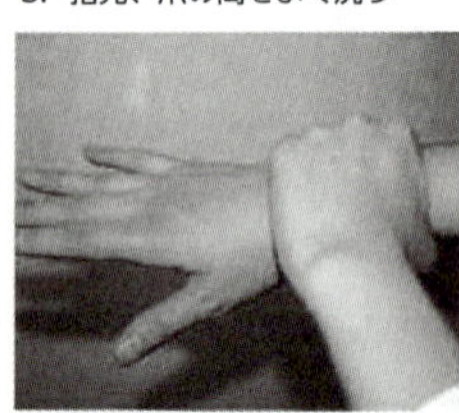
6. 手首も洗う

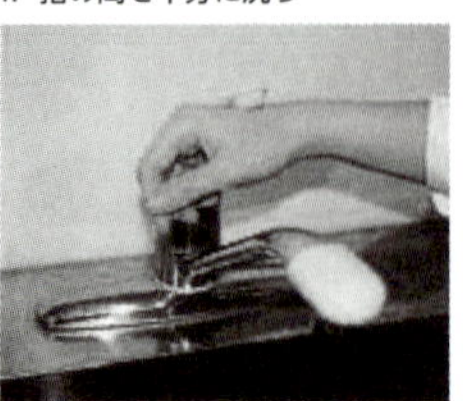
7. 水道の栓を止めるときは、手首か肘で止める。できないときは、ペーパータオルを使用して止める

出典：厚生労働省「高齢者介護施設における感染対策マニュアル改訂版」p.38、2019年

図3－3　手洗いミスの発生箇所

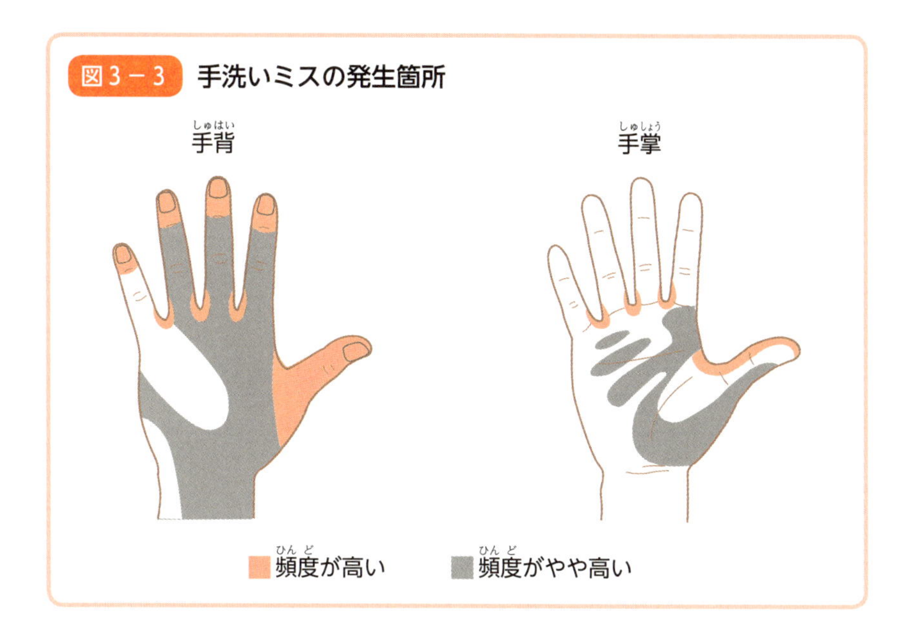

・手洗いが雑になりやすい部分は注意して洗う（ふだんから正しい手洗いをトレーニングする）（図3－3）。
・石けん成分をよく洗い流す。
・手をふくときは、使い捨てペーパータオルを使用する（共用タオルの使用は禁止）。
・手洗い後に水道の栓を止めるときは肘等で閉める（自動水栓が望ましい）。
・やむを得ず水道栓を手で操作する場合は、手をふいた後、ペーパータオルを使って止める。
・手を完全に乾燥させる。
・スキンケアが必要な場合は、ハンドクリーム等を共有しない。
・手荒れがひどい場合は、早い段階で皮膚科の専門医などに相談しておく。

6　標準予防策の重要性

（1）標準予防策とは何か

標準予防策（スタンダード・プリコーション）とは、すべての利用者に対して標準的に行う感染症の予防策のことをいいます。血液、体液、粘膜、正常ではない皮膚は感染の可能性があるものとして対応することで、感染の発症リスクを減らすことができる有効な方法です。

表3－13　おもな標準予防策の具体的な内容

項目	標準予防策の具体的内容
手指衛生 流水での手洗い、アルコール消毒	・排泄物、嘔吐物に触れた後 ・手袋をはずした後 ・ほかの利用者のケアに入る前（1ケア1手洗い）
手袋	・排泄物、嘔吐物に触れる前 ・使用後、非汚染物やまわりの環境に触れる前 ・ほかの利用者のところへ行く前にははずして、手洗いをする。
マスク ガウン等	・排泄物や、嘔吐物が飛び散る危険が予測されるとき ・衣類が汚染されると予測されるとき ・汚染されたガウンはすぐに脱ぎ、手洗いをする。
利用者の生活環境	・必要に応じて個室の提供、部屋の移動による感染エリアの隔離
咳エチケット	・咳が続くときはマスクの着用 ・咳・くしゃみがあるときにはティッシュ等で口や鼻をおおい、ほかの人から1～2m以上離れることが望ましい。

また、介護に使用した器具の取り扱いや環境対策、リネンや寝具の取り扱い、医療物品（経管栄養のチューブやバルーン、カテーテルなど）などについても標準予防策が示されています。

7　感染症対策の適切な考え方とその普及

感染症に関する正しい知識がないと、「この利用者は、感染症がないから大丈夫」といった間違った判断で行動をしがちです。標準予防策の考え方を基本に、見えない感染源への正しい対応が求められます。

暮らしの場における感染症対策は、十分に検討を行わないと、必要以上に厳しい管理をして、利用者の生活の自由を奪ってしまうおそれがあります。その一方で、ガウンや手袋について、利用者の生活の場を大切にしようとして、その使用をひかえてしまい、漫然とケアをくり返してしまうといった事態にもなりがちです。日常の介護現場では、ガウンの装着や手洗いなどは、つい手を抜いてしまう作業になるかもしれませ

表3－14　感染のおそれがある場合の標準予防策の具体的な内容

項目	標準予防策の具体的内容
・血液、体液、分泌物、嘔吐物、排泄物などに触れるとき ・皮膚の傷口に触れるとき	・手袋の着用。手袋をはずしたときは手洗いをする。
・意図せず、血液・体液・分泌物・嘔吐物・排泄物などに触れたとき	・手洗いをし、必ず手指消毒をする。触れた皮膚に傷がないかを確認し、皮膚に損傷が認められる場合はただちに配置医師等に相談する。
・血液、体液、分泌物、嘔吐物、排泄物などが飛び散り、目、鼻、口に汚染するおそれがあるとき	・マスク、必要に応じてゴーグルやフェイスマスクを着用する。
・血液、体液、分泌物、嘔吐物、排泄物などで衣服が汚れ、ほかの利用者に感染させるおそれがあるとき	・プラスチック手袋、エプロン、ガウンを着用する。可能な限り、使い捨てのものが望ましい。使用したエプロンやガウンはほかの利用者のケアをするときには使用しない。
・針刺し防止	・注射針キャップはやめ、感染性廃棄物専用の容器に廃棄する。

ん。しかし、必要に応じて感染症対策がとれるか否かは、その後の感染症の発症、流行のときに大きく影響することを介護福祉職は理解しておく必要があります。

どのような場面で手袋やガウンを使用するのか、なぜ必要なのかについてもこころがけましょう。介護のチームだけでなく、物品購入にたずさわる管理部門の職員や面会者、利用者の家族など、専門知識をもたない人に正しい知識を普及させていくことも介護福祉職の役割となります。

8　施設内の整理整頓および清潔保持

（1）居住空間の整理整頓

介護の現場では、施設のユニット化や個室化がすすめられ、利用者個人の居住空間が大切にされるようになりましたが、利用者のなかには当

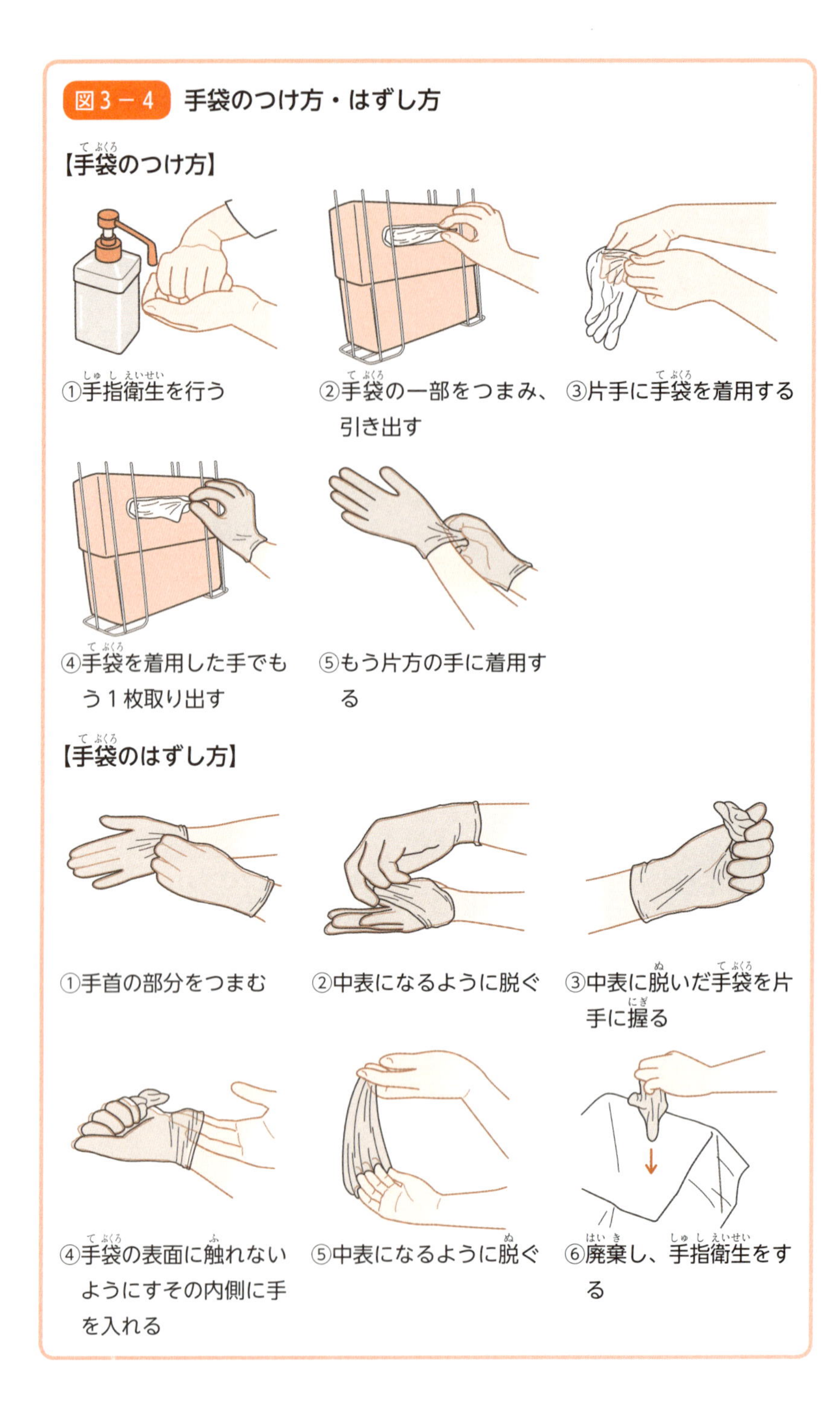

図３－４　手袋のつけ方・はずし方

然、身のまわりの清掃や清潔活動がしにくくなっている人が多いでしょう。他方で、整理整頓や清潔を優先するあまり、居住空間に私物をほとんど置かないということでは、暮らしの環境としては不適切です。暮らしの状況をアセスメントし、必要な清掃活動について支援をします。利

図3－5　マスクのつけ方・はずし方

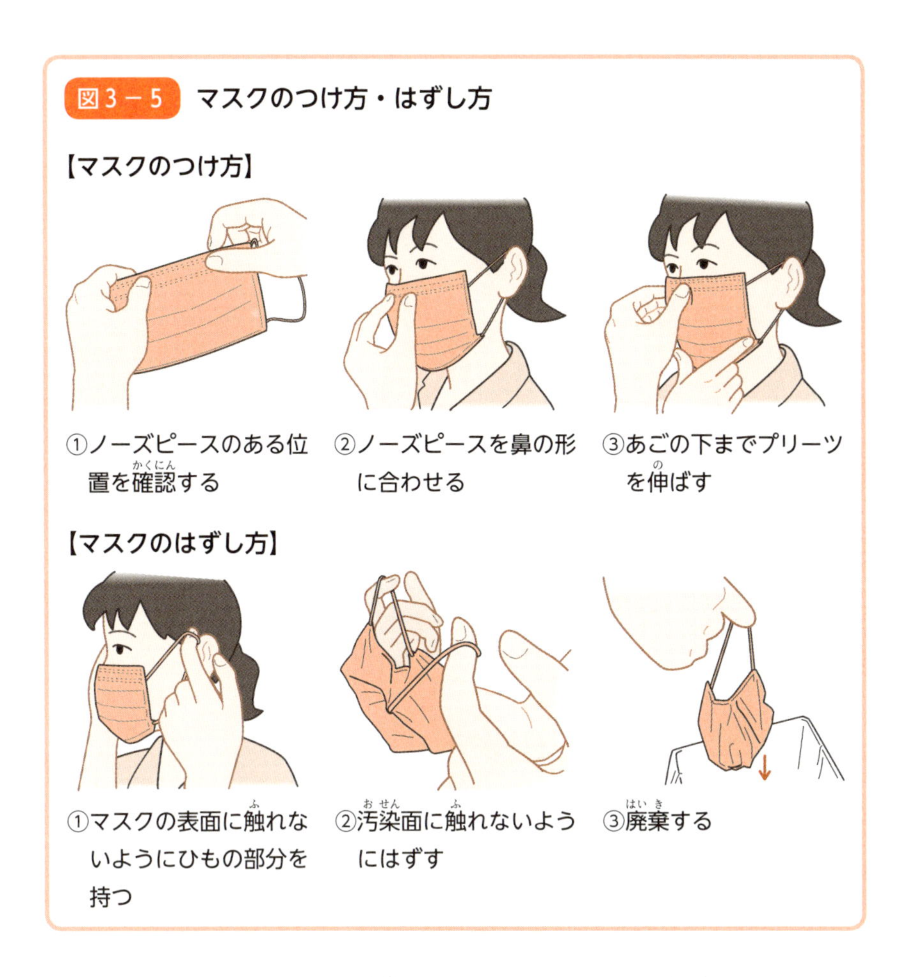

用者の生活へのこだわりや尊厳に配慮しながら、環境整備の活動をともに行うことが求められます。その際に、感染源になる可能性がある物品（たとえば、歯みがき用のコップ、歯ブラシ、湯飲み、ポットなど）が清潔に整えられているかについて、さりげなく観察しておくことが必要となります。

（2）事業所内の整理整頓と感染症対策物品の準備

利用者の居住空間を清潔に整えることと併せて、施設や事業所全体の整理整頓も感染症対策の基本となります。

たとえば、フロアで利用者が嘔吐したときに、介護福祉職がすぐに必要物品を手にとって対応できることを想定するなど、日常からだれでもわかる場所に備品の準備をしておくことが求められます。

感染症対策に必要な備品や消耗品をあらかじめ準備しておくことは、近年ではあたりまえになりました。しかしその課題として、物品の使用後の補充の不備や、使用しない期間が長いことでどこに置いているか行

図3－6 ガウンの着方・脱ぎ方

【ガウンの着方】

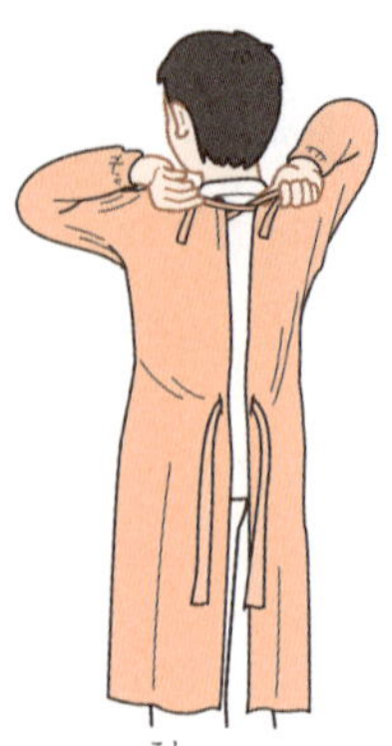

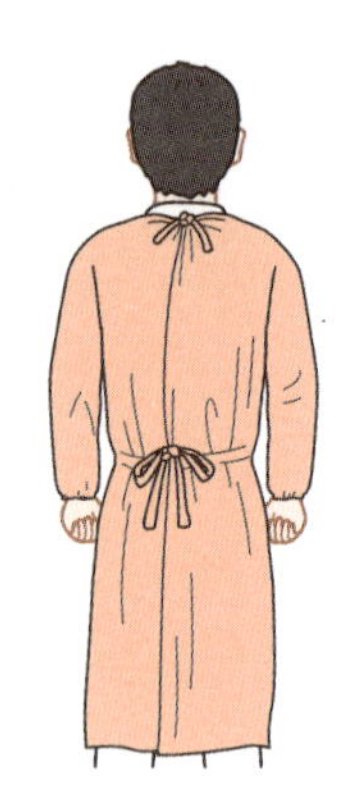

①膝から首、腕から手首、背部までしっかりガウンでおおう。

②首と腰のひもを結ぶ。

【ガウンの脱ぎ方】

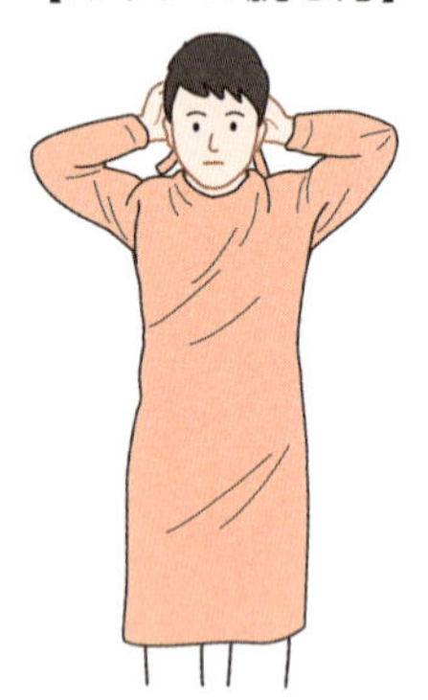

①首のひもをほどく。

②ガウンの内側をつかみ、肩から片袖ずつ脱ぐ。

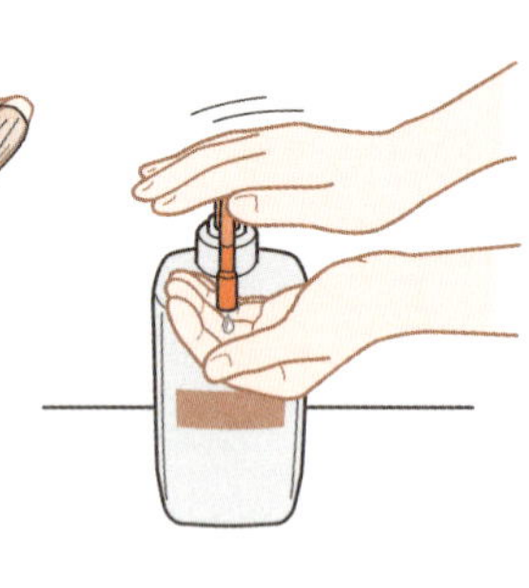

③ガウンの袖を脱ぐときに手指が汚染される可能性があるため、一度消毒する。

④ガウンの外側に触れないよう内側に手を入れ込む。

⑤前方に引っぱり、腰ひもを引きちぎる。

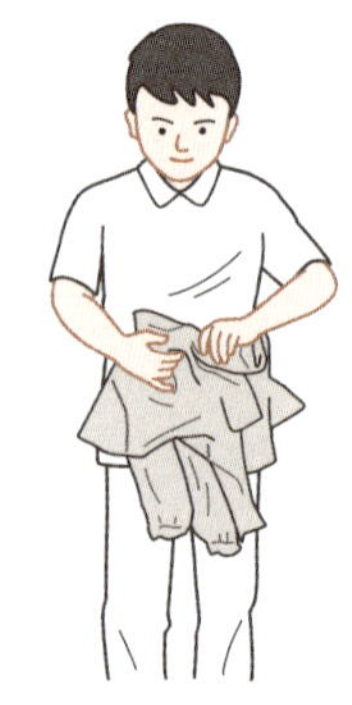

⑥脱いだガウンが体に触れないよう、小さく丸めて廃棄する。

方不明になること、時には倉庫の奥でほこりにまみれていることがあります。看護職員と連携しながら、さまざまな場面を想定して物品をそろえ、定期的に内容の確認、入れ替えなどを行うことが大切です。

9 利用者の健康状態について把握しておく

先に述べたように、高齢期には、加齢にともなう身体機能の低下を念頭においてケアにあたることに加えて、個人の特性についての情報を十分えておく必要があります。

高齢期の疾患をめぐる特徴には、以下のようなことが考えられます。

・症状・経過が定型的ではなく、非定型であらわれることがある。
・合併症や廃用症候群を起こしやすく、複数の疾患を有する。
・回復に時間を要し、慢性的に経過する。
・症状が急変しやすい。
・脱水や**電解質異常**❶を起こしやすい。
・意識障害やせん妄を起こしやすい。
・薬物の副作用が出やすい。

高齢期の特徴だけでなく、障害特性に応じた注意点を理解しながら、以下のような利用者の健康状態について情報を得ます。

・個々の利用者の既往歴・現病歴・内服薬の把握
・個々の利用者の栄養状態の把握
・個々の利用者の日常の様子の把握
・感染症の早期発見・早期対応

感染症を疑うべき症状

感染症を疑うとき、その症状は発熱などから始まることが多いですが、高齢者はその症状がわかりにくく、目立たないことがあります。「食欲がない」「元気がない」「起き上がりに時間がかかる」「いつもと何かが違う」などといったように、その状態の変化が感染症の始まりであることもあります。何かの変化に気づいたときは、医療職とその情報を共有することが、感染症の早期発見につながると認識しましょう。

表3－15にあるような症状があるときは、注意が必要です。

❶**電解質異常**
通常、体内のナトリウム（Na）やカリウム（K）などは、腎臓機能により適切にバランスをとっているが、このバランスがくずれることを電解質異常という。

表3－15　感染症を疑うべき症状

主な症状	要注意のサイン
発熱	・おおむね38℃以上もしくは平熱より1℃以上の体温上昇がみられる。 ・発熱以外にぐったりしている、意識がはっきりしない、呼吸がおかしいなど全身状態が悪い。嘔吐や下痢などの症状が激しい。 ・インフルエンザでは急な高熱が特徴的とされているが、高齢者は発熱が顕著でない場合がある。 ※急な発熱は悪性腫瘍などほかの疾患のときにも起こることがある。
嘔吐・下痢等の消化器症状	・消化器症状以外に発熱、発疹や意識がはっきりしない等の症状がみられる。 ・腹痛をともない、血液が混じった水様便がくり返しみられる場合は腸管出血性大腸菌等の感染症の可能性がある。 ※冬季に嘔吐や下痢がみられる場合は、ノロウイルス感染症も疑われる。
咳・咽頭痛・喀痰等の呼吸器症状	・熱があり、痰のからんだ咳がひどい。 ・発熱をともなう上気道炎症状としてはインフルエンザウイルス、RSウイルス等によるものである場合がある。 ※咳が長引く場合は、結核等も疑われる。
発疹等の皮膚症状	・高齢者における発疹等の皮膚症状には加齢にともなう皮脂欠乏や、アレルギー性のものもある。 ・肋骨の下側等神経にそって痛みをともなう発疹は、帯状疱疹の場合がある。 ・皮膚が腫れて赤くなり、熱をもった痛みが生じたり、全身が発熱したりする場合には、蜂窩織炎が疑われる。

資料：厚生労働省「高齢者介護施設における感染対策マニュアル」p.40、2013年・「高齢者介護施設における感染対策マニュアル改訂版」pp.34-36、2019年をもとに筆者作成

10 他職種との連携の必要性

利用者の身体状況の変化に少しでも早く気づいて対応するために、介護福祉職だけでなく、ほかの専門職との情報共有が欠かせません。

私たちは、ほかの専門職と協働して利用者の暮らしを守っています。常に情報を共有し、職種によって異なる見方をとおして、情報のとらえ方や感じ方、考え方について意見交換を行い、利用者が今どのような状

況にあるのかを検討する必要があります。自分だけが感じている、気づいているといった状態では対応が遅れてしまうことも考えられます。とくに感染症が発症する可能性が高くなった、もしくは発症したかもしれないという場面においては、瞬時に役割分担を行い、感染を拡げないための対策について、検討を始めなければなりません。適切な対応には、日常の多職種におけるコミュニケーションがどのようにとれているかということが大きく影響します。

11 感染症発生時の対応

感染症発生時の対応の流れは、おおむね次のとおりです（図３－７）。

① 発生状況の確認と把握
② 感染拡大の防止
③ 医療処置
④ 行政への報告
⑤ 関係機関との連携

（1）発生状況の確認と把握

感染症や食中毒が発症した場合や、それが疑われる状況が発生した場合には、感染者の状況と対応したケア内容を記録します。それと同時に、責任者への報告が求められます。報告の内容は、事前に話し合って整理しておくとよいでしょう。

・利用者と職員の健康状態（症状の有無）を、発症した日時や場所（ユニット等）、居室ごとにまとめておきます。
・受診状況と診断名、検査、治療内容を記録します。
・日常のケア記録と感染等に特化した記録は、別の書式で定めておくこともあります。

（2）感染拡大の防止

感染拡大を防止するためには、すみやかな対応が必要となります。

・発生時は、手洗いや嘔吐物・排泄物等の適切な処理を徹底します。この処理の方法や後始末が感染を拡げてしまう原因となることもありますので、マニュアルにそって注意しながら実施します。
・介護の職員だけではなく、ほかの利用者、間接的な支援を行う職員

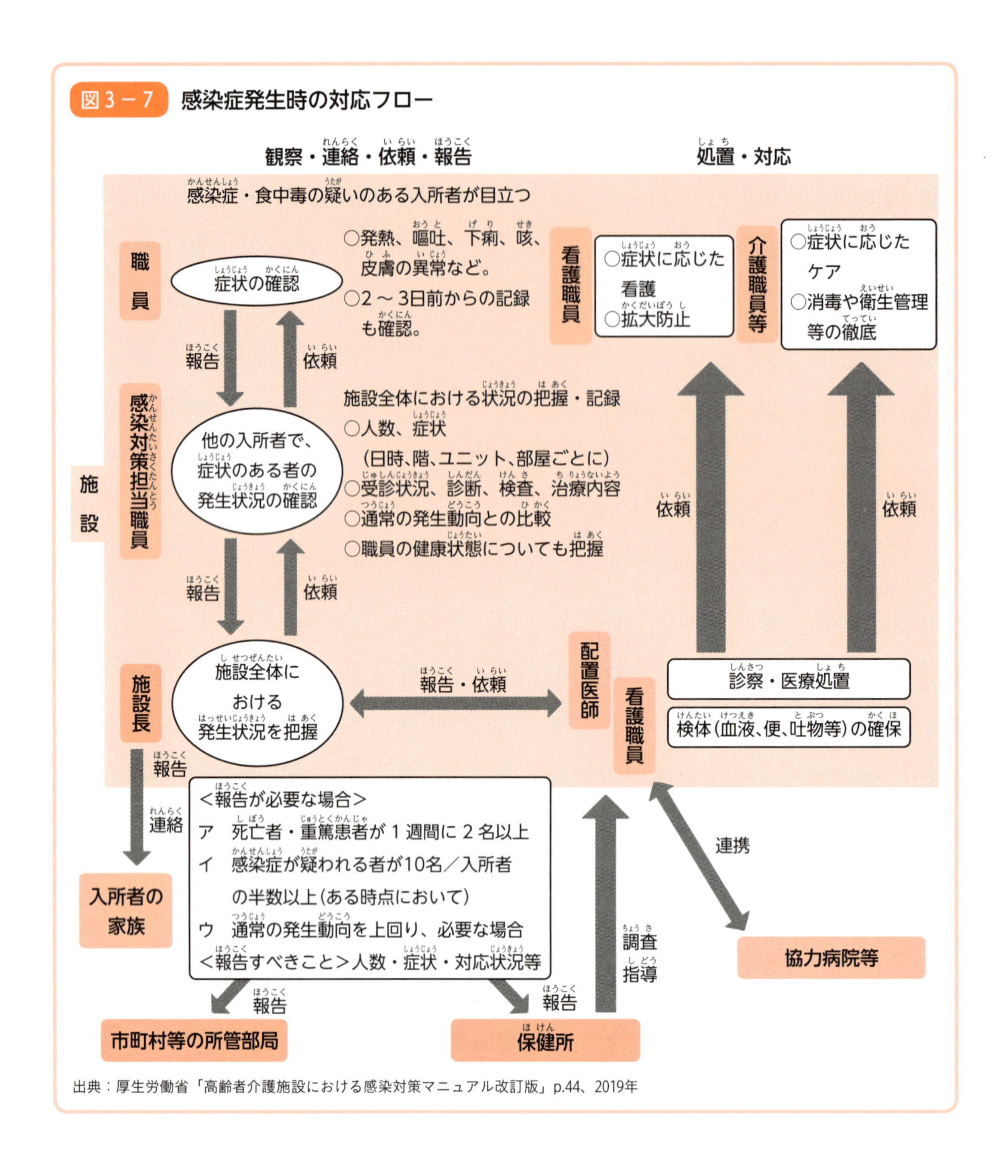

図3－7　感染症発生時の対応フロー

出典：厚生労働省「高齢者介護施設における感染対策マニュアル改訂版」p.44、2019年

(たとえば掃除の担当者等)にも手洗い・うがいをうながします。

- 自分自身の健康管理を徹底し、状況によっては終業時間より前の退勤や休業を検討します。
- 介護の責任者や配置医師、看護職員の指示をあおぎ、必要に応じて施設内の消毒を行います。
- 配置医師や看護職員の指示により、必要に応じて感染者の隔離、または面会等の制限が検討されることもあります。

（3）医療処置

配置医師や看護職員は、感染拡大を防止するために施設長や介護の責任者と連携をとって情報共有しながら、感染者の重篤化を防ぐために協力病院と連携をとることもあります。

（4）行政への報告

行政への報告は、施設長が必要に応じて迅速に行います。介護福祉職は現場の有用な情報を整理し、行政の求めに応じる準備をしておきます。

（5）関係機関との連携

状況に応じて、関係機関と連携します。適切な報告によって、情報が錯綜しないように報告の担当者を決め、指示されたことがスムーズに伝達できるようにします。感染発症時は日常とは異なる指示が次々と出されることがありますので、出された指示がいつまで有効なのかといったことなど、確認が必要なことがあります。

12　個別の感染症対策

感染症の種別により、感染経路や症状などに特徴があることを学び（**表3－16～表3－18**）、早期に発見することがその後の対応にも大きな影響を及ぼします。「おかしい？」と思ったときに本書にもどり、現在の症状と照らし合わせて検討することが大切です。

表3－16　主な感染経路と原因微生物

感染経路	特徴	主な原因微生物
接触感染（経口感染含む）	●手指・食品・器具を介して伝播する頻度の高い伝播経路である。	ノロウイルス※ 腸管出血性大腸菌 メチシリン耐性黄色ブドウ球菌（MRSA）　等
飛沫感染	●咳、くしゃみ、会話などで、飛沫粒子（5μm以上）により伝播する。 ●1m以内に床に落下し、空中を浮遊し続けることはない。	インフルエンザウイルス※ ムンプスウイルス 風しんウイルス　等
空気感染	●咳、くしゃみなどで、飛沫核（5μm未満）として伝播し、空中に浮遊し、空気の流れにより飛散する。	結核菌 麻しんウイルス 水痘ウイルス　等
血液媒介感染	●病原体に汚染された血液や体液、分泌物が、針刺し等により体内に入ることにより感染する。	B型肝炎ウイルス C型肝炎ウイルス　等

※インフルエンザウイルスは、接触感染により感染する場合がある。
※ノロウイルス、インフルエンザウイルスは、空気感染の可能性が報告されている。
出典：厚生労働省「高齢者介護施設における感染対策マニュアル改訂版」p.4、2019年

表3－17　個別の感染症対策

感染症	原因・感染源	症状・特徴	感染予防	発生時の対応
結核	結核菌	・呼吸器症状（痰と咳、血痰、喀血） ・全身症状（発熱、寝汗、倦怠感、体重減少） ・咳が2週間以上続く場合は要注意。高齢者では、主に全身衰弱、食欲不振などの症状が出てくることもある。	年1回の胸部X線検査	・症状がある利用者とその介護者はマスクを着用する。 ・医療関係者による喀痰検査・胸部X線検査の実施 ・検査結果で陽性の場合は、保健所の指示に従う。
インフルエンザ	インフルエンザウイルス（A型、B型、新型等）	・突然の発熱（38℃以上） ・悪寒、咽頭痛、筋肉痛、頭痛、咳、全身倦怠感	利用者・職員へのワクチンの予防接種	・施設内に設置された感染対策委員会の行動計画に従う。 ・インフルエンザの疑いのある人は早めに医療機関を受診する。
レジオネラ（肺炎）	・レジオネラ属の細菌 ・施設内での感染源：循	全身倦怠感、筋肉痛、発熱、乾性の咳、喀痰、胸痛、腹痛や下痢などの消化器症状	感染源となる施設・設備の管理（点検・清掃・消毒）の徹底	・患者が発生したらすみやかに保健所に連絡し、行政に届け出る。 ・ただちに浴槽の使用を禁止

	環式浴槽水、加湿器の水、給水・給湯水 ・人から人への感染はない。			する。
肺炎球菌による肺炎等	肺炎球菌	咳、痰、悪寒、発熱、呼吸困難、胸痛	・うがいや手洗いの徹底 ・慢性心疾患や慢性呼吸器疾患、糖尿病などの基礎疾患のある人には肺炎球菌ワクチン接種が効果的	・標準予防策で対応する。 ・ペニシリン耐性肺炎球菌感染症の場合は保健所に報告する。
感染性胃腸炎	・ノロウイルス ・経口感染がほとんどである。	嘔気、嘔吐（噴水状に突然嘔吐することもある）、腹痛、下痢	・汚染された貝類（カキなど）を十分加熱しない状態で食べた場合に感染するため、85℃以上で1分間以上の加熱調理をする。 ・感染者の便や嘔吐物の処理の際は必ず予防衣やマスク、使い捨て手袋を使用する。 ・消毒薬は次亜塩素酸ナトリウム液を使用する。	保健所や行政への報告が必要な場合もある。
腸管出血性大腸菌感染症	ベロ毒素産生菌（O157等）	平均3～5日の潜伏期を経て発症する。水様便が続いた後、激しい腹痛と血便がある。	・手洗いの徹底（とくに排便後や食事前等） ・消毒（便座やドアノブなどのアルコール含浸綿での清拭） ・食品の洗浄や十分な加熱といった二次感染の予防	・すみやかに医療機関を受診し、医師の指示に従う。 ・確定診断後、保健所や行政に報告する。
薬剤耐性菌	・メチシリン耐性黄色ブドウ球菌（MRSA）、緑膿菌等の薬剤耐性菌 ・接触感染が主である。	発熱、感染箇所の症状（咳、痰、下痢、尿路感染、褥瘡感染等）	手洗いの徹底。使用した物品を触った後の手洗いや手指消毒の徹底	・感染者の個室対応といった接触感染の予防措置 ・医療機関の受診
疥癬	ヒゼンダニ	・掻痒感（とくに夜間に激しいかゆみ） ・皮疹（指間、腋下、下腹部、大腿内側に現れる発疹） ・疥癬トンネル ・通常の疥癬と、感染力の強い重症の疥癬(角化型疥癬)がある。	・ヒゼンダニは熱に弱いため、衣類やリネン類は50℃以上の熱水で洗濯（10分以上）する。 ・定期的な布団の日光消毒や乾燥	・専門科を受診する。 ・入浴の順番は最後にするのが望ましい。 ・角化型疥癬の場合は個室対応。居室への入室時の予防衣や使い捨て手袋などの着用。居室の湿式清掃

表3－18　感染症法における感染症の分類と届出・報告の義務

種類	感染症	主な対応・措置
1類感染症	エボラ出血熱、クリミア・コンゴ出血熱、痘そう、南米出血熱、ペスト、マールブルグ病、ラッサ熱	・診断後直ちに届出
2類感染症	急性灰白髄炎、結核、ジフテリア、重症急性呼吸器症候群（病原体がベータコロナウイルス属SARSコロナウイルスであるものに限る）、中東呼吸器症候群（病原体がベータコロナウイルス属MERSコロナウイルスであるものに限る）、鳥インフルエンザ（H5N1）、鳥インフルエンザ（H7N9）	・診断後直ちに届出
3類感染症	コレラ、細菌性赤痢、腸管出血性大腸菌感染症、腸チフス、パラチフス	・診断後直ちに届出
4類感染症	E型肝炎、ウエストナイル熱、A型肝炎、エキノコックス症、黄熱、オウム病、オムスク出血熱、回帰熱、キャサヌル森林病、Q熱、狂犬病、コクシジオイデス症、サル痘、ジカウイルス感染症、重症熱性血小板減少症候群（病原体がフレボウイルス属SFTSウイルスであるものに限る）、腎症候性出血熱、西部ウマ脳炎、ダニ媒介脳炎、炭疽、チクングニア熱、つつが虫病、デング熱、東部ウマ脳炎、鳥インフルエンザ（鳥インフルエンザ（H5N1およびH7N9）を除く）、ニパウイルス感染症、日本紅斑熱、日本脳炎、ハンタウイルス肺症候群、Bウイルス病、鼻疽、ブルセラ症、ベネズエラウマ脳炎、ヘンドラウイルス感染症、発しんチフス、ボツリヌス症、マラリア、野兎病、ライム病、リッサウイルス感染症、リフトバレー熱、類鼻疽、レジオネラ症、レプトスピラ症、ロッキー山紅斑熱	・診断後直ちに届出
5類感染症	アメーバ赤痢、ウイルス性肝炎（E型肝炎およびA型肝炎を除く）、カルバペネム耐性腸内細菌科細菌感染症、急性弛緩性麻痺（急性灰白髄炎を除く）、急性脳炎（ウエストナイル脳炎、西部ウマ脳炎、ダニ媒介脳炎、東部ウマ脳炎、日本脳炎、ベネズエラウマ脳炎およびリフトバレー熱を除く）、クリプトスポリジウム症、クロイツフェルト・ヤコブ病、劇症型溶血性レンサ球菌感染症、後天性免疫不全症候群、ジアルジア症、侵襲性インフルエンザ菌感染症、侵襲性髄膜炎菌感染症、侵襲性肺炎球菌感染症、水痘（入院例に限る）、先天性風しん症候群、梅毒、播種性クリプトコックス症、破傷風、バンコマイシン耐性黄色ブドウ球菌感染症、バンコマイシン耐性腸球菌感染症、百日咳、風しん、麻しん、薬剤耐性アシネトバクター感染症	・7日以内に届出（侵襲性髄膜炎菌感染症および風しん、麻しんは診断後直ちに届出）
	●RSウイルス感染症、咽頭結膜熱、A群溶血性レンサ球菌咽頭炎、感染性胃腸炎、水痘、手足口病、伝染性紅斑、突発性発しん、ヘルパンギーナ、流行性耳下腺炎	・次の月曜日（小児科定点医療機関等が届出）
	●インフルエンザ（鳥インフルエンザおよび新型インフルエンザ等感染症を除く）	・次の月曜日（インフルエンザ定点医療機関および基幹定点医療機関が届出）
	●急性出血性結膜炎、流行性角結膜炎	・次の月曜日（眼科定点医療機関が届出）
	●性器クラミジア感染症、性器ヘルペスウイルス感染症、尖圭コンジローマ、淋菌感染症	・翌月初日（性感染症定点医療機関が届出）
	●感染性胃腸炎（病原体がロタウイルスであるものに限る）、クラミジア肺炎（オウム病を除く）、細菌性髄膜炎（侵襲性インフルエンザ菌感染症、侵襲性髄膜炎菌感染症および侵襲性肺炎球菌感染症を除く）、マイコプラズマ肺炎、無菌性髄膜炎	・次の月曜日（基幹定点医療機関が届出）
	●ペニシリン耐性肺炎球菌感染症、メチシリン耐性黄色ブドウ球菌感染症、薬剤耐性緑膿菌感染症	・翌月初日（基幹定点）

出典：厚生労働省「高齢者介護施設における感染対策マニュアル」p.85、2013年を、厚生労働省「感染症における感染症の分類」をもとに一部改変

13 薬剤耐性の知識

1941年のペニシリン臨床応用以来、新しい抗菌剤が開発されるたびに、「細菌は生きのびようとして、より強力な**耐性菌**に変化する」といわれています。

1960年代にはグラム陽性球菌の黄色ブドウ球菌がメチシリン耐性黄色ブドウ球菌（MRSA）に変化することが、1980年代後半には多剤耐性緑膿菌（MDRP）などの薬剤耐性菌が、2009年には有効な抗菌剤が限られているNDM型メタロβラクタマーゼを産生する肺炎桿菌（クレブシエラ）が確認されています（**表３－19**）。このように、近年「**多剤耐性アシネトバクター**❷」という言葉を聞くことが多くなりました。病院内での**院内感染**として報告され、その病原菌が原因で死亡例が報告されるなどについて、介護福祉職としては他人ごととしてとらえるのではな

❷多剤耐性アシネトバクター

アシネトバクターとは、自然環境中に生息する、通常健康な人には無害な環境菌のことで、多くの種類がある。このうち、多剤耐性アシネトバクターとは、通常のアシネトバクター感染症の治療に使用する抗菌剤がほとんど効かなくなっている菌のことである。

表３－19　病原性による細菌の分類と耐性化の問題

病原性		細菌の種類		薬剤耐性を獲得すると…
病原性が低い細菌	主に免疫力が低下した患者などにおける感染（日和見感染）が問題となる菌	グラム陽性球菌（GPC）	腸球菌	VRE（バンコマイシン耐性腸球菌）
		グラム陰性桿菌（GNR）	緑膿菌	MDRP（多剤耐性緑膿菌）
			アシネトバクター	MDRA（多剤耐性アシネトバクター）
病原性が中程度の細菌	市中の健康な人にも肺炎や尿路感染などを起こしうる菌	グラム陽性球菌（GPC）	黄色ブドウ球菌	MRSA（メチシリン耐性黄色ブドウ球菌）
		グラム陰性桿菌（GNR）	大腸菌 肺炎桿菌（クレブシエラ）	ESBL産生菌（基質特異性拡張型βラクタマーゼ産生菌） MBL産生菌（メタロβラクタマーゼ産生菌） CRE（カルバペネム耐性腸内細菌科細菌）
病原性が高い細菌	集団感染を起こすなど公衆衛生学的に問題となる菌	結核菌（感染症法２類）		多剤耐性結核菌
		コレラ（感染症法３類） 赤痢菌（感染症法３類） サルモネラなど		

出典：下間正隆・小野保・近藤大志・澤田真嗣『イラスト　みんなの感染対策』照林社、p.83、2016年を一部改変

く、正しい情報と知識を得ておくことが求められます。

抗菌剤の扱い方

① 抗菌剤（抗生物質）が本当に必要なのかをよく吟味します。このことは医師が判断することと考えますが、医師に質のよい情報を提供することが介護福祉職には求められます。現在の症状を適切に観察し、利用者本人が説明できないときはその代弁者となることも求められます。情報により、医師は適切な抗菌剤を適切な量で処方することができます。また、「風邪をひいたので抗菌剤がほしい」と言われても、診断された病名により抗菌剤の必要がないことを利用者に説明する必要が生じる場合もあります。そのような場合はどのように対処すればよくなるのかについて、医師や看護師と相談するとよいでしょう。

② 抗菌剤が処方された場合は途中で飲むのを止めたり、飲んだり飲まなかったりすることがないようにします。このような状況を続けていると体内の薬剤濃度が低下し、菌の耐性度が上がるといわれ、その薬剤に対する耐性を強くさせてしまうことになりかねません。利用者が処方された内服薬を正しく飲みきることができるか、介護福祉職として観察、アセスメントすることが求められます。

③ 感染症に関する勉強会への参加や、知識の普及に努め、抗菌剤に関する適切な使用についても情報を得ることが求められます。

④ 観察力を高め、利用者の変化に気づく力を身につけ、その変化について他職種と情報共有することが求められます。「薬剤のことは専門とする医療職に任せる」のではなく、情報共有することで早めの対応ができることもあるためです。

2 安全な薬物療法を支える視点・連携

何らかの疾患をもち内服を処方された際には、用法を守り最後まで飲みきることが基本です。

しかし、利用者の状況によっては、内服に関して処方どおりに服用できない場合があります。その場合、専門職と協働しながら内服ができる状況を整えていく必要があります。

とくに、高齢者は服用している薬剤の種類が多いだけではなく、服薬管理の能力そのものが低下することがあります。それに加えて、認知機能の低下やうつ状態、聴力低下、視力低下等の状況が認められると、薬剤管理能力はますます低下すると予測されます。そのため、介護福祉職としての重要なかかわりの1つとなります。

介護福祉職には、高齢者の特性を理解するとともに、利用者の認知機能やADL（Activities of Daily Living：日常生活動作）、IADL（Instrumental Activities of Daily Living：手段的日常生活動作）をていねいにアセスメントし、どのような手当てが必要であるかを予測していく必要があります。

しっかりと服薬できているかの確認、服用できずに残った薬の確認をするなど、そばに家族がいる場合などは家族とともに実施することが求められます。

1 服薬管理の工夫・留意事項

服薬管理における留意事項等について、以下のようにまとめました。

- 服薬方法をわかりやすく表示する（利用者が理解しやすくできていること。一包化や薬剤カレンダーの利用等により、飲み忘れを防いだり、飲み忘れを早く発見したりすることができること）
- 服薬回数を検討する（医療の専門職と現状を共有したうえで、医師、薬剤師と連携する）
- 飲み込み等に問題がある場合は、薬剤の形態や形状等について工夫が必要なことがある
- 家族に協力を求められる場合は、家族とも相談する（利用者に十分配慮したうえで管理方法について話し合う）
- 副作用について事前知識をもっておく（薬剤師との連携により、予測される副作用を知っておくと、あわてず対処することができる）
- 多くの薬剤を服用している場合は整理をする（薬剤を減量することがむずかしい場合でも、利用する薬局を一本化することで、利用者の薬剤情報が把握され、重複処方や禁忌薬剤の発見等につながる可能性もある）

2 利用者本人も含めて、多職種で連携する

医師が薬剤を処方しますが、服用の状況まで管理することはむずかしいです。診察室での短い会話で、利用者の状況のすべてを把握することは簡単ではありません。そのため、ケアにかかわる介護福祉職、看護職員、薬剤師等が利用者本人の聴き取りも含めて状況を把握し、より安全に薬剤療法が受けられるように環境を整えていくことが求められます。

3 終わりに

感染症を怖がる必要はありません。正しい知識を身につけ、他職種との連携や役割分担、ルールを守って対処することで、感染から利用者を守ることができるということをしっかりと学んでください。

私たちは経験をつみ重ねるうちに、もうこれでいいだろうと安心して、決められた手順を飛ばすようなことがどうしても起きてしまいます。定期的に学び、研修をくり返し、ロールプレイ等をとおして、いつ、どのような状況がやってきてもあわてず、騒がず、適切に対応できる力をつけていく介護福祉職でありたいものです。

演習3－2 感染予防のための観察ポイント

感染症（かんせんしょう）の早期発見・早期対応を行うために、日々の利用者の生活支援の場における観察ポイントを書き出してみよう。

第 4 章

協働する多職種の機能と役割

第1節

多職種連携・協働の必要性

学習のポイント

- 多職種連携・協働の必要性について学ぶ
- 多職種連携・協働の目的と効果について学ぶ

関連項目　⑫『発達と老化の理解』▶第5章第4節「保健医療職との連携」

1 多職種連携・協働とは

1 連携・協働とは

連携とは、多職種が連絡を取り合って1つの目的のためにいっしょに物事を行う手段のことです。そして**協働**は、1つの職種では解決できない課題に対し、異なる専門性をもった職種が集まり、さまざまな立場の視点をいかし、対等の立場で協力してともに働くこととされています。

多職種連携・協働とは、複数の職種がそれぞれの技術や知識をもとに役割分担を行いながら、利用者のQOL（Quality of Life：生活の質）の向上に向けて、共通の目的・目標をめざしていくことです。連携・協働を実践するうえで最も大切なことは、目的・目標を共有することになります。それらがメンバー内で共有されていなければ、利用者が何をめざしているのかわからずに、サービスの提供がそれぞれでバラバラになってしまいます。結果的に非効率になってしまいますので、利用者のニーズにこたえることができなくなり、かえって悪い結果を招くおそれがあります。

2 目的・目標の共有

目的とは、利用者がめざすあるべき姿としてイメージするもので、方向性を示すものです。抽象的で長期にわたるので明確なゴールはなく、ずっと求め続けるものなのです。それに対し目標は、当面めざす事柄です。これは、具体的で達成可能なものを明確に表現します。たとえば、「現在自力で歩行できない人が、1年後には自力で家の中を歩くようになる」といったように、明確に表現します。もちろん、目標は目的にそったものでなくてはなりません。

さらに、多職種連携・協働のためのチームを組織する場合があります。その際には、組織のミッションやビジョンを共有しておく必要があります。ミッションとは、組織の存在目的や使命をあらわし、ビジョンはその組織の未来像としてめざす姿を表現したものです。

多職種連携・協働のためのチームをつくるときには、チーム内の人たち、あるいはほかの組織の人たちと目的・目標を共有しておく必要があります。その目的・目標を共有して達成していくためには、話し合うことが必要不可欠ですので、顔の見える関係を築いて、コミュニケーションを密にしておくことがきわめて重要といえます。

2 多職種連携・協働を要請する社会の動き

1 少子高齢化の進行

日本は、急激な少子高齢化の進行によって、多くの課題に直面しています。とりわけ大きな課題が、現行の社会保障制度が持続できるかどうかがわからない状況になってきていることです。

高齢化がさらに進行し、「団塊の世代」が75歳以上となる2025（令和7）年には、およそ5.6人に1人が75歳以上の高齢者になることが予測されています。そして、65歳以上の高齢者のいる世帯では、高齢者夫婦のみの世帯と高齢者のみの単身世帯が増え続けており、両方で全体の約6割を占め、今後も増えていくことが予測されています。

高齢化の進展にともなって、医療費は増え続け、2020（令和2）年の医療費は42兆2000億円に達し、2019（令和元）年の介護給付費は10兆円を超えています。

高齢者は、慢性疾患を複数あわせもちますし、介護を必要とする人も増えています。生活するうえでは、年金などの経済的な問題や住居の問題、近隣との関係、あるいは相続等の家族の問題、生きがいなどといった多くの問題をかかえていることが少なくありません。また、今後はさらに認知症高齢者の増加が予想されます。医療および介護のみならず、さまざまな分野との連携・協働が必要になっています。

2 QOLの向上をめざすための制度改革

近年は、医療制度および介護・福祉制度の改正が次々と行われて、何とかして給付費の上昇を抑制しようとしています。たしかに医療保険や介護保険の給付費を抑制して、持続可能な社会保障を実現していくことは重要なことです。しかし、少子高齢社会がもたらす費用の増加を最小限にとどめながら、利用者のニーズに効果的かつ効率的にこたえることがもっとも求められていることなのです。

そうしたサービスの充実と効率化を前提とした「医療・介護サービスのあるべき姿」を実現した場合の、医療・介護費用に関するシミュレーション結果が、2008（平成20）年に示されました。そのシミュレーションの背景にある哲学は、2008（平成20）年の**「社会保障国民会議 最終報告」**（以下、最終報告）で示されており、「医療の機能分化を進めるとともに急性期医療を中心に人的・物的資源を集中投入し、できるだけ入院期間を減らして早期の家庭復帰・社会復帰を実現し、同時に在宅医療・在宅介護を大幅に充実させ、地域での包括的なケアシステムを構築することにより利用者・患者のQOL（生活の質）の向上を目指す」というものです。

3 医療・介護サービスの一体的提供

これまで医療は、「病院完結型」となっていて、1つの病院内で急性期から回復期、慢性期までの医療を行っていました。また、福祉も施設内介護が中心でした。それぞれ別々に医療サービスと介護サービスを提供していたことになります。しかし、これからの医療福祉システムは、

「地域完結型」の医療・福祉へ転換して機能分化を行い、医療と介護サービスを一体的に提供していくことになります。だれもが住み慣れた地域で、慣れ親しんだ人々とともに安心して暮らしていけるように、支援体制を整えていく必要があります。そして、このような利用者のQOLの向上を医療および福祉のサービスの目的にして、在宅医療や在宅介護による地域包括ケアシステムを構築していくことが求められているところです。

2014（平成26）年に地域における医療及び介護の総合的な確保を推進するための関係法律の整備等に関する法律が制定されて、医療法や介護保険法等の関係法律の改正が行われました。この介護保険法の改正によって、地域包括ケアシステムの構築が盛りこまれました。

4 地域包括ケアシステムの構築

地域包括ケアシステムは、「地域の実情に応じて、高齢者が、可能な限り、住み慣れた地域でその有する能力に応じ自立した日常生活を営むことができるよう、医療、介護、介護予防（要介護状態若しくは要支援状態となることの予防又は要介護状態若しくは要支援状態の軽減若しくは悪化の防止をいう。）、住まい及び自立した日常生活の支援が包括的に確保される体制」とされています（地域における医療及び介護の総合的な確保の促進に関する法律第2条）。

前述の「最終報告」が示した地域包括ケアシステムを構築していくためには、関係するさまざまな人や関係機関が連携・協働し、利用者のニーズに応じて役割を分担しながら、有機的に機能しなければなりません。

ただし、利用者のニーズは、利用者がおかれている状況によって変化します。たとえば、入院や施設入所のように、自宅とは異なる環境の場合もあります。また、健康や介護レベルがどの程度にあるのかということによっても利用者のニーズは変化します。症状や状態が不安定なのかそれとも落ち着いているのか、さらに、回復が可能なのかあるいは終末期のサービスが必要なのかといったように、その時々に求められるサービスを連携・協働して提供することになります。

5 「我が事・丸ごと」地域共生社会へ

地域包括ケアシステムの構築は、高齢者を対象にしています。しかし、地域には、子どもから高齢者といったあらゆるライフステージの人々、そして健康レベルもさまざまな人々が暮らしています。そのため、これまでの縦割りの制度では対応がむずかしい課題や、制度の狭間にあって解決が困難な場合が少なくありません。たとえば、若年のがん末期患者や**慢性疲労症候群**[1]のような患者の場合は、介護が必要であっても介護保険が適用されません。また、障害者が65歳で介護保険の被保険者になった場合は介護保険が優先されて、それまでの障害福祉サービスを受けられなくなることもありました。

[1] 慢性疲労症候群
日常生活を送るのがむずかしいほど強い、原因不明の疲労感がおもな症状で、それが半年以上続いている状態をいう。

こうした課題を解決するため、地域共生社会の実現をめざして、2017（平成29）年に介護保険法や社会福祉法等の改正が行われました。これによって、高齢者だけでなく生活上の困難をかかえる人への包括的な支援体制が制度化され、**共生型サービス**が創設されることになりました。

地域共生社会とは、既存の制度・分野ごとの「縦割り」をなくすとともに、「支え手」側と「受け手」側に分かれるのではなく、地域住民や地域の多様な主体が**「我が事」**として参画し、人と人、人と資源が世代や分野を超えて**「丸ごと」**つながることで、住民1人ひとりの暮らしと生きがい、地域をともにつくっていく社会のことです。

3 なぜ、多職種連携・協働が必要なのか

1 慢性疾患を有する高齢者の増加

多職種連携・協働の必要性がでてきた背景としては、高齢者におけるおもな疾患が感染症から**成人病**、**生活習慣病**と**慢性疾患**に移ったことがあげられます。現代では、脳卒中やがん、心筋梗塞となっても、多くの場合治療ができます。そして、もとの生活に戻ったり、あるいは後遺症をかかえながら、またがんとも共存しながら生活するというように、1人ひとり必要とするサービスのニーズは異なります。

また、慢性疾患をかかえながらも長生きすることができるようになり

ましたが、生活機能は加齢とともに低下していきます。高齢者は、医療活動と生活支援の区別がつきにくく、1人の高齢者あるいは家族が同時に複数のニーズを有する場合が少なくありません。そのため、関連する多様な機関や職種が連携・協働する必要性が高まってきました。

2 介護保険制度の創設

多職種連携・協働の必要性がいっそう高まるきっかけになったのが、2000（平成12）年の**介護保険制度の導入**です。この制度導入の背景には、核家族化の進行や、寝たきり高齢者や認知症高齢者が増加するなど、高齢者の介護が社会問題となってきていたことがあります。介護保険制度では、それまで医療と福祉に分かれていた高齢者サービスを統合して提供できるようになりました。利用者のニーズに応じてケアプランが作成され、その連絡調整役が**介護支援専門員（ケアマネジャー）**です。これによって医療分野と福祉分野の専門職が連携してサービスを提供することができるようになりました。

介護保険制度の給付には、介護給付と予防給付におけるサービスがあります。介護給付におけるサービスには、居宅サービス、施設サービス、地域密着型サービス、居宅介護支援などがあります。そして、予防給付におけるサービスには、介護予防サービス、介護予防支援、地域密着型介護予防サービスなどがあります。

3 介護保険制度の改正

2018（平成30）年4月には、地域包括ケアシステムを推進するため、医療処置が必要であるものの入院するほどではないが、自宅や特別養護老人ホーム等での生活が困難な高齢者への対応の受け皿として、**介護医療院**が創設されました。これは、日常的な医学管理や看取り・ターミナルケア等の医療機能と生活施設としての機能を兼ね備えた新たな介護保険施設になります。

一方、医療分野では、高度急性期、急性期、回復期、慢性期といった病期によって施設や病床の機能分化が進んで入院期間が短縮し、慢性期のケアやリハビリテーションは、おもに介護保険で提供されるようになりました。また、在宅医療・介護も推進されています。

このように、医療サービスと介護サービスを一体的に提供する施設では、医療職および福祉職をはじめ、施設を管理する事務職等のさまざまな職種がいっしょになって、利用者のニーズに対応していかなければなりません。

4 切れ目のないサービス提供

それぞれの施設内では、利用者のニーズに応じて施設内の職員が連携・協働して専門的なサービスを提供します。これは、ほかの施設や在宅での生活に移る場合も同じです。とりわけ現在は、入院期間が短縮されてきていますので、施設間、あるいは在宅でのサービス提供施設・事業者の間でサービスの質を維持し、サービスそのものが途切れないようにしなければなりません。そのために、連携・協働して切れ目なくサービスを提供していくことが求められるようになりました。

人々が、病気や障害をかかえて住み慣れた自宅や施設等で生活を続けていくうえでは、病気や障害のみならず経済的問題や家族問題、生きがい、住居問題等といったさまざまなニーズを有しています。たとえば、相続問題をかかえていたら弁護士等と、住居問題をかかえていたら建築士等といっしょに問題を解決していかなければなりません。利用者がその人らしく、幸せで満足できる生活ができるように支援するためには、多様な職種が連携・協働していくことが求められます。

4 多職種連携・協働を阻むもの

多職種連携・協働では、多くの職種が共通の目的・目標に向かって役割分担を行うことになります。しかし、それぞれの職種ならではの特徴があるため、以下のようなことが連携・協働を阻む要因になる場合があります。

1 専門職の自律性

専門職には多くの職業があり、その職業に誇りと責任をもって、かけがえのない仕事に従事しています。専門職になるためには、特別な教育機関で長期の訓練・教育を受けて専門的な知識・技術を身につけなければなりません。国家資格の場合は、第３節でくわしく説明しますが、資格とその要件が法律に明記されています。**専門職としての自律性**が求められ、その責任はもちろん自分が負わなければなりません。

そのような専門職として現在、介護福祉士をはじめ社会福祉士、医師、看護師、薬剤師、管理栄養士等が医療や介護、福祉の現場においていっしょに仕事をしています。ただ、それぞれの専門職は、それぞれの専門職能団体に所属して、専門性を高める努力を常に行わなければなりません。そのため、しばしば施設や組織あるいはチームのルールよりも専門職としての規範を重視する場合がみられ、専門職同士の間に溝が生じるおそれがあります。その原因として、専門職の縄張り意識や自分野の権益へのこだわり、コミュニケーション不足等があります。

2 教育背景・教育内容の違い

それぞれの専門職は、長期の訓練・教育を受けていますが、それは各専門職になるためのものであって、ほかの専門職に関する教育は必要最小限となっています。また、専門的な知識・技術はもちろんですが、専門性にかかわらず仕事をしていくうえでだれにでも求められる知識・技術があります。

たとえば、経済産業省が2006（平成18）年から提唱している**「社会人基礎力」**があります。これは、基礎学力と専門知識に加えて、それらをうまく活用していくための能力です。「前に踏み出す力」「考え抜く力」「チームで働く力」の３つの能力（12の能力要素）から構成されています。能力要素の項目である「主体性」「課題発見力」「発信力」等は、職業にたずさわるすべての人に必要なものですが、それぞれの専門職の教育背景や教育内容によって、能力の獲得に違いが生じることが少なくありません。

3 縦割りの養成教育

現在は、専門性のあるどの専門分野も高度化・細分化されており、学ぶべき内容が年々増加しています。そのため、社会人基礎力をはぐくむような教養教育を広げていくことがむずかしくなっています。いわば縦割りの養成教育です。

本来、自分の専門領域との近接領域との関係や、専門性の発揮につながる分野との連携・協働の必要性を学ぶことが、専門性を進化させることにつながります。しかし、このような学習の機会が少なく、それぞれ個別に専門の教育が行われているのです。

多様化する利用者のニーズにこたえるためには、それぞれ異なる知識や技術を身につける教育を受けた多様な専門職が必要なのですが、せっかくの高度な知識・技術が、それぞれの専門分野での活動に固執していると、連携・協働が進まず、提供できるサービスは利用者のニーズとかけ離れたものになってしまいます。

5 多職種連携・協働の効果

多職種連携・協働の効果としては、以下のことがあげられます。

1 利用者のQOLの向上

第1の効果は、利用者の**QOLの向上**につながることです。

本来、多職種連携・協働の目的は、利用者の多様なニーズに対応してQOLの向上をはかることにあります。多職種が、効果的な連携・協働を行うためには、日常的につながることが求められます。連携・協働においては、会議での顔合わせや定期的に検討会議を開くなどして、顔を合わせる機会をもつことが、効果的な連携・協働を生むことになります。

顔を合わせることによって、お互いの性格や価値観等といった人となりもわかり、意思疎通がスムーズになり、それにより、それぞれの専門性を深く理解することにもなります。その結果、よりよいサービスを提供しようとそれぞれの職種の専門的な知識や技術が高まります。人間的にも成長することになりますので、サービスの質の向上につながります。ひいては、利用者の満足度も高まります。施設内であっても在宅であっても、利用者が望む生活をおくることができるようになるということが大きな効果です。

2　成長をうながす

第2の効果は、**自分自身の成長**と**チーム全体の成長**をうながすことです。

（1）自分自身の成長

連携･協働のためには、常に情報を共有しておく必要がありますので、お互いに顔の見える関係を築きながら、コミュニケーションを密にしていくことが必要不可欠となります。人は、それぞれ考え方や価値観が異なりますので、相手の人となりがわからなければ、伝えたいことが相手にうまく伝わらずに情報の共有ができず、連携・協働がむずかしくなります。そもそも、自分の立場のみを主張してもなかなか相手に伝わらないことも多々あるので、相手が理解できるように伝える努力が求められます。これは、相手に合わせて自分の考えや対応を変えることにもなりますが、これまでの自分自身の考え方を客観的にみる機会になります。また、自分の専門分野以外へも視野が広がって人間的な成長につながることにもなります。

（2）チーム全体の成長

自分が変わることで相手も変わってきます。たとえば、自分が興奮してきつい口調で言うと相手も興奮状態になりますが、自分が冷静になると相手も冷静になるのはよくあることです。自分が成長すると、相手にも何らかの変化を与えますので、チームワークを行うとチーム全体の成長がうながされることになります。このような関係性ができると、必要なことがきちんと伝わってお互いのことを十分理解できるようになるので、信頼関係を築くことができます。その結果、それぞれの職種の役割分担がスムーズに行われることになり、効率的にサービスの提供ができることになります。さらに、組織や機関の了解をえて連携・協働していくので、組織や機関全体にもよい影響を与えることになります。

3 医療・介護費用の抑制

第3の効果は、**医療費用や介護費用の抑制**につながることです。

在宅で長期間の生活が可能になりますので、入院期間や入所期間が短縮されることになります。外来費用や往診、居宅サービスの介護給付費は増加しますが、入院・入所費用が縮減されますので1人あたりの医療費や介護給付費は減少することになります。そして家族も介護負担の軽減ができますので、家族の都合で再入院・再入所を選ばなくてもよくなり、その分の給付費用が抑えられます。その結果、1人ひとりが負担する医療保険料や介護保険料を低くすることができます。

多職種連携・協働のそもそもの目的は、医療費や介護費用の抑制ではありません。しかしながら、少子高齢化が進む日本において、増大する社会保障費を可能な限り抑制することは、持続可能な社会保障を実現していくうえで重要なことです。

◆参考文献

- 埼玉県立大学編『IPWを学ぶ――利用者中心の保健医療福祉連携』中央法規出版、2009年
- 北島政樹編『医療福祉をつなぐ関連職種連携――講義と実習にもとづく学習のすべて』南江堂、2013年
- 野中猛・野中ケアマネジメント研究会『多職種連携の技術（アート）――地域生活支援のための理論と実践』中央法規出版、2014年

演習4－1　多職種連携・協働と社会の動きについて

多職種連携・協働を必要とする、制度や人口構造（こうぞう）の変化等の社会の動きについて整理してみよう。

第2節

多職種連携・協働に求められる基本的な能力

学習のポイント

- 介護実践の場で多職種連携・協働が必要とされる意義について学ぶ
- 課題解決に対する多職種のかかわりには、多様な視点と受容が必要であることを理解する
- 多職種協働に求められるコミュニケーション能力について学ぶ

関連項目

① 『人間の理解』 ▶ 第3章第2節「ケアを展開するためのチームマネジメント」
⑤ 『コミュニケーション技術』 ▶ 第1章第3節「援助関係とコミュニケーション」
⑤ 『コミュニケーション技術』 ▶ 第5章第2節「報告・連絡・相談の技術」

1 介護実践の場で多職種連携・協働が必要とされる意味

　高齢化の進展にともない、利用者の生活状況や価値観が多様化してきています。より安全で安心な、質の高い介護サービスを提供するのがあたりまえの時代になってきました。とくに高齢者は、高血圧や糖尿病などの慢性疾患を複数もっていることや、麻痺や拘縮など生活上の機能障害をともなったり、あるいは認知症で日常生活に支障をきたすなど、複数の**ケアニーズ（生活課題）**をかかえている場合も少なくありません。このような複数のケアニーズをかかえている利用者のケアを行っていくには、介護福祉職の力だけでは、課題解決には困難な場合が多くあります。そこで多職種が連携・協働することで大きな力となり、困難な課題の解決につながると考えられます。

　多職種連携・協働を成功させるためには、多職種と連絡を取り合うチームを構成する必要があること、そして円滑な**コミュニケーション**がはかれる職場環境が必要不可欠となります。多職種で協働するための効

果的なコミュニケーションの方法を取得し、生活機能の維持・向上という同じ目的に向かって、お互いに尊重しあいながら、安全で安心なケアを提供できるようにすることが重要です。

2 多職種連携・協働のためのチームづくり

1 チームづくりの意義

専門職は、自分の専門分野の知識・技術のレベルが高いだけでなく、他分野の専門職と連携・協働することによって、さらに自分野の専門性を向上させなければなりません。

1人では利用者のニーズに対応できない場合、他分野の人たちの知識や技術もいっしょに提供することになります。そうすることによって、効率的にサービスを提供することができ、お互いの専門性を理解するとともにチームワークの有効性を確認することができます。必要なサービスを提供するためには、チームを形成し、利用者のニーズの変化に応じてチーム構成や役割も変化させなければなりません。そのステージごとに必要なサービスを必要なだけ集中的に提供するためには、多職種による集団的なアプローチが効果的です。

そこで必要になるのが**チーム意識**です。もちろん、利用者を中心とするチーム意識となり、施設内での多職種連携・協働チームのみならず、施設間では複数の施設の専門職がチームを形成してサービスを総合的に提供することになります。

2 チーム構成メンバーとしての役割

チームとは、共通の目標や目的の達成のために、共同で行う作業を通じてプラスの効果をもたらす集団をいいます。多様な専門職が集まれば、知恵や知識、技術も必要に応じて投入できることになります。また、人は他者との交流によって成長していきますので、専門的な知識・技術のみならず人間的な成長にもつながります。

複数の職種がチームをつくってサービスを提供することになると、それぞれが自分の専門能力を十分知っておかなければなりません。介護福祉士は介護の専門職であり、利用者のニーズに応じた介護サービスを提供することになります。それとともに、ほかの職種の専門能力を理解しておく必要があります。もちろん、介護サービスだけで解決するならそれでよいのですが、介護だけでなく、たとえば、栄養管理や機能訓練、あるいは医療的ケア等といった介護以外のサービスも同時に求めている場合が、ほとんどです。そのため、自分の役割をほかの職種に理解してもらうとともに、栄養士や理学療法士、看護師等といった他職種の機能を理解しながら連携・協働することが必要となります。

3 支援の目標・目的の一致をはかるためのチームづくり

効果的な連携・協働を実践するためには、支援の目標・目的の一致に向けて、それらの基盤となる**チーム力**が重要となります。**図4－1**に示すように、まず課題解決のために、必要な専門職と連絡を取ってチームを構成します。これらのチームを構成するとき、なぜ連携が必要なのか

図4－1 連携・協働とチームとの関係

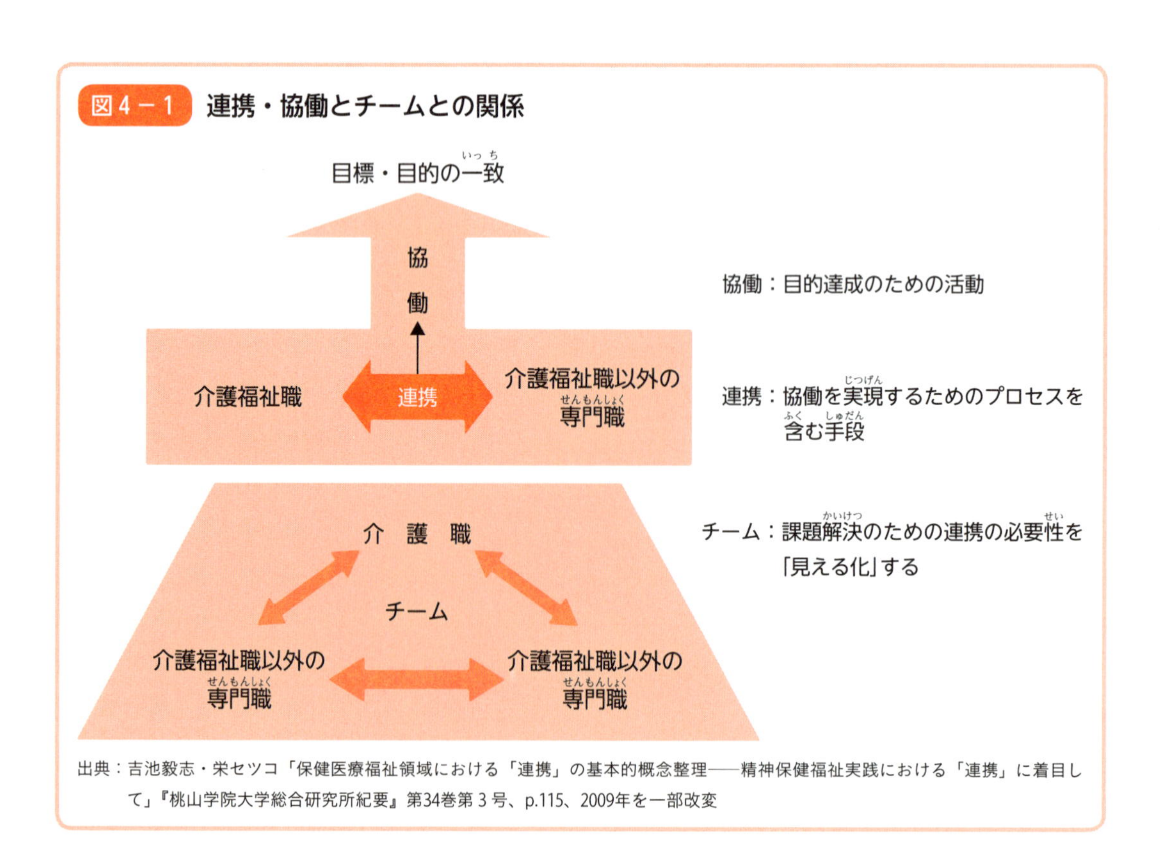

出典：吉池毅志・栄セツコ「保健医療福祉領域における「連携」の基本的概念整理――精神保健福祉実践における「連携」に着目して」『桃山学院大学総合研究所紀要』第34巻第3号、p.115、2009年を一部改変

について、共通認識が前提となります。次に、協働を実現するための手段として多職種と連携をとります。連携は協働を実現するための過程を含んでいますので、その過程において多職種とコミュニケーションをとります。そして、支援の目標・目的を達成するための活動が協働となります。

このように、連携の必要性や意味が明確化されたチームを構成し、多職種と連携することで、効果的な協働が行われます。

4　チームに備わっているべき要素

基盤となるチーム力をつけるために、チームに備わっているべき要素を**表4－1**に示しました。

第１の要素は、達成すべき明確な目標があり、その目標をメンバー（ここでは多職種）が**共通認識**としてもっていることです。

第２の要素は、目標達成に向けてよいコミュニケーションを築きながらメンバー同士が協力し合い、互いに**信頼し合う関係**にあることです。

第３の要素は、課題解決や目標達成のためにメンバーに**役割**を割り振り、その役割を果たすための技術を発揮することです。

そして第４の要素は、チームのメンバーはだれなのか、**メンバー同士が互いを明確に認識**できていることです。

このような要素を備えることで協働を実現するためのチームを構成します。これによって、目標を達成するために、効果的な連携・協働が行われていきます。

表4－1　チームに備わっているべき要素

第１の要素	達成すべき明確な目標の共有
第２の要素	メンバー間の協力と相互信頼関係
第３の要素	各メンバーに果たすべき役割の割り振り
第４の要素	チームの構成員とそれ以外との境界が明瞭

出典：山口裕幸『チームワークの心理学――よりよい集団づくりをめざして』サイエンス社、2008年をもとに作成

5 まずは連絡

それぞれの職種が、連携・協働できる関係になるには、まず、個々人で**連絡**を取り合うことから始まります。

まずは、みずから発信することが重要です。たとえば、介護福祉士が施設に入所している利用者の服薬で困っている場合は、同じ施設内の看護師、あるいは医師、薬剤師等といった職種の間で利用者の情報を共有することになります。そこで、利用者の状況等について電話やメール等で連絡して解決しようとします。まだこの段階では、ゆるやかな結びつきで、必要に応じての情報交換ということになります。つまり、連絡の段階では、だれかにこの情報を伝える必要があると判断した人からの発信となりますので、一方向性のコミュニケーションといえます。あるいは、返信という双方向性のコミュニケーションとなる場合もありますが、あくまでも必要に応じての連絡ですので、定期的な結びつきまでにはいたりません。

このままであれば、利用者にかかわる職種が、それぞれの立場で気づいたことや課題等を共有していっしょに検討する機会がありませんので、効果的なサービスの提供とはほど遠いものとなってしまいます。

6 連携・協働へ

そこで、連携・協働の関係にしていくためには、ゆるやかな結びつきをさらに進めて、定期的に集まるようなケース検討会議等といった会合を開いて**顔の見える関係**をつくっていきます。そのため、いっしょに利用者へのサービス計画の策定から実施、評価、改善までのPDCA（Plan、Do、Check、Action）サイクルをまわしていきます。この段階になるとチームができあがり、連携・協働したチームワークでのサービス提供ということになります。つまり、個人による発信という「点」からさまざまな職種が連携していく「線」へのつながりができるのです。

施設外での在宅ケアにおいても同じことがいえます。施設内と違って、異なる組織に属する多様な職種でチームを形成することになりますが、最初は利用者を中心にして、電話等で連絡を取り合うことから始めます。次に、顔を合わせて定期的に集まり、計画の策定から評価、改善までを行います。チームでのサービス提供ができるようになると、いつでも必要なサービスが効率的に提供できるようになります。そして、連携・協働のチームができると、たとえ異動等で人が替わったとしても、次の人に引き継がれていくことになります。さらに、利用者に変化が生じた場合も、常にチームで議論を重ねながら対応していくことができます。

3　多様な視点と受容を必要とする協働

多職種協働とは、専門性の異なる職種がチームを組み、共通の目標に向かってともに働くことであることは理解できたと思います。保健・医療・介護・福祉の現場では1人の利用者に対し、多くの職種がかかわることで、多様な視点から利用者を理解しながら、よりよいケアを行っていきます。それらの職種としては、**介護福祉士**、**社会福祉士**、**精神保健福祉士**、**看護師**、**介護支援専門員（ケアマネジャー）**、**医師**、**歯科医師**、**歯科衛生士**、**作業療法士**、**理学療法士**、**言語聴覚療法士**、**管理栄養士**、**公認心理師**、**薬剤師**、**サービス提供責任者**、などがいます。これらの職種が集まって課題解決に向けて協働するなかで、効果的な協働を行うためには、多様な視点を受け入れるということが重要となります。

1　多様な視点とは

それでは**多様な視点**とはどういうことなのかについて、コップを用いて説明します。まず、**図4－2**に示したように、Aの方向からコップを見ると、絵柄がついた取っ手のあるコップに見えます。しかし、**図4－3**に示したように、Bの方向、Cの方向、Dの方向から見るとコップはどのように見えるでしょうか。Bの方向からは、取っ手のない四角いコップに見え、Cの方向からは、取っ手が真ん中についたコップに見え、Dの方向からは、取っ手のついた絵柄がないコップに見えます。このように見る方向が違うと、同じコップでも形（姿）が異なってきます。しかし、たとえ異なった形に見えるコップでも、同じコップであることには間違いないわけですから、それぞれの見方の違いを受け入れることが重要となります。

このことが何を意味するのかを考えてみましょう。

2 コップのとらえ方が意味すること

たとえば、コップが利用者、A～Dが多職種であると仮定します。A～D（多職種）はそれぞれの立場の視点からコップ（利用者）をとらえます。このように、職種が違えば、1つの現象に対するとらえ方や利用者に対するかかわり方が違ってきます。利用者（コップ）に対して、1つのケアがうまくいかなかったとしても、その他の視点をもっているほかの職種とうまく連携をとり、それによって、利用者に対するかかわり方を変えていくことでうまくいくことがあるというたとえです。このことが多様な視点であり、コップのとらえ方が意味するものです。それぞれの立場で視点が異なるということを理解し受け入れ、お互いを尊重しながら意見交換をしていくことで効果的な「多職種協働」ができるのです。

図4－2　多様な見方（1）

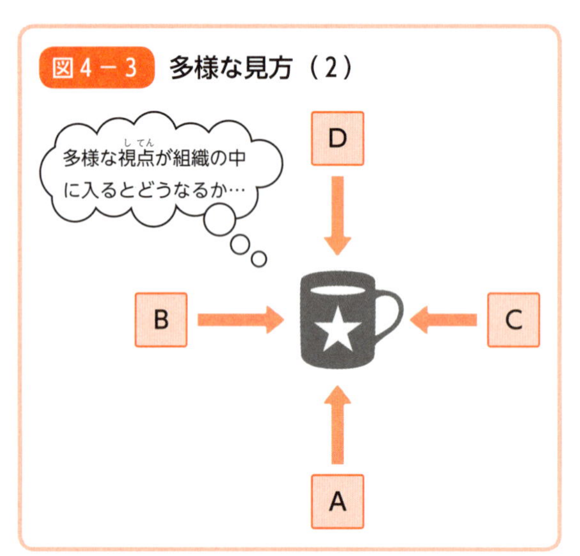

図4－3　多様な見方（2）

4 課題解決に対する多職種のかかわり

次に、課題解決に対してどのようなかかわりのなかで、多職種による連携・協働がなされていくかを考えてみましょう。そこで、「食事中にむせることが多くなってきた」という課題に対し、介護福祉職、看護職、管理栄養士、歯科医師のそれぞれの立場から検討してみます。検討内容は**図4－4**を参照してください。多職種は検討した内容や情報を共有し実践していきます。それが連携・協働です。その結果、「誤嚥の予防をしながら、自分のペースで食事ができている」など、利用者が安全・安心して日々の介護サービスを受けられるということにつながっていくと考えられます。

図4－4　課題に対する多職種のかかわり

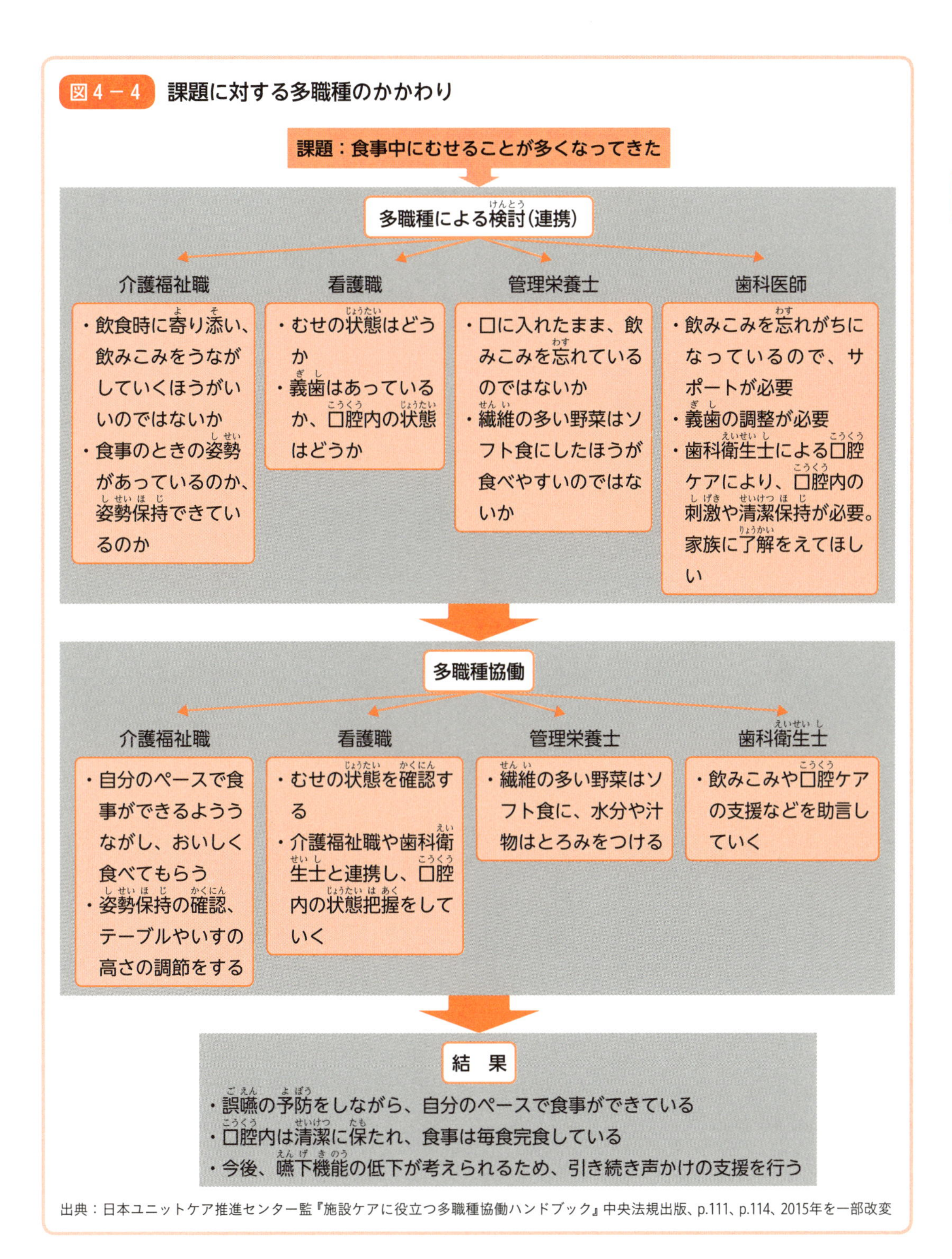

出典：日本ユニットケア推進センター監『施設ケアに役立つ多職種協働ハンドブック』中央法規出版、p.111、p.114、2015年を一部改変

5 多職種協働を成功させるための介護技術と知識

課題解決には多様な視点でかかわっていくことが重要であると理解できても、専門職としての技術や知識が不十分な状態では、多職種協働は成り立ちません。質の高いチームケアの実現には、それぞれの専門職が「多職種協働」という考えをきちんともったうえで、介護技術のスキルアップとコミュニケーション能力を高める必要があります（図４－５）。

さらに、介護技術は、利用者の生活習慣や生活文化を尊重して行われるきわめて個別性の高いものです。利用者の多様性を認識し、何が問題になっているのかを明らかにすることで、個々の利用者の課題を把握し、状況の予測をしながらすみやかに対応していくことのできる介護技術が求められてきます。そのスキルアップされた介護技術を効果的にいかすためには、多職種との信頼関係の構築が重要となります。

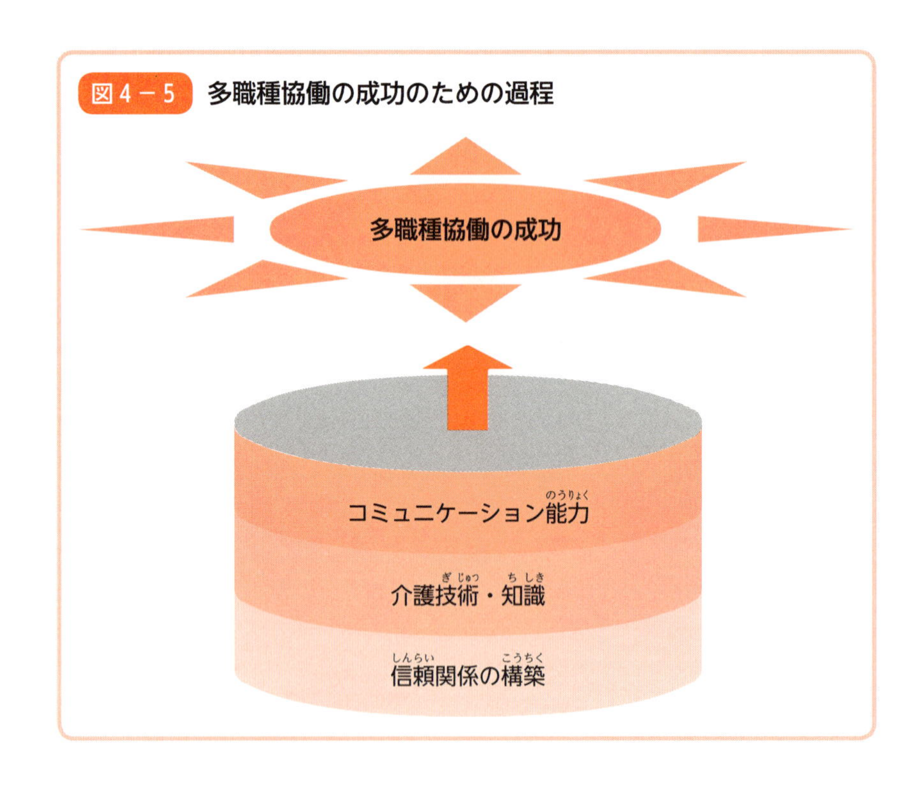

図４－５　多職種協働の成功のための過程

6 多職種協働とホスピタリティ的視点

多職種協働を進めるうえで、他職種と良好な関係を築くためにはどのようにすればよいのでしょうか。ここでは、介護福祉職とほかの専門職に介在する重要なコントロール要因として、ホスピタリティを位置づけて考えてみます。

1 ホスピタリティの定義

ホスピタリティについては、多くの研究者がさまざまな定義をしていますので、そのうちの１つを紹介します。ホスピタリティとは、「人間同士の関係性において、より高次元の関係性を築くべく、相互に持つ精神や心構えであり、それに伴って応用的に行われる行為も含む」[1]とあります。少しかみくだいて説明しましょう。ホスピタリティとは、相手のことを思いやる気持ちをもち、相手との関係性のなかで信頼関係を築くこと（信頼関係の構築）、その関係の中でお互いを高め合うことができること（相互利益）であると述べています。

2 「信頼関係の構築」「相互利益」と多職種協働との関係

介護は、時には命にかかわることのある基本動作を支援することもあり、利用者自身も多職種との信頼関係の構築を求めてくるものと考えられます。利用者との信頼関係がうまくいっていれば、多職種協働の実践がプラスの効果をもたらすものと思われます。

（1）「信頼関係の構築」と多職種協働

多職種の考えを受け入れ、多職種を尊重しながらはたらきかけていくという**「信頼関係の構築」**は、協働にとって重要なことです。

多職種協働において、ホスピタリティを実践しようとするときに基本となるであろうと考えられるのは、多職種に関心を寄せ、その思いやニーズに共感できる力です。これは、介護現場の感動や喜びをとおしての、多様な気づきや発見から成り立っています。利用者のニーズや不安を想像し、利用者の立場に立つことで、その気持ちを理解しようとする他者理解は、共感ととらえることができます。それは、介護福祉職にとっても多職種にとっても重要な要素です。多職種協働が行われるとき、信頼関係の構築から始めることの重要性がここにあります。

(2)「相互利益」と多職種協働

前項で、「相互利益」とは相手との関係性のなかでお互いを高め合うことと述べました。多職種との関係性においてはどうなのか、もう少しわかりやすく説明しましょう。

多職種協働により、利用者のニーズや期待にこたえることができれば、利用者は快適さと心地よさを感じることになります。それらを得たことで、利用者は再び介護を受けたいと思い、介護福祉職は介護することに喜びを感じ、同時に多職種も協働の成功に喜びを感じます。つまり、利用者や介護福祉職、多職種が互いに満足し、喜びを分かち合い、共感し、感動を共有することになります。このことが、多職種協働における「相互利益」です。

ホスピタリティは対人関係において実現されるものであるため、必要な能力は人間関係の中で育ち、「相互作用(お互いに高め合うこと)」によって形成されるものです。多職種協働のベースに、相手を尊重しながら対応していくというホスピタリティの実践があれば、より効果的な協働が行われることでしょう(図4－6)。

図4－6　多職種協働が成果を上げる2つの要素

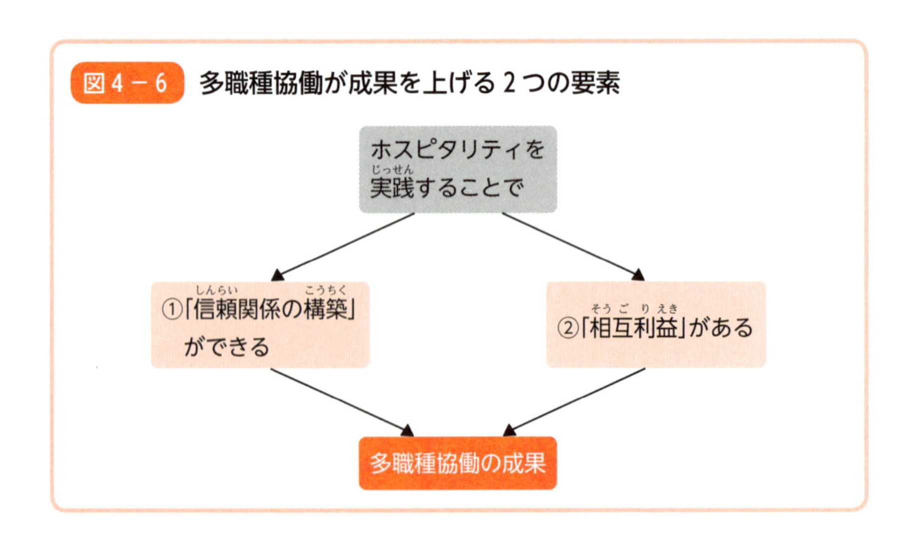

7 多職種協働に求められるコミュニケーション能力

多職種協働には、信頼関係の構築と相互利益が重要であることが理解できたと思います。このことは、職種間のコミュニケーションが円滑に行われることにより、明確になっていきます。よいコミュニケーションはチームを動かす力となり、利用者の期待や要望にこたえていくことにつながっていきます。コミュニケーションを円滑に行うためには、**図4－7**に示すように、安心して話せる雰囲気づくり、よく聴く姿勢、そして成果について言語化して伝えることが重要です。

多職種協働に求められるコミュニケーション能力について学んでみましょう。

1 安心感の土壌づくり

人は安心感があれば、より会話に集中できるものです。緊張をやわらげ、多職種間で安心して話ができる雰囲気をつくることができれば、互いに信頼関係を築くことができます。では、どのようにすれば安心感の土壌をつくることができるのでしょうか。具体的には次のようなことになります。

① 相手の好きな飲み物等を用意する
② 相手の趣味や話題について関心を示す
③ 相手の話す速度やトーンを否定せず、お互いにおだやかに話ができるようにする
④ 相手が驚いているときにはいっしょに驚いてみせるなど、相手に同

図4－7 コミュニケーションスキル

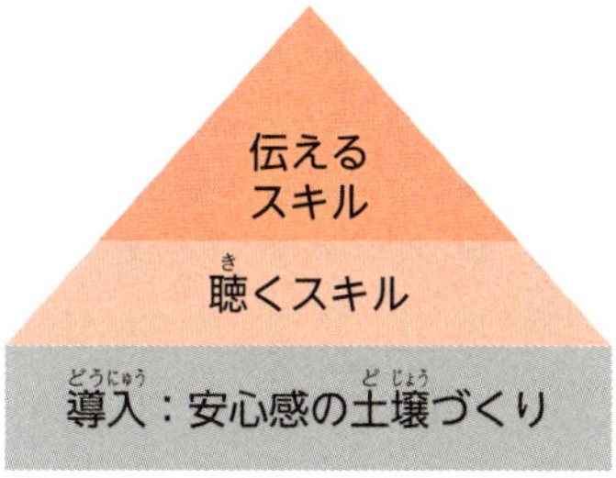

伝える
スキル
聴くスキル
導入：安心感の土壌づくり

調する

などです。これは、「自分に同意してくれている」「自分の考えを尊重してくれている」と相手に安心感をもってもらえます。それは、多職種との関係性をよりよくするためのコミュニケーションの第一歩となります。

2 聴くスキル

安心感や話しやすい雰囲気をつくり出すことができれば、次は聴くことに集中してみましょう。聴き方をみがくと、会話を継続し発展させていくことができます。多職種が伝えようとしていることを、自分の判断や解釈を交えずに、そのまま、まず聴いてみましょう。聴き方には、次のようなポイントがあります。

① 相手の話を途中でさえぎることなく最後までよく聴くようにする

② 相手を尊重することを忘れないようにする

③ 相手の話に対し、よい悪いの判断や自分と同じか違うかなどの判断をしない

④ 相手の話が理解できないときは正直に相手に伝え、再度話してもらう

などです。よく聴くことは相手の考えをしっかり受け止めることができるスキルです。多職種の考えをしっかり受けとめることができれば、信頼関係を築くことができるでしょう。それによって、協働がスムーズに行われていきます。

3 伝えるスキル

「ちゃんと伝えたはずなのに、相手がそんなことは聞いていないと言っている」という経験をしたことはありませんか。そのようなときはつい相手を非難してしまいがちですが、自分の伝え方に問題があったのではないかと考えてみましょう。相手に伝わっていなければ、伝えていないのと同じだからです。きちんと伝わったかどうかは、相手が決めることであることも知っていてください。伝え方には、次のようなポイントがあります。

① 結論から話す

② 数字や図を使って具体的に話す
③ 何を伝えたいのか、2～3点にしぼって話す。「たとえば、1つは○○、もう1つは○○…」

などです。自分の考えていることがうまく相手に伝わったかどうか、確認してください。そうすることで、連携・協働がスムーズに行われていきます。コミュニケーションのベースにあるものは、相手を尊重するということです。これは、相手のことを考えながら伝えていくことにつながっていきます。

多職種連携・協働に求められる基本的な能力として、ホスピタリティ的視点やコミュニケーション能力について述べました。

「現場」を機能させるために必須となる「多職種協働」の成功は、質の高い介護サービスの提供へとつながっていきます。そして、それは利用者のQOLの向上にも貢献していくと思われます。

◆引用文献

1）佐々木茂・徳江順一郎「ホスピタリティ研究の潮流と今後の課題」『産業研究』第44巻第2号、p.5、2009年

◆参考文献

- 吉池毅志・栄セツコ「保健医療福祉領域における「連携」の基本的概念整理——精神保健福祉実践における「連携」に着目して」『桃山学院大学総合研究所紀要』第34巻第3号、2009年
- 山口裕幸『チームワークの心理学——よりよい集団づくりをめざして』サイエンス社、2008年
- 日本ユニットケア推進センター監『施設ケアに役立つ多職種協働ハンドブック』中央法規出版、2015年
- 白井志津子「介護職におけるホスピタリティの重要性に関する検討」『広島大学マネジメント研究』第17号、2016年
- 佐々木茂・徳江順一郎「ホスピタリティ研究の潮流と今後の課題」『産業研究』第44巻第2号、2009年
- 谷口祥子『図解入門ビジネス最新コーチングの手法と実践がよ～くわかる本 第2版』秀和システム、2012年
- 吉田道雄『人生をよりよく生きるノウハウ探し——対人関係づくりの社会心理学』熊本日日新聞社、2007年
- 松井俊和「多職種協働の実践をめざして」『理学療法学』第42巻第8号、2015年

演習4－2　チームに備わっているべき要素について

1 多職種連携・協働するチームに備(そな)わっているべき要素(ようそ)について整理してみよう。

2 多職種連携・協働に求められるコミュニケーション能力(のうりょく)について、グループで話し合ってみよう。

第3節

保健・医療・福祉職の役割と機能

学習のポイント

- 介護福祉職と協働するさまざまな職種について学ぶ
- 多職種協働にかかわる専門職の役割と機能を理解する

関連項目
③『介護の基本Ⅰ』▶第2章第1節「社会福祉士及び介護福祉士法」
⑥『生活支援技術Ⅰ』▶第5章第3節「家事の介護における多職種との連携」

多職種協働を実効性のあるものにするには、保健・医療・介護・福祉などの職種間で1つの方向に対し、価値観や認識を共有していく必要があります。多職種協働が機能する大前提として、専門職同士が自分以外の専門職のことをしっかり理解し、仲間の専門性と力を信頼するという関係をつくることが重要です。そこで本節では、多職種協働にかかわる専門職を理解するため、介護福祉士を除く保健・医療・福祉職として、社会福祉士、精神保健福祉士、介護支援専門員、医師、歯科医師、看護師、保健師、理学療法士、作業療法士、言語聴覚士、管理栄養士および栄養士、歯科衛生士、公認心理師、薬剤師、サービス提供責任者の役割と機能について説明します。

1 社会福祉士

1 社会福祉士とは

社会福祉士及び介護福祉士法で、**社会福祉士**は「専門的知識及び技術をもって、身体上もしくは精神上の障害があること又は環境上の理由により日常生活を営むのに支障がある者の福祉に関する相談に応じ、助言、指導、福祉サービスを提供する者又は医師その他の保健医療サービスを提供する者その他の関係者との連絡及び調整その他の援助を行うことを業とする者」と定義されています。

2 社会福祉士になるには

厚生労働大臣が指定した公益財団法人社会福祉振興・試験センターが実施する社会福祉士国家試験に合格する必要があります。社会福祉士国家試験の受験資格を得るための方法はいくつかありますが、次の４つが代表的なものです。

① 福祉系の４年制大学で受験資格に必要な課程を修了する
② 福祉系の短期大学で受験資格に必要な課程を修了し、実務を１～２年経験する
③ 一般の４年制大学を卒業してから、一般養成施設等に１年以上通学し、受験資格に必要な課程を修了する
④ 一般の短期大学を卒業してから、実務を１～２年経験し、さらに一般養成施設等に１年以上通学し、受験資格に必要な課程を修了する

3 社会福祉士の役割・機能

社会福祉士は、「社会福祉士及び介護福祉士法」に位置づけられた相談援助の専門職です。社会福祉サービスを必要とする人に対して、権利擁護や自立支援のための相談・助言・指導を行います。

社会福祉士は、働く場所によって職名が異なります。福祉施設では「生活相談員」や「支援相談員」として、病院では医療相談室の「ソーシャルワーカー」として、福祉事務所では「ケースワーカー」として、地域包括支援センターでは「社会福祉士」として幅広く活躍しています。

2 精神保健福祉士

1 精神保健福祉士とは

精神保健福祉士法で、精神保健福祉士は「専門的知識及び技術を持って、精神科病院その他の医療施設において精神障害の医療を受け、又は精神障害者の社会復帰の促進を図ることを目的とする施設を利用している者の地域相談支援の利用に関する相談その他の社会復帰に関する相談に応じ、助言、指導、日常生活への適応のために必要な訓練その他の援助を行うことを業とする者」と定義されています。

2 精神保健福祉士になるには

保健福祉系の大学または養成校において履修・卒業し、国家試験を受けなければなりません。コースは図4－8のようにさまざまなコースがあります。国家試験合格後は精神保健福祉士登録簿に登録が必要になります。

3 精神保健福祉士の役割・機能

精神科・心療内科のある病院やクリニックで、精神障害者の人権擁護や社会復帰の推進、自立生活のサポート、相談事業等精神障害者支援を推進していくことが主な役割です。さらに、近年では精神障害者のみならず、精神障害等によって日常生活又は社会生活に支援を必要とする者やメンタルヘルスの課題をかかえる者への援助など、その役割は拡大してきています。

このように、精神保健福祉士は、精神障害者の人権擁護や社会復帰の推進、精神保健の課題をかかえる者への援助等、大きな責務をになっています。

図4－8　資格取得までのさまざまなコース

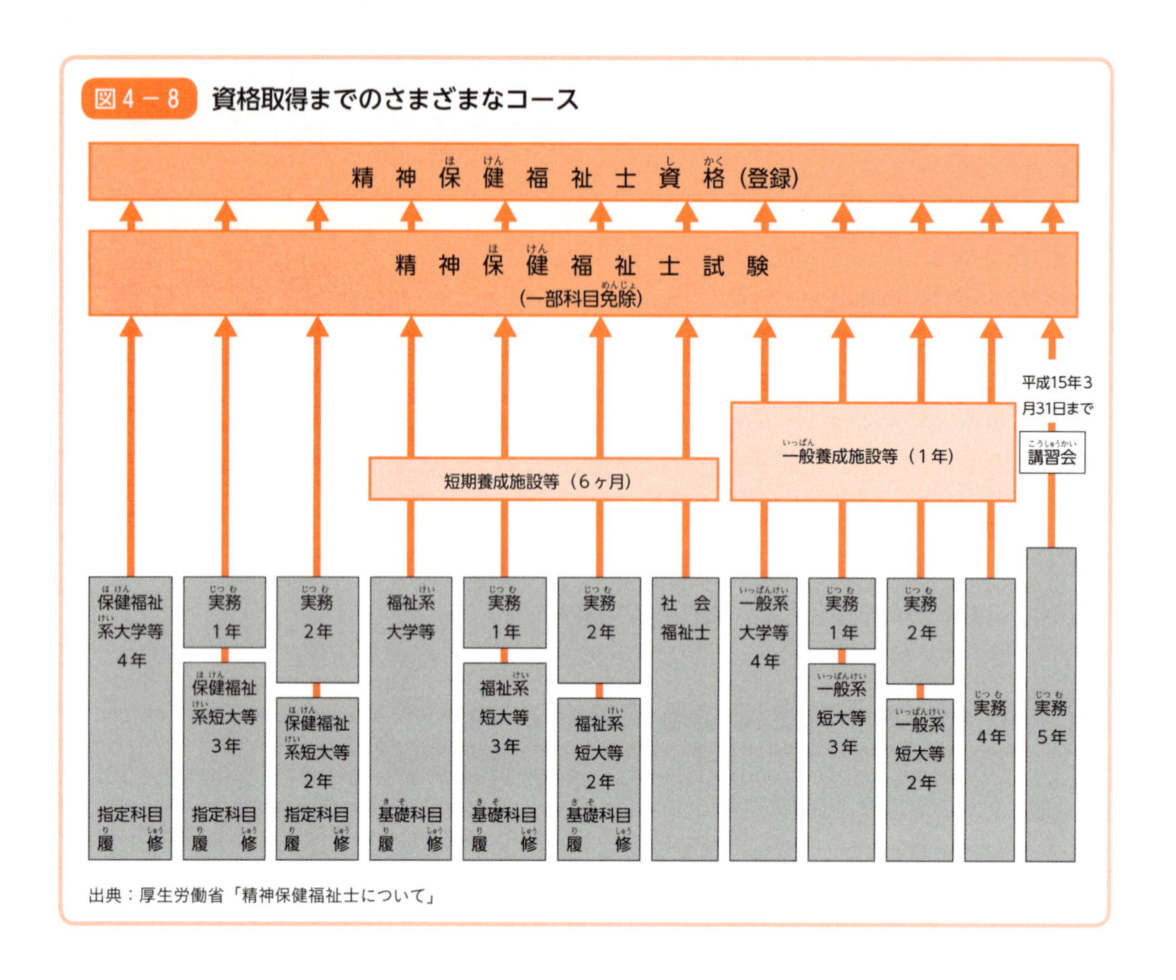

出典：厚生労働省「精神保健福祉士について」

3　介護支援専門員（ケアマネジャー）

1　介護支援専門員とは

介護保険法で、**介護支援専門員**は「要介護者又は要支援者からの相談に応じ、及び要介護者等がその心身の状況等に応じ適切な居宅サービス、地域密着型サービス、施設サービス、介護予防サービス若しくは地域密着型介護予防サービス又は特定介護予防・日常生活支援総合事業を利用できるよう市町村、居宅サービス事業を行う者、地域密着型サービス事業を行う者、介護保険施設、介護予防サービス事業を行う者、地域密着型介護予防サービス事業を行う者、特定介護予防・日常生活支援総合事業を行う者等との連絡調整等を行う者であって、要介護者等が自立した日常生活を営むのに必要な援助に関する専門的知識及び技術を有するものとして介護支援専門員証の交付を受けたもの」と定義されています。つまり、要介護者や要支援者の人が介護サービスを受けられるように、ケアプランの作成やサービス事業所等との連絡調整役をになっています。居宅介護支援事業所や介護保険施設に配置が必要とされている職種で、ケアマネジャーとも呼ばれています。

2 介護支援専門員になるには

介護支援専門員になるには、保健医療福祉分野（医師、看護師、介護福祉士、社会福祉士等）での実務経験が5年以上ある者などが、都道府県知事が行う介護支援専門員実務研修受講試験に合格した後、介護支援専門員実務研修の課程を修了し、介護支援専門員証の交付を受けなければなりません。なお、介護支援専門員証の有効期間は5年であり、期間終了前に更新研修を受講する必要があります。

3 介護支援専門員の役割・機能

介護支援専門員は、居宅介護支援事業所や介護保険施設において居宅サービス計画や施設サービス計画を作成し、在宅や高齢者介護施設で生活している者の相談に応じた介護サービスの利用調整や関係者間の連絡などを行います。利用者の心身の状況に合わせて自立した日常生活を営むことができるよう、継続的な支援を行います。

4 医師

1 医師とは

医師法で、医師は「医療及び保健指導を掌ることによって公衆衛生の向上及び増進に寄与し、もって国民の健康な生活を確保するもの」と定義されています。

2 医師になるには

医師になるには、大学の医学部で6年間の教育を受け、医師国家試験に合格し、さらに2年以上、臨床研修医としての経験を積まなければなりません。

5 歯科医師

1 歯科医師とは

歯科医師法で、**歯科医師**は「歯科医療及び保健指導を掌ることによって、公衆衛生の向上及び増進に寄与し、もって国民の健康な生活を確保するもの」と定義されています。

2 歯科医師になるには

歯科医師になるには、歯科大学や大学の歯学部で6年間の教育を受け、歯科医師国家試験に合格し、資格取得後、さらに研修施設の指定を受けた病院・診療所などで1年以上の臨床研修が義務づけられています。

6 看護師

1 看護師とは

保健師助産師看護師法で、**看護師**は「厚生労働大臣の免許を受けて、傷病者若しくはじょく婦に対する療養上の世話又は診療の補助を行うことを業とする者」と定義されています。

2 看護師になるには

看護師になるには、看護師国家試験に合格する必要があります。看護師国家試験の受験資格を得るためには、大きく分けると次の4つのコースがあります（図4－9）。

① 看護大学を卒業する
② 3年以上の看護短期大学または看護専門学校を卒業する
③ 准看護師の資格を得た後、看護専門学校を卒業する
④ 高等学校の5年一貫看護師養成課程を卒業する

3 看護師の役割・機能

看護師のおもな役割は、傷病者や妊産婦の療養上の世話、診療の補助、対象者や家族のこころのケアです。看護師の働く場として、病院・診療所、訪問看護ステーション、福祉施設、介護老人保健施設、企業の健康管理室、保育所、教育機関などがあり、活動の場が広くなってきています。とくに高齢者介護施設や福祉施設においては、介護福祉職と連携・協働を行っていく一番身近な存在です。

図4－9 看護師になるには

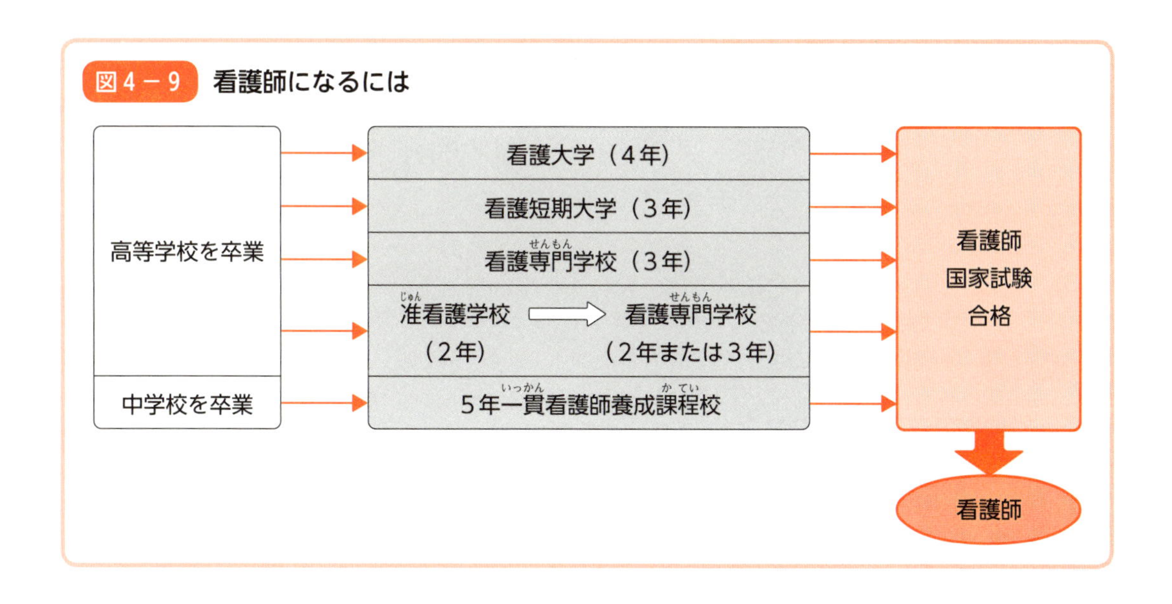

7 保健師

1 保健師とは

保健師助産師看護師法で、**保健師**は「厚生労働大臣の免許を受けて、保健師の名称を用いて、保健指導に従事することを業とする者」と定義されています。

2 保健師になるには

看護師免許と保健師免許の2つの国家資格免許取得が必要です。卒業と同時に看護師と保健師の国家試験受験資格を両方取得できる看護大学を卒業するか、看護師免許を取得した後に1年間の保健師養成学校で受験資格を取得して、国家試験に合格する必要があります（図4－10）。

3 保健師の役割・機能

保健師の活動として、健康の保持増進のための保健指導や健康管理、母子保健活動、産業保健活動などがあります。また、保健師の働く場として、保健所・保健センター、市区町村役場、地域包括支援センター、企業の健康管理室、病院があります。

図4－10 保健師になるには

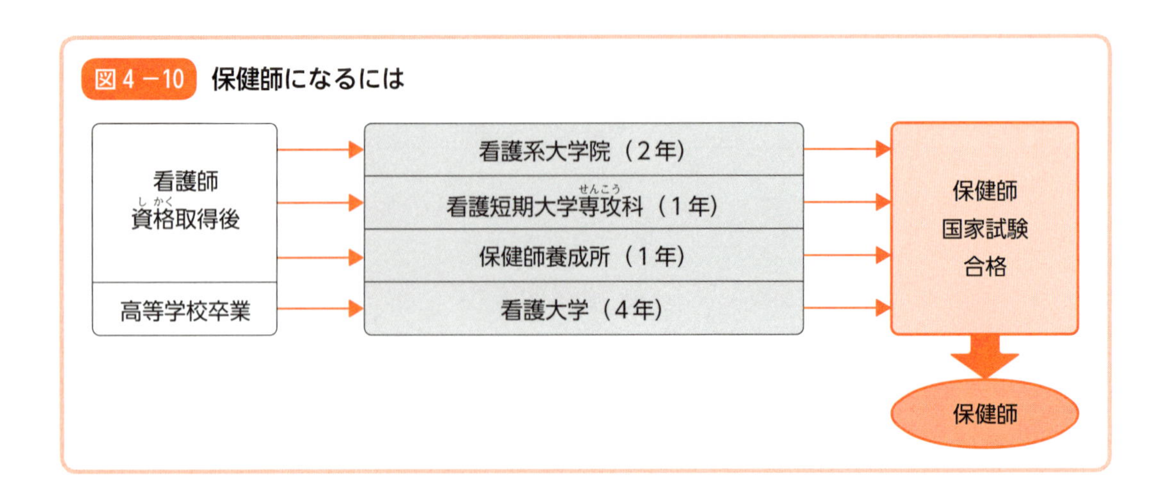

近年の高齢化にともない、地域のニーズも多様化していますので、地域における保健師の役割もますます幅広くなってきています。

8 理学療法士

1 理学療法士とは

理学療法士及び作業療法士法で、理学療法士（PT：Physical Therapist）は「厚生労働大臣の免許を受けて、理学療法士の名称を用いて、医師の指示の下に、理学療法を行なうことを業とする者」と定義されています。

2 理学療法士になるには

高等学校卒業後、理学療法士養成校で3年以上学び、理学療法士国家試験に合格する必要があります。養成校には理学療法学科など養成課程のある大学や短期大学（3年）、専修学校（3年・4年）があります（図4－11）。

3 理学療法士の役割・機能

理学療法士は、病気やけが、老化などによって身体機能が低下している人や低下気味の人に、身体機能の回復や維持ができるようにサポートしていきます。具体的には、痛みや麻痺の軽減を目的に、マッサージや温熱・寒冷・電気療法などを実施します。また、痛みの予防や筋力の改善のために、腰痛体操や筋力トレーニングといった運動療法を行います。これらの専門性をいかして、福祉用具や住宅改修についてのアドバイスも行います。とくに高齢者介護施設においては、介護福祉士とのかかわりが深く、身体機能に応じたその人らしい生活づくりの専門家として、介護福祉士との連携・協働には重要な存在となります。

9 作業療法士

1 作業療法士とは

理学療法士及び作業療法士法で、**作業療法士**（OT：Occupational Therapist）は「厚生労働大臣の免許を受けて、作業療法士の名称を用いて、医師の指示の下に、作業療法を行なうことを業とする者」と定義されています。

2 作業療法士になるには

高等学校卒業後、作業療法士養成校で３年以上学び、作業療法士国家試験に合格する必要があります。養成校には作業療法学科など養成課程のある大学や短期大学（３年）、専修学校（３年・４年）があります（**図4－11**）。

3 作業療法士の役割・機能

作業療法士は、認知機能や運動機能に障害のある人を対象に、着脱や食事、入浴などの日常生活における作業動作の改善・維持を支援します。またこの他にも、炊事や洗濯などの家事、乗り物に乗っての外出の支援、地域活動参加の支援など、生活に必要なさまざまな動作の改善を支援します。

10 言語聴覚士

1 言語聴覚士とは

言語聴覚士法で、**言語聴覚士**（ST：Speech-language-hearing Therapist）は「厚生労働大臣の免許を受けて、言語聴覚士の名称を用

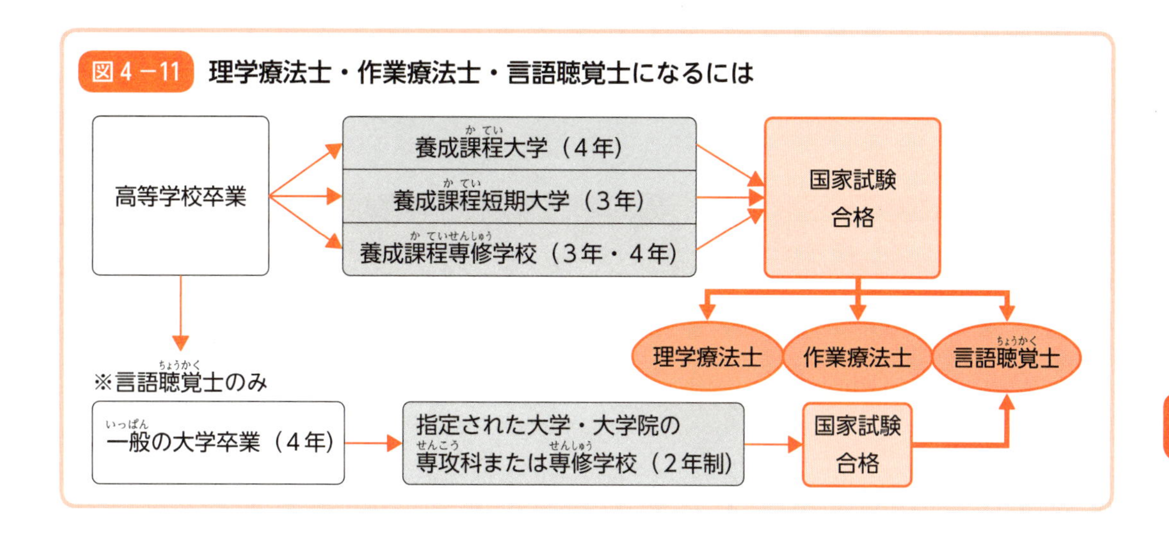

いて、音声機能、言語機能または聴覚に障害のある者についてその機能の維持向上を図るため、言語訓練その他の訓練、これに必要な検査及び助言、指導その他の援助を行うことを業とする者」と定義されています。

2 言語聴覚士になるには

高等学校卒業後、言語聴覚士養成校で3年以上学び、言語聴覚士国家試験に合格する必要があります。養成校には言語聴覚学科など養成課程のある大学、短期大学（3年制）、専修学校（3年制・4年制）があります。また、一般の大学卒業者の場合は、指定された大学・大学院の専攻科または専修学校（2年制）を卒業することで、受験資格がえられます（図4－11）。

3 言語聴覚士の役割・機能

言語聴覚士は、聞く、話す、理解する、読む、書くなどのコミュニケーション領域に障害がある人を支援します。また、摂食や嚥下など口腔に関する障害がある人に対して、機能回復や維持のための訓練や指導、助言などの支援も行います。リハビリテーションの現場では、文字や絵からことばを引き出す練習、呼吸や発音の訓練、口や舌を動かす体操の指導など、さまざまなはたらきかけを行います。とくに、高齢になると嚥下機能が低下していくので、食べやすくなるように、自助具としてのスプーンや皿などについて助言することもあります。

11 管理栄養士・栄養士

管理栄養士・栄養士とは

栄養士法第1条で、**管理栄養士**は「厚生労働大臣の免許を受けて、管理栄養士の名称を用いて、傷病者に対する療養のため必要な栄養の指導、個人の身体の状況、栄養状態等に応じた高度の専門的知識及び技術を要する健康の保持増進のための栄養の指導並びに特定多数人に対して継続的に食事を供給する施設における利用者の身体の状況、栄養状態、利用の状況等に応じた特別の配慮を必要とする給食管理及びこれらの施設に対する栄養改善上必要な指導等を行うことを業とする者」と定義されています。

また、**栄養士**は「都道府県知事の免許を受けて、栄養士の名称を用いて栄養の指導に従事することを業とする者」と定義されています。

2 管理栄養士・栄養士になるには

管理栄養士になるには、まず栄養士の資格をもっていることが前提となります。高等学校卒業後、管理栄養士・栄養士の養成施設となる大学や短期大学、専門学校で養成課程を修了して卒業することが必要です。栄養士は養成施設を卒業することでその資格を取得できます。管理栄養士の資格は、養成施設を卒業後、国家試験に合格することで取得できます（図4－12）。

3 管理栄養士・栄養士の役割・機能

管理栄養士は、学校、病院、福祉施設、保健所、市町村保健センター、食品メーカーなどで活動します。栄養士よりも、さらに活動の場が広くなり、企業での研究開発や教育機関での学習指導なども行ってい

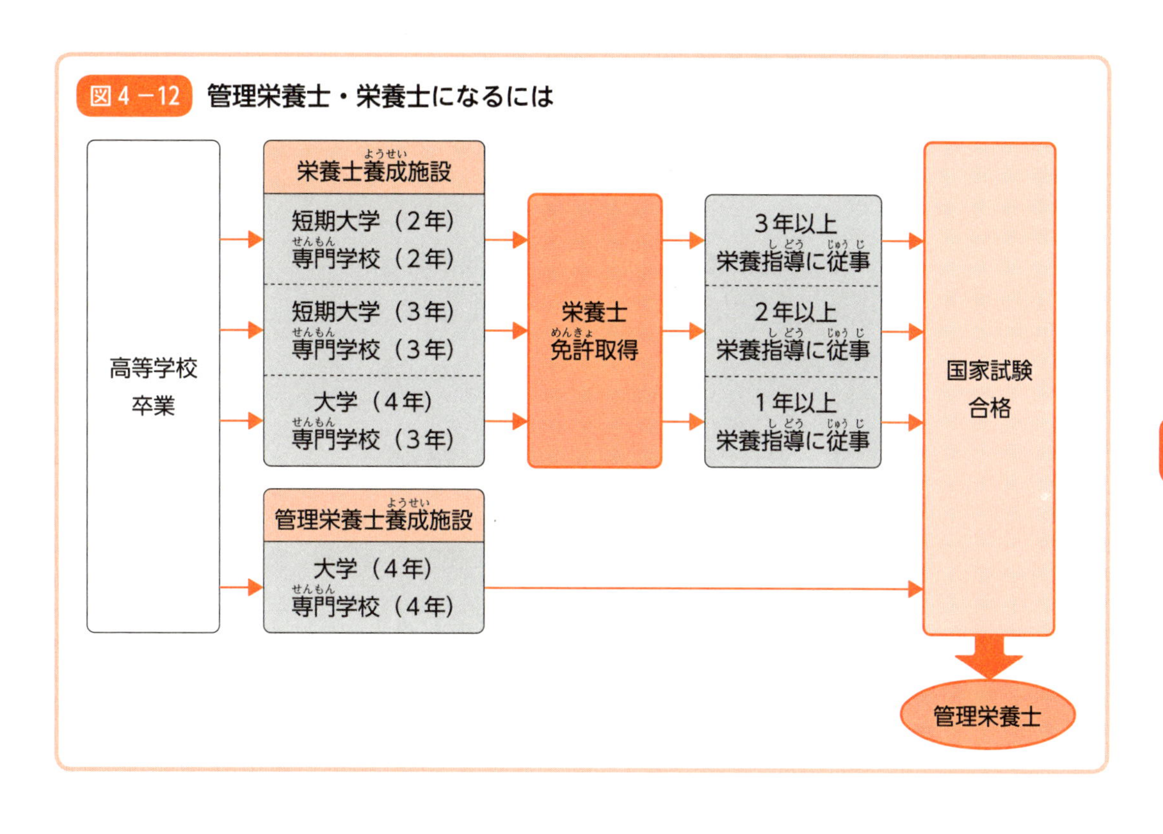

ます。とくに、高齢者や障害者施設に勤務する管理栄養士は、少ない量でも適切な栄養がとれるよう献立を工夫し、介護福祉職たちと協力して利用者の健康を支えていきます。

栄養士は、学校、病院、福祉施設、保健所などで生活環境や身体の状態にあわせたメニューづくりや栄養指導を行い、よりよい食生活を手助けします。

12 歯科衛生士

1 歯科衛生士とは

歯科衛生士法で、**歯科衛生士**は「厚生労働大臣の免許を受けて、歯科医師の指導の下に、歯牙及び口腔の疾患の予防処置として次に掲げる行為を行うことを業とする者」と定義されています。「次に掲げる行為」とは、歯肉縁上の歯石除去や、歯牙および口腔に対して薬物を塗布することなどがあります。

2 歯科衛生士になるには

高等学校卒業後、歯科衛生士養成機関（大学、短期大学、専門学校）において3年以上学んだ後、歯科衛生士国家試験に合格する必要があります。

3 歯科衛生士の役割・機能

歯科衛生士は、歯科診療の補助、歯科予防処置、歯科保健指導がおもな業務です。

近年、高齢化にともない、口腔ケアの重要性が注目されています。介護現場において、口腔ケアは、誤嚥性肺炎の予防や摂食嚥下機能の向上にとても有効であるといわれています。歯科衛生士は介護福祉職が入所者に対し効果的な口腔ケアを行うことができるよう指導し、評価する「口腔ケアマネジメント」の役割もになっています。歯科衛生士は介護福祉職との連携・協働により、ケアの質の向上に貢献しています。

13 公認心理師

1 公認心理師とは

国民のこころの健康の保持増進に対する支援を行うことを目的として、2015（平成27）年9月に公認心理師法が成立し、2017（平成29）年9月に施行されました。**公認心理師**は、日本ではじめての心理職の国家資格です。

公認心理師法では、公認心理師とは、「公認心理師登録簿への登録を受け、公認心理師の名称を用いて、保健医療、福祉、教育その他の分野において、心理学に関する専門的知識および技術をもって、①心理に関する支援を要する者の心理状態の観察およびその結果の分析、②心理に関する支援を要する者に対し、その心理に関する相談に応じ、助言、指導その他の援助を行うこと、③心理に関する支援を要する者の関係者に対し、相談に応じ、助言、指導その他の援助を行うこと、④こころの健康に関する知識の普及をはかるための教育および情報の提供を行うことを業とする者」と定義されています。

2 公認心理師になるには

公認心理師は、主務大臣（文部科学大臣および厚生労働大臣）が実施する公認心理師試験に合格する必要があります。公認心理師の受験資格は、次のように3とおりあります。

① 大学において主務大臣指定の心理学等に関する科目を修め、かつ、大学院において主務大臣指定の心理学等の科目を修めてその課程を修了した者等

② 大学で主務大臣指定の心理学等に関する科目を修め、卒業後一定期間の実務経験を積んだ者等

③ 主務大臣が①および②にかかげる者と同等以上の知識および技能を有すると認めた者

3 公認心理師の役割・機能

公認心理師の役割は、ほかの関係職種と連携しながら、こころの問題をかかえている人やその関係者に対して、問題解決のための相談に応じ、助言、援助を行ったり、こころの健康についての知識を普及するために、情報の発信や提供を行うことです。

14 薬剤師

1 薬剤師とは

薬剤師法第1条で、**薬剤師**は「調剤、医薬品の供給その他薬事衛生をつかさどることによって、公衆衛生の向上及び増進に寄与し、もって国民の健康な生活を確保するものとする」と薬剤師の任務について定義し

ています。

2 薬剤師になるには

薬剤師になるには、薬科大学や大学の薬学部で6年間の教育を受け、薬剤師国家試験に合格しなければなりません。

3 薬剤師の役割・機能

薬剤師が働く場所には、病院、薬局、薬店、製薬会社などがあります。

病院や薬局で働く薬剤師は、おもに薬の管理や調剤・供給を行います。患者に対して、薬の効能や服用方法、保管方法等の情報を提供するのも大切な仕事です。また、入院患者に対しては、医師や看護師とともに直接患者のもとを訪ねて薬の服用指導も行います。

薬店で働く薬剤師は、市販薬を購入する際に専門的な立場から薬の情報を提供してくれます。

製薬会社で働く薬剤師は、自社製品の効果や安全性を医療機関へ説明したり、薬の製造や品質の管理等を行ったりします。

また近年では、薬剤師の役割として、在宅医療への貢献が注目されています。おもに、病院や薬局の薬剤師が、医師による個人宅や施設への往診に同行し、処方箋にもとづく調剤や服薬指導を行います。在宅医療の場においては、患者（利用者）の身体的・精神的な自立の支援や、家族のサポートを行うこともあります。それには介護の知識も必要になり、介護福祉職との連携が重要となってきます。在宅医療の場で働く薬剤師は、まだ少ないのが現状ですが、今後の高齢化にともなう在宅医療への取り組みには、より総合的な知識をもった薬剤師が求められていくのではないかと思われます。

15 サービス提供責任者

1 サービス提供責任者とは

サービス提供責任者とは、介護サービスの提供において介護支援専門員（ケアマネジャー）や訪問介護員（ホームヘルパー）との連絡・調整を行う人のことをいいます。介護業務における役割やポジションの呼び名です。介護福祉士のような資格名ではありません。

具体的には、介護支援専門員が立てたケアプランをもとに、訪問介護サービスの計画立案や訪問介護員への指示・指導がおもな仕事です。さらに、利用者の家族とコミュニケーションをはかり、介護サービスの説明や同意をえることも行います。

2 サービス提供責任者になるには

サービス提供責任者になるには、以下のいずれかの条件を満たす必要があります。

① 介護福祉士の資格をもっていること
② 実務者研修を修了していること
③ 介護職員基礎研修課程（旧）又は一級課程（旧ヘルパー１級）を修了していること

16 まとめ

以上が多職種協働にかかわるおもな専門職についての概要です。多職種協働によるチームであれば、困難な課題も解決できる可能性があり、高齢者や障害者の課題の解決にもつながるといえます。

さらに、地域･在宅ケアでは、専門職のみならず、自治会、民生委員、近隣の住民など、非専門職も大切なチームメンバーであることを理解し、必要に応じて協働をはかることが重要であると考えられます。

第4節

多職種連携・協働の実際

学習のポイント

- 専門職連携実践（IPW）の内容と実践タイプを理解する
- 介護福祉職からみる連携の実態から専門性を理解する
- 介護福祉職主導の連携の実態を学ぶ

関連項目　⑥『生活支援技術Ⅰ』▶第5章第3節「家事の介護における多職種との連携」

1 専門職連携実践とは何か

interという言葉には、「2つ（人）以上の、～の間、相互に」という意味があります。また、professionalとは、「専門家、職業人」などという意味があります[1]。

専門職連携実践（IPW：Inter-professional Work）❶とは、保健（行政）・医療・福祉の複数の専門職が活躍する臨床現場や地域において、それぞれの技術と役割をもとに、共通の目的の達成をめざす連携・協働と定義されています。

❶**専門職連携実践（IPW）**
英国でIPW/IPE（Inter-professional Education）の必要が高まった。患者・利用者・地域住民のための保健医療福祉サービスを効果的かつ効率的に提供するために取り組まれるようになった。

専門職によって行われている実践には、単一の職種による実践と、多職種による実践、そしてIPWによる実践のタイプがあります（**図4－13**）。

たとえば、介護福祉職による食事介助という支援活動は、単一の職種による実践といえるでしょう。どれぐらいのスプーンの大きさで、左右どちらから介助するのかというのは、介護福祉職のみで情報を共有すれば可能な支援活動です。一方、介護福祉職による食事介助だけでなく、管理栄養士による食材や摂取カロリーの増量の工夫や、歯科医師・歯科衛生士による口腔ケア、理学療法士による食事のポジショニングの助言など、それぞれの専門職がかかわることは、多職種による支援活動となります。さらに、介護福祉職、歯科医師、歯科衛生士、管理栄養士、理

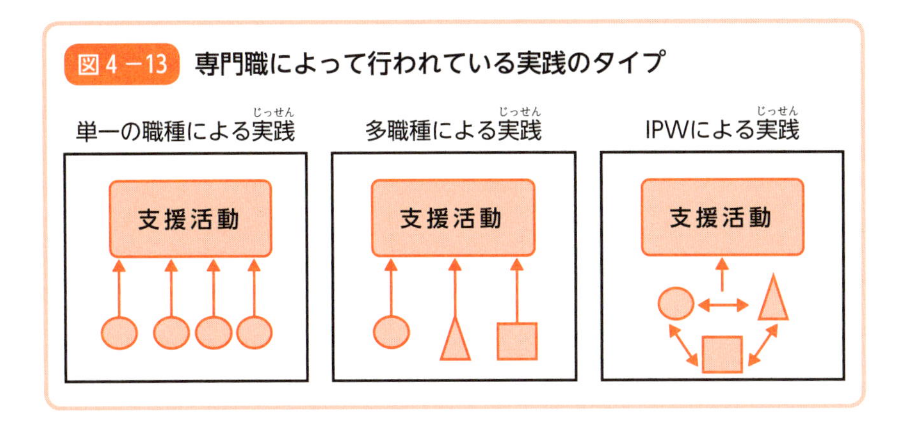

図4－13　専門職によって行われている実践のタイプ

学療法士等がそれぞれ知識と技術を提供し合い、「ふつうの食事を食べられるようになる」という共通の目的の達成をめざすことは、専門職連携実践の支援活動になります。

2 多職種における地域での連携・協働

在宅においても、専門職がそれぞれの知識と技術を提供し合い、目的をもって協力し合うことは変わりありません。しかし、在宅の場合は、施設のように専門職が利用者の近くにいるわけではありません。さらに、地域包括ケアシステムの「介護・リハビリテーション」「医療・看護」「保健・福祉」「住まい」「介護予防・生活支援」という構成のなかで連携することとなります。

たとえば、サービス担当者会議や地域ケア会議において、介護支援専門員（ケアマネジャー）、病院、地域包括支援センター、家族、地域住民、各サービス事業者などと連携していくことが求められます。

これら地域での連携実践は、先に述べた施設の専門職の実践とは異なっている部分があります。地域では、一般の地域住民やほかの事業所と協働していく必要があります。**「個人レベル」**の連携のみではなく、**「組織・機関レベル」**や**「制度的・システムレベル」**での連携が必要となります。「個人レベル」の連携とは、人と人とのつながりのなかで連携を深めていくことを意味します。それらは**「顔の見える関係」**[2)、3)、4)]をつくり、連携における出発点をつくることとなります。

しかし、「個人レベル」の連携だけでは、地域社会の課題解決には十分ではありません。そのため、各個人が所属する組織や機関が相互に連携をはかる必要があります。これらが「組織・機関レベル」での連携となります。

たとえば、訪問介護員として在宅で生活する利用者を訪問する際に、訪問介護事業所としてどのようにほかの事業所と役割分担し、在宅生活を支えるための連携をしていくのかについて、事業所の方針が問われます。これらは「個人レベル」ではなく、事業所として課題解決のためにやるべきことを決定し、訪問介護員は事業所として決められたことを「個人レベル」で実践することが求められるからです。

そのため、サービス担当者会議は、「組織・機関レベル」の代表として参加し、情報提供や役割決定をしていくための重要な会議となります。これらを効果的に進めていくためには、さらに「制度的・システムレベル」による連携が必要となります。このように、地域での連携・協働は、重層的なネットワークによって深まっていくといえます（**図4－14**）。

このような地域連携をはかっていくなかで、介護福祉職はふだんから何を心がけていればよいでしょうか。自分の住んでいる地域社会や所属する事業所、地域の社会資源について情報をもっていることは大切なことです。ふだんから地域においてつながりをもっていることは、すでに「個人レベル」において、「顔の見える関係」を構築していることになります。

まずは、自分が住んでいる地域で高齢者が参加できる集まり（社会資源）について、どれぐらい知っているかリストアップしてみましょう。

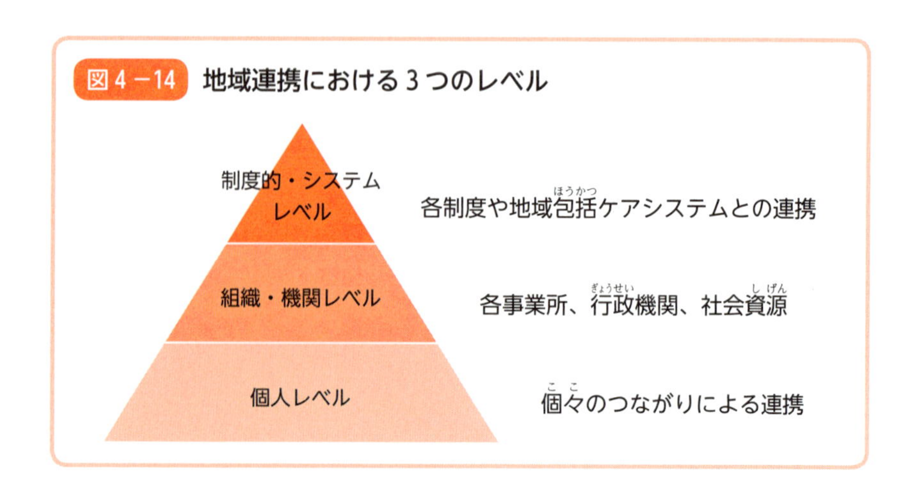

図4－14　地域連携における3つのレベル

3 特別養護老人ホームの連携の実態調査から

介護福祉職がどのようにほかの職種と連携しているのか、介護福祉職の専門的役割は何かを考えてみましょう。ここでは、『「**アジア健康構想**❷」実現に向けた自立支援に資する介護事業のアジア国際展開等に関する調査』における介護福祉職とほかの専門職間連携の実態調査[5]の一部を参考にします。

❷アジア健康構想
日本政府が閣議決定した「健康・医療戦略」のもと、アジア健康構想を推進し、アジアにおける健康長寿社会の実現および持続的な経済成長をめざすためのプロジェクト。

1 介護福祉職とほかの各専門職の知識の共有

専門職とは、基本的に仕事を自分でコントロールできる権利があることが、ほかの職業との大きな違いです。そのため専門職には、その職種の専門知識が必要となります。介護福祉職は、介護の専門知識を学んでいますが、ほかの専門知識を共有していかなければ、協働していくことはできません。個々の利用者に対して、専門職連携をしていくためには、各専門職の知識を共有することが必要です。しかし、特別養護老人ホームの現場では看護職から介護福祉職への知識伝達は8割程度で、その他は知識を共有している割合が少ないのが実態です（図4－15）。

2 介護福祉職の観察情報の提供後の各専門職の診察・観察

介護福祉職は、利用者の生活空間の一番近くにいます。そのため、いち早く利用者の変化を見つけることができます。たとえば、「今日は何となく元気がない」「薬が変わっていつもと行動が違う」などの観察はとても重要です。これらの介護福祉職が観察した情報によって、ほかの専門職はどのように協働しているのでしょうか。

調査の結果では、介護福祉職の観察情報によって診察や観察をしているほかの専門職は8割以下しかいませんでした（図4－16）。しかし、看護職についてはいっしょに話し合い、その結果9割程度は医師に報告し、何らかの対応ができていることがわかりました（図4－17）。ここでは、介護福祉職と看護職が対等な立場で話し合いを行い、利用者をよりよい状態にするために医師に伝えるといった協働作業が行われている

図4－15　利用者ごとに各専門職が介護福祉職に対して個別に知識を教えますか？

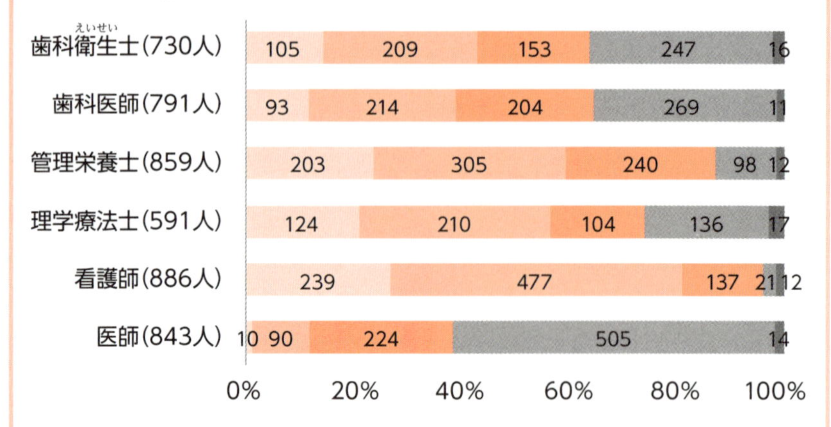

■ よく行われている（管理栄養士の場合は、「必要がある場合は必ず行われている」）　■ 時々行われている
■ ほとんど行われていない　■ まったく行われていない
■ 未回答

出典：日本自立支援介護・パワーリハ学会「『「アジア健康構想」実現に向けた自立支援に資する介護事業のアジア国際展開等に関する調査』における介護職と他の専門職間連携実態の調査」p.10、p.35、p.54、p.76、p.97、p.118、2018年をもとに作成

図4－16　介護福祉職の観察情報によって、各専門職が利用者を診察・観察することがありますか？

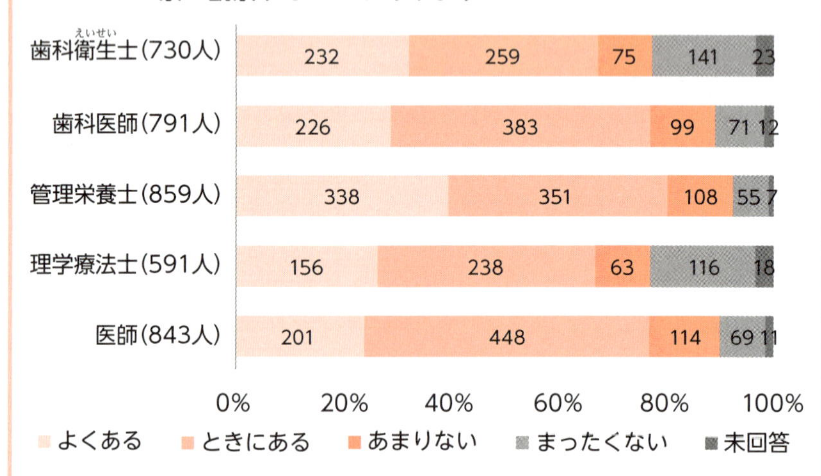

出典：日本自立支援介護・パワーリハ学会「『「アジア健康構想」実現に向けた自立支援に資する介護事業のアジア国際展開等に関する調査』における介護職と他の専門職間連携実態の調査」p.12、p.57、p.80、p.99、p.120、2018年をもとに作成

図4－17　**睡眠薬や下剤の効果に関して、看護職と介護福祉職の話し合いの結果、医師に報告し、減薬や処方の変更などが行われることがありますか？**

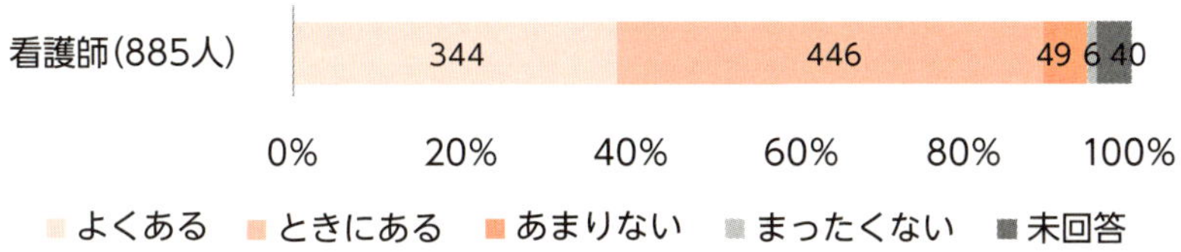

看護師(885人)　344　446　49　6　40

0%　20%　40%　60%　80%　100%

よくある　ときにある　あまりない　まったくない　未回答

出典：日本自立支援介護・パワーリハ学会「『「アジア健康構想」実現に向けた自立支援に資する介護事業のアジア国際展開等に関する調査』における介護職と他の専門職間連携実態の調査」p.39、2018年をもとに作成

といえるでしょう。一方で看護職以外の職種とは、残念ながら協働作業ができているとはいえないでしょう。

3　おむつ交換について

おむつ交換は介護福祉職が行う機会が多い介助といえます。おむつ交換はどのような多職種協働がなされているのでしょうか。

「おむつ交換のタイミングや方法など自分(介護福祉職)で判断して行っている」「介護福祉職同士で相談して行っている」は87.7％です(**図4－18**)。これらは、単一の介護福祉職実践といってよいでしょう。

図4－18　**おむつ交換について**

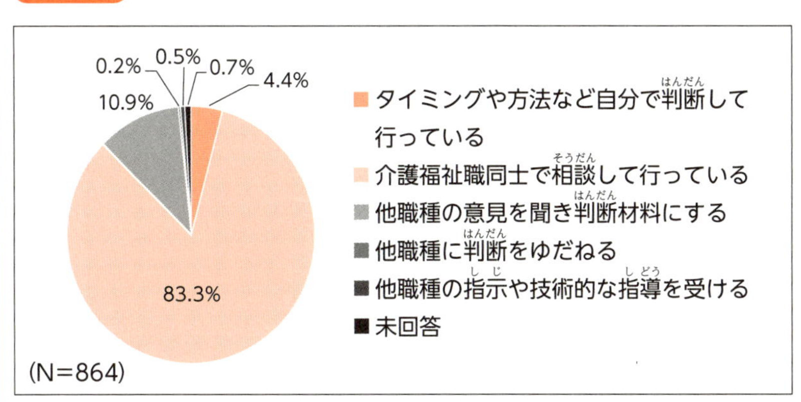

出典：日本自立支援介護・パワーリハ学会「『「アジア健康構想」実現に向けた自立支援に資する介護事業のアジア国際展開等に関する調査』における介護職と他の専門職間連携実態の調査」p.143、2018年を一部改変

介護福祉職のみで完結する支援となり、他職種との連携が必要ない行為ということになります。ということは、介護福祉職独自の分野といえることになりますが、介護保険法第１条に定められているように「自立支援」に資するものでなければ「専門」とはいえません。

4 おむつはずしについて

おむつをしている人の自立性をうながすために、トイレやポータブルトイレで排泄するケアを実践した結果、排便リズムが整い、尿意の回復につながり、おむつをはずすことが可能となります。これらも介護福祉職が実践する割合が高い介助となります。

おむつはずしについて、「自分で判断して行っている」「介護福祉職同士で相談して行っている」は、先ほどより少なくなり、72.4％です（**図４－19**）。他職種（看護職がもっとも多い）の意見を聞き、判断材料にする割合が増えています。先ほどのおむつ交換と異なり、多職種協働の実践が行われているといえます。しかし、７割は介護福祉職同士で相談して行っているところをみると、おむつはずしについては、介護福祉職独自の専門分野でありながら、「おむつをはずす」という目的のために専門職連携実践がなされているといえるのではないでしょうか。

図４－19　おむつはずしについて

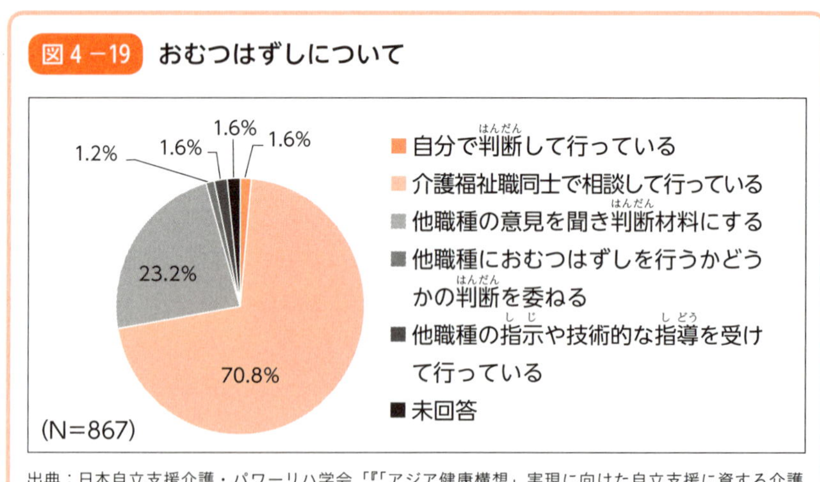

出典：日本自立支援介護・パワーリハ学会「『「アジア健康構想」実現に向けた自立支援に資する介護事業のアジア国際展開等に関する調査』における介護職と他の専門職間連携実態の調査」p.144、2018年を一部改変

5 食事の介助方法について

排泄に続き、食事介助は介護福祉職の代表的な介護の１つともいわれています。その食事の介助方法の決定は、どのように行っているのでしょうか。「他職種の意見を聞き判断材料にする」「介護福祉職同士で相談し介助方法を決める」がほぼ同じ割合になります（図４－20）。食事介助方法の決定については、多職種が協働し、決定していることになります。つまり、食事の介助方法の決定は、介護福祉職独自の役割ではないということになります。

図４－20 食事の介助方法について

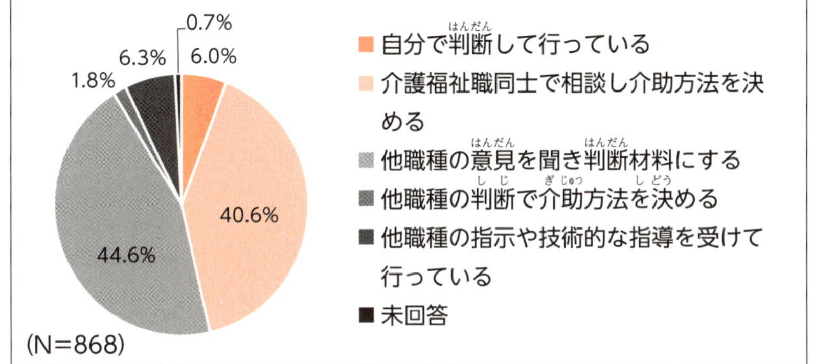

出典：日本自立支援介護・パワーリハ学会「『「アジア健康構想」実現に向けた自立支援に資する介護事業のアジア国際展開等に関する調査』における介護職と他の専門職間連携実態の調査」p.138、2018年を一部改変

6 口腔ケアについて

口腔ケアは、誤嚥性肺炎の予防に効果があり、積極的に取り組んでいる施設もあるでしょう。

口腔ケアについて、「他職種の意見を聞き判断材料にする」「他職種にケアの方法や仕上がりの評価を委ねる」「他職種の指示や技術的な指導を受けて行っている」割合が、56.5%です（図４－21）。この他職種は、歯科医師、歯科衛生士、看護職が多くなっています。先ほどのおむつ交換やおむつはずしと異なり、口腔ケアに関しては、介護福祉職の自発的・能動的な取り組みは少ないといえるでしょう。口腔ケアは、多職種

図4－21　口腔ケアについて

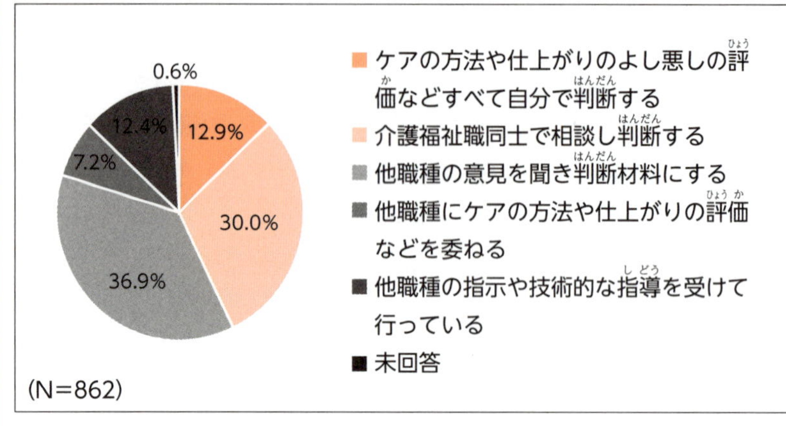

出典：日本自立支援介護・パワーリハ学会「『「アジア健康構想」実現に向けた自立支援に資する介護事業のアジア国際展開等に関する調査』における介護職と他の専門職間連携実態の調査」p.142、2018年を一部改変

協働の実践が必要であるということになります。

7　多職種で協働をするために

連携・協働に関する重要な事項として、５つの視点が報告がされています。

① 複数の領域の専門職が共通目標をもつこと
② 専門職間で学び合うこと
③ 複数の領域の専門職が協働すること
④ 利用者がケアに参加・協働すること
⑤ 組織的な役割と機能を分担すること

さらに、リーダーシップ、変化への適応能力、変化への積極的参加、マネジメント力、コミュニケーション力が必要とされます。

介護福祉職は他職種と協働するにあたって、ほかの職種と異なる役割として何があるのか、その役割を明確に区分する必要があるでしょう。

実態調査から、おむつ交換やおむつはずしは明確にほかの職種とは異なった役割であるといえますが、介護保険の理念にある「高齢者の自立支援」にそうものでなければなりません。

チームを組むということは、目的を達成するためにみずからの領域にない専門知識や技術を補塡し合えること、さらにほかの職種の知識によってみずからのケアが変えられることといえるでしょう。それらが相乗効果をなして、多職種連携・協働の意味があるものと思われます。

4　自立支援介護における多職種連携の実際

以下は、多職種がどのように連携して利用者の自立支援を行っていくか、その実践例をあげたものです。先に述べた協働するための重要事項を思い描きながら、事例を読んでみましょう。また、5つの視点にあてはめ、事例検討してみるのもよいでしょう。

有料老人ホーム：Aさんの歩行自立まで

Aさんは、85歳の女性で、要介護4です。転倒して歩けなくなり、入院しました。また、アルツハイマー型認知症と診断されています。ベッドで寝たきりの生活となり自宅に戻ることができずに、2016（平成28）年5月に有料老人ホームに入居しました。

入居当初は、下痢便がつづいており、尿と便は失禁状態でした。「飲みたくない」「食べたくない」と訴え、常に意味不明なことを話していました。頻回の下痢による、低栄養状態と脱水状態と考えられました。

（1）原因の追究をする

この時点のAさんの生活をもっともおびやかしているものは、下痢便です。下痢が体力を奪い、食欲を低下させていました。考えられることは何か、まずは「下痢便」の原因を探りました。

下剤の使用はあるのか、乳製品がいけないのか、感染症なのか。これらのように、原因となるものを介護福祉職で探っていきました。

介護福祉職と看護職で日常の様子を観察し、原因となりうるものを1つひとつ確認していきました。最終的には服薬の副作用の影響ではないか、という結論を導き出しました。そこで、主治医に今まで取り組んできた内容を伝え、服薬を中止し状態をみることとなりました。

数日後、下痢便は止まり、そこから**水分摂取量**と**栄養摂取量**を増加させ、**覚醒レベル**を上げていきました。

この時点で、看護職と協力し下痢便の原因を見つけて取り除いたこと

表 4 − 2　Aさんの経過

	入所時	1か月後	3か月後
水分摂取量	1日700ml	1日1,450ml	1日1,500ml以上
食事摂取量	1日600kcal 粥・うどん少量	1日1,300kcal 常食・常菜	1日1,500kcal
排泄	尿意・便意なし おむつ交換 下痢便	布パンツ＋パッド 尿失禁あり 排便はトイレ	布パンツ＋パッド 尿失禁ほぼなし 誘導なし
活動	起き上がり介助 寝たきり	車いす 立ち上がり介助 離床時間８時間	シルバーカーでの 歩行自立

が、AさんのADL（Activities of Daily Living：日常生活動作）回復につながったことになります（**表４－２**）。

（２）歩行練習に家族の応援

活動性を向上させるために、歩行器による歩行練習が開始されました。６か月歩く機会が失われていましたので、歩くことをとても不安そうにしていました。初日は「怖いな……怖いな……歩けるかな……。どうやって歩くんだっけ？」と訴えました。娘は「大丈夫よ。歩けるようになるよ」と職員といっしょに声をかけました。「そうか。そうか」と言いながら、Aさんは足を引きずりながら前に出しました。もちろん支えがなければ立てない状態でした。

その後、毎日U字型歩行器による歩行練習を始めました。Aさんも娘の言葉に励まされ、毎日２回（午前・午後）の練習を開始しました。複数の介護福祉職が、交代で歩く練習を支えました。２週間ごとに目標の見直しを行い、多職種でゴールの共有をしました（**図４－22**）。ここでの歩行練習の実践には、介護支援専門員（ケアマネジャー）が作成する特定施設サービス計画書とそれを実践におとしこむための介護計画の作成と評価が必要になります。

図4－22　歩行目標

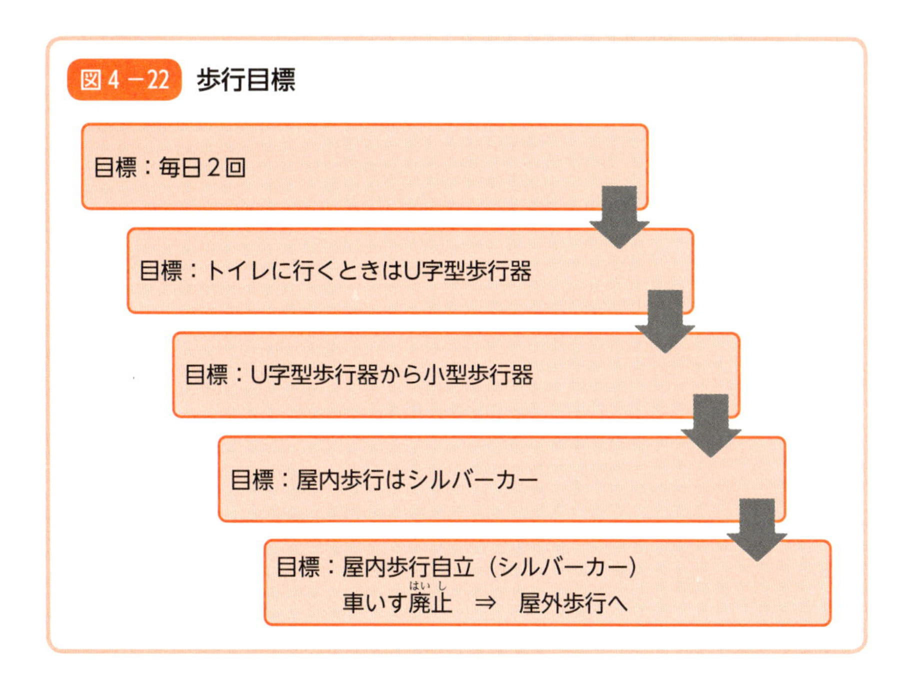

（3）福祉用具の選定

活動性を上げていくことで、歩行も安定していきました。身体を支えられるようなU字型の歩行器からの練習でしたが、歩行が安定すると福祉用具を変更しました。その際は、理学療法士などと情報を共有して、ステップアップするためにどの福祉用具を選定すべきかを考えました。

（4）家族のもとへ

Ａさんは、シルバーカーで屋外も歩行できるようになりました。もちろん排泄も自立しました。娘は「介護負担がなくなったのだからお家へ帰ろう」と言いました。Ａさん本人も喜んで、有料老人ホームを退去しました。

その際に必要になってくるのが、在宅サービスとの連携です。

有料老人ホームを退去するにあたって、担当の介護支援専門員、主治医、デイサービスの生活相談員、福祉用具貸与事業所の専門職、そして家族介護者が集まり、ケアカンファレンスを行っています。有料老人ホームでのケアを在宅で引き継ぐための情報交換がここで行われます。これらの専門職が在宅生活を支える**チームメンバー**になります。

実際、Ａさんは、退去後はすぐにデイサービスに通い始めることができています。

（5）解説

Ａさんの事例は、まずは介護福祉職がADLを低下させている原因を追究したことがポイントとなります。これらは、介護福祉職の知識をもとに検討し、通常のケアでのやり方では解決できないと判断した時点で対処方法を考えています。それが、ほかの職種である医療側への提案となります。両者間で「下痢便を改善する」といった同じ目的を明確に示し、合意しているからこそ、医療側も副作用を原因と考え、服薬中止にいたったのでしょう。チームで解決するために、介護福祉職と看護職が連携した結果といえます。

さらに活動性を上げていくためには、Ａさん本人の歩く不安を軽減する必要があります。そのために娘に同席をお願いし、いっしょに歩く練習をするというのも連携です。娘はＡさんに歩く練習をするという意欲を与えてくれます。

それと同時に歩行補助具に対して、Ａさんの今の歩き方にはどの福祉用具がよいのか、姿勢のくずれや歩行速度を加味し、リハビリテーション専門職と連携しています。これらは多職種連携の実際といってよいでしょう。

2　特別養護老人ホーム：Ｂさんの経管栄養から常食への移行の取り組み

Ｂさんは、86歳の女性で、要介護５です。2011（平成23）年４月に、嚥下障害により胃ろう造設となりました。同年６月に特別養護老人ホームに入所しました。

ここでの多職種間における共通の目的は、口から食べることでした。この目的を達成するための施設サービス計画書が介護支援専門員によって作成されました。

まずは、取り組み手順として、写真付き文書で注意する点について介護福祉職・看護職に説明しました。さらに、実際の提供場面をお互いに見ながら、全職員が同じケアができるようにしていきました。

（1）姿勢

リクライニング車いすでずり下がりがあり、正しい姿勢を保つことができていませんでした。クッションをはさめる位置や腰の位置を機能訓練指導員といっしょに明確にしました。不随意運動により、腰の位置が下がるため、常にずれたら直して、食事の提供をくり返しました。食事は、足底を床につけて骨盤姿勢をよくすることが重要です。

(2) 口腔ケア

食事前に行う口腔ケアと口腔マッサージは、歯科衛生士にその方法を学び実践しました。下の図のように舌が唇から前に出てしまっていました。そのため、義歯を作成し、舌の位置を整えました。さらに、アイスマッサージで舌を刺激し、**ガムラビングマッサージ**[3]などで舌と口腔内の緊張をほぐし、唾液の分泌をうながすマッサージも行いました。

3 ガムラビングマッサージ
器具を使わずに指で歯ぐきのストレッチをすること。

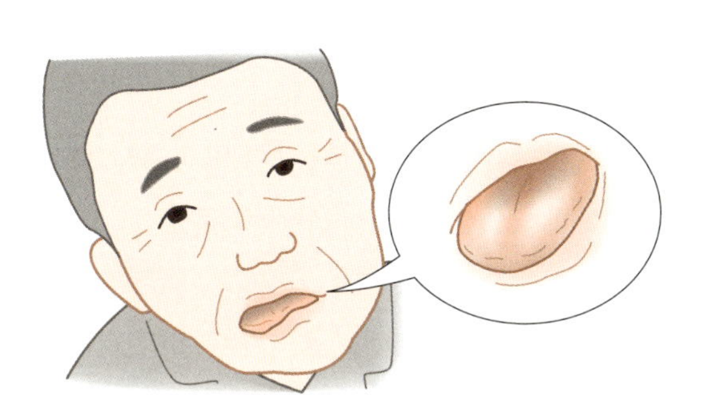

(3) トラブル

少しずつ食べることができ、そうめんであればつゆにとろみをつけなくても食べることができるようになりました。しかし、ある日突然、顎関節症になりました。常に顎を動かし、突然顎がはずれ、自分で戻せなくなり、一時経口摂取を中止しました。

(4) 歯科医師・歯科衛生士との連携

歯科医師の往診により、咀嚼が可能であれば口からの摂取を開始するとのアドバイスにて、再度注意点を明確にし、食事を開始しました。

常に自分で顎を動かし、はずれては戻す行為をくり返していたため、顎がはずれやすい角度をできる限りつくらないように工夫しました。

これらは、歯科医師・歯科衛生士といった専門職との連携により可能となりました。

介護福祉職は、舌をただ口の中にいれる練習を行ってきました。しかし、歯科医師に「義歯をつけない期間が長いほど、舌は定位置を忘れてしまっている」というアドバイスを受け、舌が定位置を思い出すための練習を1か月行い、変化の観察をすることになりました。

そのときに、歯科医師から義歯の大切さを教わりました。

- 舌を収納するところをつくること
- 義歯を入れることで舌が落ち着くこと
- 義歯は常に入れておくこと。寝るときも義歯をはずさないこと
- 適合義歯であること
- 義歯はただつくればよいものではなく、食べられる口をつくること

（5）3食常食提供の工夫

1 多職種との連携

体調面に関することは看護職と、座位保持や姿勢に関することは機能訓練指導員と、栄養面に関することは管理栄養士と、利用者1人ひとりに合わせて調整しました。

経管栄養を受けている利用者の口からの食事摂取量は、食後に看護職や管理栄養士に伝えました。看護職は口からの食事摂取量と照らし合わせて、不足している栄養量を経管チューブから注入しました。管理栄養士は、栄養管理を行い、データ化することで、利用者に不足しているものを確実におぎないました。

2 職員の勤務調整・食事提供時間

経管栄養を受けている利用者は、3食口から食べられる状態であるにもかかわらず、配膳や介助の業務負担の増加、見守りの人員の不足により食べられないことが課題となりました。1対1で食事介助を行って、リスク管理をしていたため、勤務調整と食事を出す時間をそれぞれの利用者に合わせてずらすことで、課題を解決しました。

（6）振り返り

介護福祉職、看護職、機能訓練指導員、管理栄養士、歯科医師のかかわりで、入所時は口から食べられるのが2～3口ほどだったBさんは、入所10か月で3食（常食）全量摂取となり、経管チューブからの栄養注入は終了することになりました。

口から食べることを、介護福祉職が中心となって取り組んだ事例です。多職種のそれぞれの専門技術を提供し合い、役割分担を明確に行っ

ています。同じ目的に向かって実践した成果といえるでしょう。

（7）解説

チームケア、チームワークとよく表現されますが、チームとはどんなことを意味しているのでしょうか。世界保健機関（WHO）は、チームとは、「健康に関するコミュニティのニーズによって決定された共通のゴール・目的をもち、ゴール達成に向かってメンバー各自が能力と技術を発揮し、かつ他者のもつ機能と調整しながら寄与していくグループである」と定義しています。つまりチームとは目的を達成するためにそれぞれの専門知識を用い、課題解決をするものであるといえます。

この事例では、「口から食事をする」というニーズを解決するために、共通の目的に向かって、それぞれの職種がもつ専門能力と技術を発揮し、多職種の機能を調整した結果が、利用者のADLおよびQOL（Quality of Life：生活の質）の向上につながったといえます。まさにチームケアを成しているといえます。

さらに、これらの中心的職種は介護福祉職です。「口から食べられる」ようになるために、毎回の食事介助に専門的視点を加えながら、介護福祉職自身が専門職として職務を全うし、自分の役割を理解し、その時々で役割を再編成しています。上手に職務をコントロールしています。多職種と協働しながら、職務上自律しているといえるでしょう。

◆引用文献

1）埼玉県立大学編『IPWを学ぶ――利用者中心の保健医療福祉連携』中央法規出版、p.12、p.14、2009年
2）野中猛・野中ケアマネジメント研究会『多職種連携の技術――地域生活支援のための理論と実践』中央法規出版、p.224、2017年
3）森田達也・野末よし子・井村千鶴「短報 地域緩和ケアにおける「顔の見える関係」とは何か？」『Palliative Care Research』第７巻第１号、pp.323-333、2012年
4）黒瀬正子「"顔の見える関係"が結ぶ看護連携」『看護』第59巻第12号、pp.47-50、2007年
5）一般社団法人日本自立支援介護・パワーリハ学会「『「アジア健康構想」実現に向けた自立支援に資する介護事業のアジア国際展開等に関する調査』における介護職と他の専門職間連携実態の調査」2018年

◆参考文献

● 田村由美・工藤桂子・池川清子「今、世界が向かうインタープロフェッショナル・ワークとは―21世紀型ヘルスケアのための専門職種間連携への道―第１部：Interprofessionalとは何か」『Quality Nursing』第４巻第12号、1998年
● 介護福祉士実務者研修テキスト総括編集委員会編『介護福祉士資格取得のための実務者研修テキスト 第２巻 介護の基本Ⅰ・Ⅱ』全国社会福祉協議会、2016年
● 西梅幸治・西内章・鈴木孝典・住友雄資「インタープロフェッショナルワークの特性に関する研究――関連概念との比較をとおして」『高知女子大学紀要』第60巻、pp.83-94、2011年

第5章

介護従事者の安全

第1節

健康管理の意義と目的

学習のポイント

- 働く人の健康や生活を守る法制度を学ぶ
- 介護に従事することで生じやすい健康問題を学ぶ
- 介護従事者の健康管理について学ぶ

1 健康管理の意義と目的

介護の仕事は、高齢者や障害者といった福祉サービスを利用する者の生活や生命を支える仕事で、社会にとって不可欠な仕事です。介護をになう介護従事者は、高齢者福祉や障害福祉においてきわめて重要な役割を果たしています。介護従事者には、専門的な知識や技能に加えて、豊かな人間性や優しさが求められます。豊かな人間性や優しさを発揮するためには、心身の健康が必要です。どのような仕事でも、働き方や仕事の内容、職場の環境が原因で病気になったりけがをしたりすることがあります。介護の仕事でも、働き方や職場の環境等が原因となって、病気やけがが発生することがあります。介護従事者が、仕事で力を発揮し充実した生活を送るためには、健康で安全に働けることが重要です。

本章では、介護従事者がとくに知っておくべき健康や安全の問題と、その予防対策について学びます。

本節では、介護従事者の健康を守るための法制度や、介護従事者の健康管理について学びます。

2 働く人の健康や生活を守る法制度

1 労働基準法

わが国における働く人の健康を守る法制度としては、日本国憲法のもとに、**労働基準法（労基法）**や**労働安全衛生法（安衛法）**などがあります（図5－1）。労基法では、労働時間や賃金、休日に関することなどが定められています。「労働させたら、賃金を払う」というあたりまえのルールを定めています。仕事をさせているのに給料を払わない「ブラック労働」が犯罪になる根拠は、この法律にあります。

その一方で、いくら賃金を払うとしても、労働者の生活と健康を守るために、労働時間は制限されています。通常の労働時間は1日に8時間、週40時間です。これを超える場合、つまり残業する場合は、労働者と使用者が特別な協定（労基法第36条にもとづくので、**「36（サブロク）協定」**と呼ばれる）を結び、使用者が労働基準監督署に報告する必要があります。

労働基準監督署とは、労基法で定めた働き方のルールが守られている

図5－1　働く人の健康や生活を守る法制度

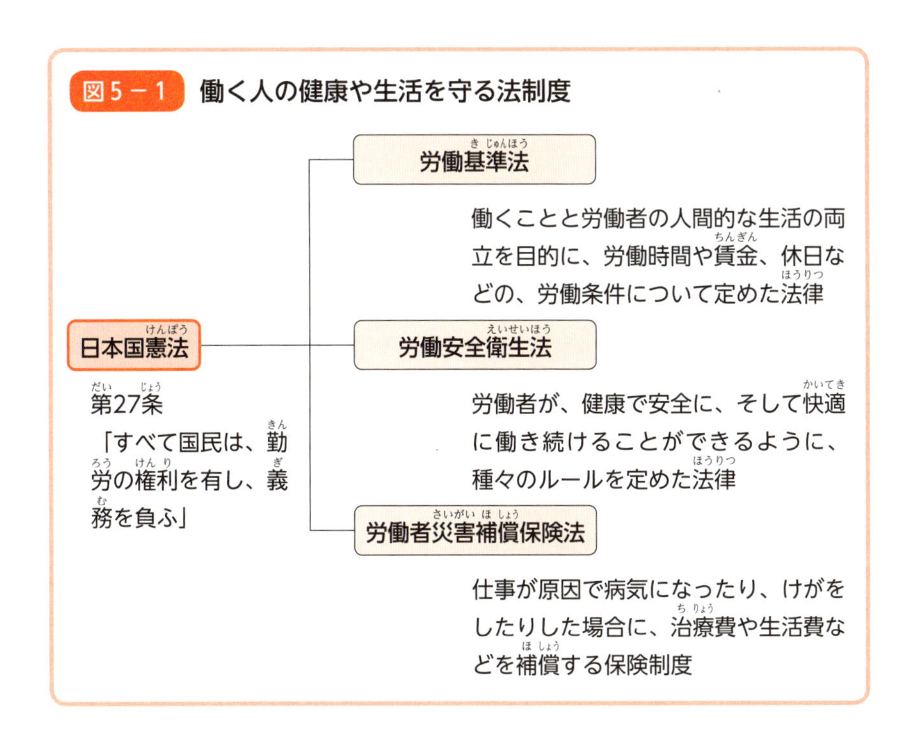

かどうか、使用者を監督している役所で、全国各地にあります。一般の犯罪や交通違反を取りしまる警察署と似ています。労働時間や賃金などで困ったときには、だれでも労働基準監督署に相談できます。

労基法では、残業した場合は、残業代として通常の時間給より高い賃金を支払うことになっています。深夜（原則として午後10時～午前5時）に及ぶ残業や休日の残業は、昼間の残業より時間給が高くなります。労働時間が長くなると疲労が高まり、さまざまな病気の原因になります。長時間の労働は病気の原因になるだけでなく、疲れると家族との会話も少なくなり、生活を楽しむゆとりがなくなります。

2 労働安全衛生法

労働安全衛生法（安衛法）は、労基法と一体となって「職場における労働者の安全と健康を確保するとともに、快適な職場環境の形成を促進することを目的」に制定されました。労基法が労働時間や賃金などを定めているのに対して、安衛法は働く人の健康を守り、職場でのけがや事故の発生を防ぎ、気持ちよく働ける職場をつくることを目的としています。また、安衛法では、職場の安全や労働者の健康を守る責任が事業者にあるということを明確にしています。職場のなかで労働者が個人的に健康を守る努力をしても、労働時間が長すぎたり、休憩が取れなかったりするような働き方が続けば、健康が守れないからです。けがを予防する場合でも、労働者がいくら注意しても、けがや事故の原因となる危険な職場環境を事業者が整備しなければ予防できないからです。安衛法では、労働者の健康を守るために、事業者が費用を負担して、最低年に1回は労働者の健康診断を実施することが義務づけられています。

3 労働者災害補償保険法

労働者災害補償保険法は、労働者が仕事が原因で病気になったりけがをしたりした場合（**労働災害**）に、治療費や休業中の生活費を補償するための保険制度です。費用は、原則として事業主の負担する保険料によってまかなわれています。介護しているときに発生した腰痛や濡れた床で転んでけがをした場合、通勤途中の事故の場合などは、基本的に労働災害として補償されます。

4 出産・育児、介護にかかわる法制度

子育てや親の介護をしながら働き続けようとすると、働くことで生じる心身の負担に、育児や介護にともなう負担が加わるため、健康を損ねやすくなります。そこで、仕事と出産・育児や介護を両立させるため、労働基準法や**育児休業、介護休業等育児又は家族介護を行う労働者の福祉に関する法律**（以下、**育児・介護休業法**）といった法制度が整備されています。制度は改正されることがよくあるので、雇用主や各地の労働局に最新の制度をたずねるとよいでしょう。

（1）産前産後休業（労働基準法）

出産前は6週間、出産後は8週間の休業が取れます。多胎妊娠（2人以上を同時に妊娠していること）の場合は休業の期間が長くなります。出産前の休業については、労働者からの申し出が前提になりますが、出産後の休業は母体保護のため、休業させることが雇用主に義務づけられています。

（2）育児休業（育児・介護休業法）

子どもが1歳になるまで、育児休業を取ることができます。保育園などに入れない場合は、最長で子どもが2歳になるまで休業期間を延長できます。子どもが生まれた直後から8週間以内であれば、父親は4週間まで、また2回まで分割して育児休業を取ることができます。育児を両親で協力して行うための制度です。

（3）子の看護休暇（育児・介護休業法）

子どもが小学校に入学するまで、両親は1人の子どもにつき、1年間に5日まで、子どもが2人以上いる場合は1年間に10日まで、病気やけがをした子どもの看病や予防接種のつきそいのために休暇を取ることができます。休暇は、1時間単位で取ることができます。

（4）深夜業や時間外労働の制限（育児・介護休業法）

子どもが小学校に入学するまで、両親は請求することで深夜業務（22時から5時までの業務）が免除されたり、残業時間の制限を受けたりすることができます。

（5）介護休業、介護休暇（育児・介護休業法）

介護休業は、両親や祖父母、兄弟姉妹や孫など、対象者が要介護状態にあるとき、1人の対象者につき通算で、93日まで休むことができます。また、3回までなら分割して取ることができます。介護休暇は、要介護状態にある対象者の介護その他の世話を行うために、対象者が1人なら1年に5日まで、対象者が2人以上の場合は年10日、1時間単位で取ることができます。

3 介護労働の特性と健康問題

介護従事者が支えているのは、食事の介助や排泄の介助のような、利用者の生活や生命にかかわることです。言い換えれば、「介護の対象者の人権」にかかわる事柄です。

介護労働のように、国民の**「人として生きる権利」**を支える労働は**「ヒューマンサービス労働」**といわれています。ヒューマンサービス労働には、介護労働以外に、保育労働、医療労働などがあります。ヒューマンサービス労働には、仕事の性質や働き方に共通する次のような特徴があり、共通した健康問題が生じます。

① 労働の対象者、つまり利用者や患者のことを第一に考えて行動することが求められています。そのため、利用者等のことだけを考えて働くうちに、身体やこころに負担がかかり、体調をくずしやすいです。

② 365日、24時間途切れることが許されない業務が多く、夜勤などもあり、生活のリズムがつくりにくい性質があります。そのため、睡眠不足などから体調をくずしやすいです。

③ 「このぐらいで終わってよい」と、仕事の限度が自分で決めにくい特性があります。そのため、職場を離れても仕事のことが気になり、肉体的にも精神的にも過労になりやすいです。

④ 専門的な知識や技能を学び続ける必要があります。そのため、仕事の後や休日なども研修があり、休みがとれず疲労がたまりやすいです。

「ヒューマンサービス労働」としての介護労働がもつ特性を先に示しましたが、介護労働は「感情労働」としての特性ももっています。**「感情労働」**とは、仕事を行うにあたって、いつも自分の感情を相手に合わせてコントロールすることを強く求められる労働のことをいいます。介護場面で、利用者から不快な言葉を浴びせられても、利用者の家族が無理解な態度を示しても、利用者やその家族に自分の感情をぶつけることは許されません。自分の中に生じた、怒りやいらだち、悲しみの感情を押し殺して仕事を続けることは強いストレスになり、心身の健康を損ねることにつながります。こうした場合は、がまんし続けないで、職場の仲間や上司に話を聞いてもらうことなどが必要です。

4 介護に従事する人の健康問題

介護従事者が働く職場は、高齢者施設であったり障害児者施設であったり、訪問介護事業所であったり、さまざまです。働く場所が異なっていても、先に示したように、共通した仕事の特徴があり、そのために共通の健康や安全の問題が生じます。

1 腰痛

腰痛は、腰部や背中に生じる痛みを主な症状とした病気です。初期の症状は、腰の「だるさ」や「重さ」などの症状で、身体の動きも悪くなっていきます。こうした症状が続いたあとに、「いつとはなく」痛みだしたり、仕事のなかの動作がきっかけで強く痛み、日常生活にも支障をきたすことになります。車いすに利用者を移乗させる介助を行ったときや、便座への移乗介助を行ったとき、低いベッドにあわせて屈んだときなど、さまざまな介助や動作が引き金となって腰痛が起きます。腰痛の予防策については、本章第3節の「身体の健康管理」で学びます。

2 肩こり（頸肩腕障害）

頸肩腕障害は、**「肩こり」**や、肩や腕の「だるさ」が初期の症状としてあらわれます。病状が徐々に進むと肩や頸や腕に痛みが生じ、腕を動かしたり、ものを握ったりすることができなくなります。手や腕で利用者を支えたり、引き寄せたり、重たい荷物を運んだりするなど、肩や腕に負担がかかることが原因で発生します。適切に休憩をとったり、仕事を始める前後に、頸や肩のストレッチ体操をすることが予防に役立ちます。詳しくは、本章第３節の「身体の健康管理」で学びます。

3 こころの健康問題

介護の仕事は、１つひとつが利用者にとって重要な意味をもっています。たとえば、食事の介助には、利用者の命をつなぐ大切な役割があります。食事の介助を行うときは、おいしく食べてもらうための気配りや、誤飲が起きないよう安全への気配りも必要です。しかし、施設では複数の利用者を担当するため、ゆっくり１人の利用者の食事介助に集中できない場面が多いです。職場では、ミスなく、時間をかけすぎずに介助することが求められます。

食事の介助だけでなく、排泄や入浴の介助でも、ミスなく行おうとすれば、緊張することになります。仕事だけでなく、利用者やその家族との人間関係、職場の同僚や上司との人間関係でも、緊張することがあるでしょう。こうした**「緊張」**はこころを疲れさせます。こころを疲れさせるさまざまな事柄をストレスといいます。怖さを感じさせる事柄、悲しさを感じさせる事柄、緊張を感じさせる事柄、うれしさを感じさせる事柄など、ストレスの原因となる事柄はたくさんあります。こころの疲労も身体の疲労と同じで、休息などによりうまく解消できればいいのですが、こころの疲労が重なると、こころの病気にかかります。介護従事者は、仕事や人間関係からさまざまなストレスを受けるので、こころの健康管理が必要です。くわしくは、本章第２節の「こころの健康管理」で学びます。

4 けがや事故の被害

介護従事者が働く職場はいつも安全とは限りません。利用者のベッド周りのコードに足を取られて転倒したり、脱衣場の濡れた床ですべってころんでけがをすることが、各地の施設で起きています。立位が不安定な利用者を支えている最中に、利用者の転倒を防ごうとして、介護従事者がけがをするケースもよく起きています。荷物を持って階段から下りる途中で転落したケース、夜の駐車場で側溝に足を取られて骨折したケース、冬に足場が凍った玄関口で転倒したケースなどがよくあります。訪問介護で慣れない利用者の台所でけがをしたり、玄関にいたる階段で転倒し捻挫したりすることなども、めずらしくありません。

利用者の送迎途中での交通事故や、利用者を訪問する途中の交通事故なども、介護従事者に共通する問題です。けがや事故の発生につながる職場の環境については、本章第4節の「労働環境の整備」で学びます。

5 健康に働くための健康管理

1 過労を防ぐ――「健康バネばかり」で考える

日々の生活のなかで健康を維持するためには、疲労を回復する力と、仕事や仕事以外の原因で生じる身体や精神（こころ）の疲労とのバランスをとり、**過労**を防ぐ必要があります。

図5－2に示したのは、このバランスを「バネばかり」にたとえた**「健康バネばかり」モデル**です。朝起きると、元気でバネの力が強いの

図5－2　健康バネばかり

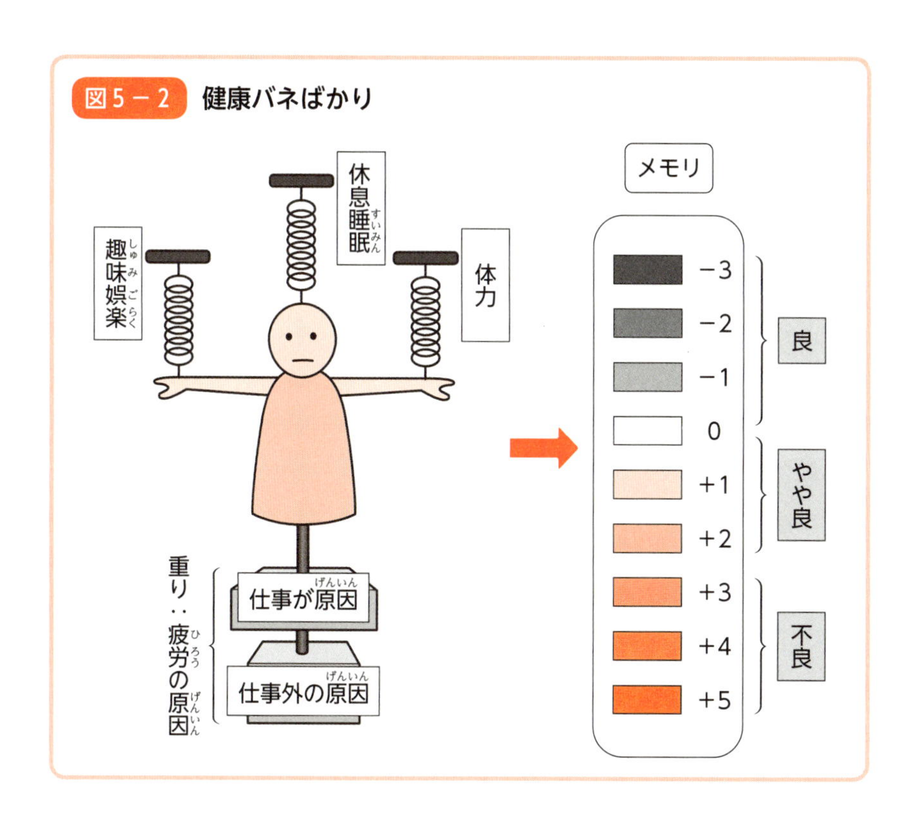

で健康のメモリは「良」をさしています。夜寝る前は疲れているので「やや良」か「不良」をさしているかもしれません。しっかり睡眠をとって次の朝には健康のメモリが「良」に回復しているのが、健康な生活です。月曜日の朝に比べて、週末の朝は健康のメモリが「やや不良」方向へ下がり気味だとしても、土曜日や日曜日のような休日で、しっかり回復できれば、健康な生活といえます。

次に、健康バネばかりをモデルに、健康で働く方法を考えてみます。

（1）疲労を回復する力（バネの力）

私たちの健康を維持してくれる力は、体力のバネと、趣味・娯楽のバネと、休息・睡眠のバネに大きく分けて考えることができます。

体力は、年齢や性別によって個人差があります。また、個人でも、健康状態などによって疲労から回復する力に違いが生じます。

趣味・娯楽は「楽しい思い」や「うれしい思い」につながる体験です。趣味・娯楽のバネは、とくにこころの疲労の回復に力を発揮します。友人や家族と遊んだり食事をして楽しく過ごせたとしたら、趣味・娯楽のバネが疲労からの回復に力を発揮することになります。

休息・睡眠のバネは、心身の疲労回復に大きな力を発揮します。疲労回復のために必要な睡眠時間は人によって異なります。ただし、6時間以下の睡眠では、腰痛を自覚する人や、うつ症状などこころの不健康を自覚する人が増えます。夜勤明けで昼間に眠るのと日勤で夜眠るのとでは、疲労からの回復力が異なります。夜の睡眠が重要です。

（2）疲労の原因

働く人にとって、心身の疲労の原因は2種類あります。

1つは、仕事による疲労です。疲労の種類としては、おもに身体が疲れる疲労と、精神的に疲れる疲労がありますが、介護の仕事は、身体的にも精神的にも疲労します。もう1つは、仕事以外の原因での疲労です。家事や育児が大変だったり、家族の介護があったり、子どもの受験勉強があったり、さまざまです。恋人との関係がうまくいっていなかったりしても疲労します。疲労の種類は、仕事での疲労と同様に、身体的な疲労や精神的な疲労があります。

仕事の負担に仕事以外の負担が加わったその重さが、疲労の原因となります。

（3）疲労の原因の重さと疲労を回復する力のバランスをとる

健康のメモリが、最近「やや良」や「不良」を指すことが多くなったとしたら、どのような対策が考えられるでしょうか。健康のメモリといっても、実際には「疲れがとれない」「朝から疲れている」「身体がだるい」「食欲がない」などの自覚症状がある状態をさします。考えられるのは、疲労回復のバネの力が弱くなっているか、疲労の原因である「重り」が重すぎることです。睡眠時間が不十分なら、睡眠時間を確保する必要があります。体力の低下や体調の不良があるのなら、医師（まずは、内科）に相談してください。楽しいことをする予定がないのなら、友人や家族と相談して楽しい計画を立ててください。疲労の原因である「重り」の見直しも必要です。仕事の量が増えていませんか。残業が増えていたり、夜勤が増えていたりしませんか。仕事以外のことで、無理をしていませんか。疲労状態に合わせて、疲労の原因と疲労を回復する力のバランスをとるよう努めてください。

それでも、疲労がたまる場合には、職場の上司などに相談しましょう。

2 食事の管理

仕事のために身体を動かしているときには、全身の筋肉を使って、必要な姿勢をとったり、力を出すことをしています。利用者をベッドから車いすに移乗させる場面では、介護者は目や耳を介して安全を確認し、利用者に苦痛が生じないように行います。そのとき、介護動作にかかわった身体機能は**図5－3**のようになります。介護者の全身の筋肉が大きな力を出すので、利用者は車いすに移ることができます。筋肉が仕事をするためには、脳からの命令情報、呼吸機能（肺を通じて酸素が血液に取りこまれる機能）や循環機能（心臓がポンプとなって血液を送り出す機能）により、酸素や栄養分が血液として筋肉に運ばれる必要があります。血液で運ばれる栄養は、食事として摂取したものです。

つまり、仕事をするためには、必要なエネルギーを食事として身体に取りこむ必要があるのです。朝ご飯を食べずに仕事を始めるようでは、健康の維持ができません。栄養のバランスも大切です。食べ過ぎて体重が増加し、肥満になるのもよくありません。1年に最低1回は実施され

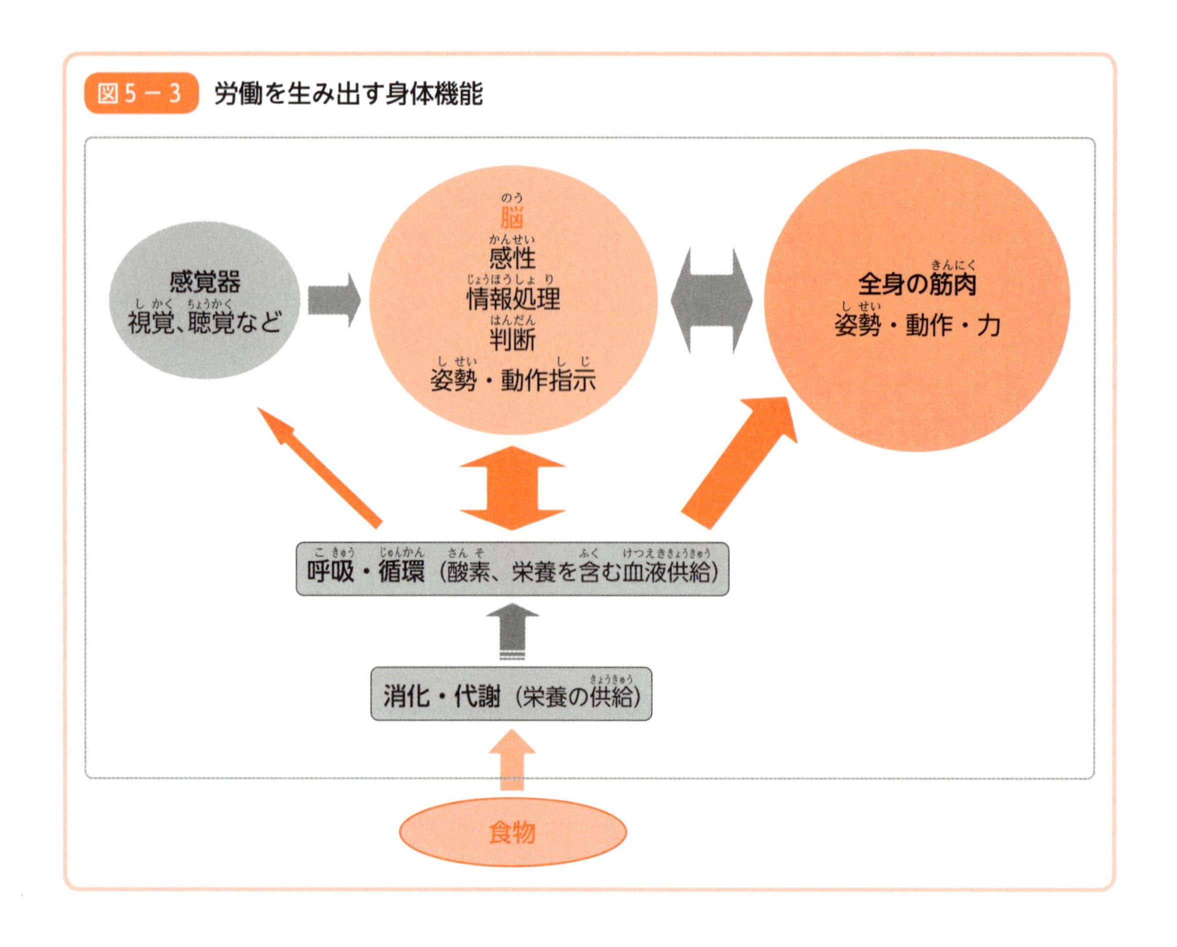

る職場の健康診断を利用して、体重の管理にも気をつけましょう。

3　睡眠の管理

（1）睡眠の役割

睡眠は「健康バネばかり」でも説明したように、疲労の回復にとって大切な役割を果たしています。疲れてくると眠気を感じるのは、身体が疲労からの回復を求めているからです。本来、人間は夜の間は眠り、昼間は活動するように身体がつくられています。**図5－4**で示しているように、昼間活動している間に傷んだ細胞や身体の組織を、夜寝ている間に修復したり新しくつくり直したりして、次の昼間の活動に備えます。夜の間だけつくり出されるホルモンもあります。人間にとっては、昼間に活動して夜眠ることが自然な姿です。睡眠不足は、腰痛など多くの病気の原因になります。また、こころの病気の原因にもなることが知られています。

図5－4 活動期と睡眠期のサイクル

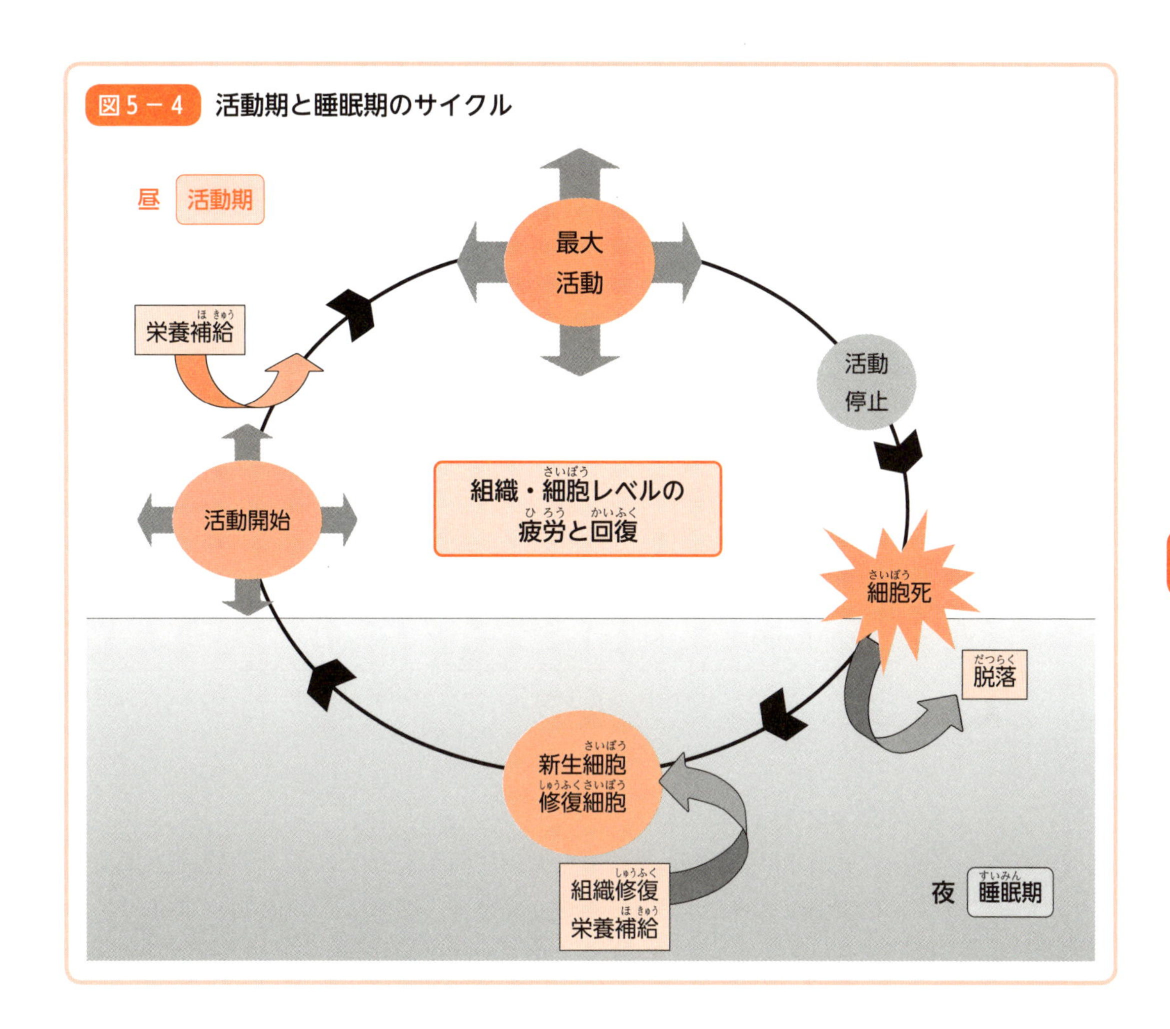

（2）夜勤

多くの介護の職場では、利用者の24時間の生活を支援する必要性から、夜勤が不可欠な働き方になっています。夜勤は夜働くわけですから、昼間働いて夜眠るという睡眠のリズムからみると不自然な生活になります。夜勤に備えて、ふだんから質のよい睡眠をとるようにして（**表5－1**）、寝不足にならないようにすることが大切です。

1 夜勤前の過ごし方

夜勤前は、時間的なゆとりをもって過ごすようにしましょう。短時間の仮眠をとって夜勤に入ることができればいいのですが、仕事のことを考えると眠れない人が多いようです。勤務前に軽い運動をすると、身体の動きが軽くなって仕事に入るのが楽になることがあるので試してみましょう。

表5－1　質のよい睡眠をとるこつ

寝る場所は、「暗くて、静かで、暖かい」
①　同じ時刻に毎朝起床。寝だめはしない。
②　朝食を食べ、朝日を浴びる。
③　日中は、軽く身体を動かすようにする。
④　寝不足のときは、15分～20分の昼寝が有効。
⑤　寝る前の激しい運動や夜食はやめる。
⑥　夕食後は、カフェインを含むコーヒーやお茶はひかえる。
⑦　寝る前に、パソコン・スマートフォンなど液晶画面を見すぎない。
⑧　眠るための飲酒は、不眠のもと。
⑨　寝る前は、ぬるめの風呂や軽いストレッチ体操や、音楽鑑賞などで、リラックス。
⑩　朝起きたときよく寝たと思え、昼間眠くならなければ、睡眠時間はあまり気にしなくてよい。

2 勤務中の過ごし方

夜勤には、勤務時間が８時間程度の３交替夜勤と12時間を超える２交替夜勤があります。２交替夜勤の場合、深夜に、仮眠できる時間が設定されていることがあるので、仮眠時間をうまく活用しましょう。深夜の３時ころ～６時ころの時間帯がもっとも眠くなる時間です。しかも、朝方は注意の必要な仕事が集中する時間にもなりますので、眠気が強いようならば、手や顔を冷たい水で洗ったり、ストレッチ体操をしたり、明るい部屋で朝日に当たったりしましょう。夜食を食べすぎると眠気が起きやすくなるので注意しましょう。水分をひかえる必要はありません。

3 夜勤明けの過ごし方

帰宅後は、できる限り早く寝るようにしましょう。職場から帰る途中で、太陽の光を浴びると眠れなくなることがあります。濃い目のサングラスをかけて目に光を当てないようにします。眠る部屋の窓も厚目のカーテンを利用して、できる限り部屋を暗く保ちましょう。睡眠後の日中の生活は、ふだんどおりでかまいません。

夜勤明けの車の運転にはとくに注意しましょう。疲れや眠気が強いときは、帰る前に職場や車の中で仮眠をとりましょう。運転はやめて、バスなどを利用することも考えましょう。

4 もし、眠れなくなったら

仕事で疲れているのに眠れなかったり、布団に入ってから何時間も眠れなかったり、はじめての職場で仕事に慣れない時期には、こうした寝られない状態になりやすいものです。

また、はじめて夜勤を経験すると、睡眠のリズムがずれるので、慣れるまで不眠に悩む人が少なくありません。眠くなるまで無理に布団に入る必要はありません。体操したり、ぬるめの風呂に入ったり、好きな音楽を聴いたりして、リラックスするようにしてください。多少の睡眠不足が続いたからといって、すぐさま、健康や仕事に影響が出るわけではないと、自分に言い聞かせることも大切です。「眠れない、どうしよう」という不安はかえって不眠を悪化させることがあります。

それでも、不眠が続いて苦痛に感じるようならば、職場の上司などに相談してください。職場には産業医とよばれる、従業員の健康管理を担当する医師がいる場合があります。産業医に相談することも有効です。また不眠の治療を専門とする病院や開業医もあります。睡眠障害の治療を行っている医師の診断を受け、指導を受けることもできます。

◆参考文献

- 中央労働災害防止協会編、垰田和史監『介護・看護職場の安全と健康ガイドブック』中央労働災害防止協会、2015年
- 細川汀編『健康で安全に働くための基礎――ディーセント・ワークの実現のために』文理閣、2010年
- 厚生労働省「みんなのメンタルヘルス」 https://www.mhlw.go.jp/kokoro/index.html

第2節

こころの健康管理

学習のポイント

- ストレスとこころの健康との関係について学ぶ
- 介護従事者のこころの病気について学ぶ
- こころの健康管理方法について学ぶ

1 介護従事者にとってのこころの健康問題

厚生労働省が2017（平成29）年に公表した「労働安全衛生調査（実態調査）」によると、2015（平成27）年11月からの１年間で、こころの健康（メンタルヘルス）問題が原因で、１か月以上休んだ労働者が0.4%、退職した労働者が0.2%いました。産業別にみると「医療、福祉」に分類される職業では、こころの健康問題で退職した労働者が0.4%と、全産業のなかでももっとも高くなっていました。

また、公益財団法人介護労働安定センターが2020（令和２）年に公表した「令和元年度介護労働実態調査結果」では、30%近い介護従事者が、「働く上での悩み、不安、不満等」として、「身体的負担が大きい（腰痛や体力に不安がある）」ことや「精神的にきつい」ことを指摘していました。こうした結果は、こころの健康問題が介護従事者にとって重要な問題であることを示しています。

本節では、なぜ介護従事者にこころの健康問題が生じやすいのか、こころの健康を守るためにはどのような点に注意すればよいのかを学びます。

2 ストレスとこころの健康

1 ストレスとは何か

介護従事者は、利用者の生活や安全を支援する責任の重い役割をにない、仕事の性質上、強いストレスを受けることになります。

では、ストレスという言葉を聞いて何を連想しますか。いやなこと、怖いことを思い浮かべる人が多いと思いますが、うれしいことや楽しいこともストレスの原因になります。いろいろな体験（怖い体験、不安な体験、悲しい体験、わくわくするような体験など）や、いろいろな刺激（大きな音や、強いにおい、暑さ、寒さなど）により、精神的な緊張が高まった状態がストレスと呼ばれています。身体の反応としては、心臓がドキドキしたり、口が渇いたり、わきの下に汗をかくようなことがあります。人類が現代のような身体に進化する前、他の動物から命を狙われていた時代に「外界の変化」に気づき、身体や精神の緊張を高めて、迫り来る「危険に身構える」必要があったころから、身体に形成された反応です。ストレスのことを「こころの危機反応」と呼ぶこともありますが、自分では「危機」と思っていない経験でもストレスの原因になることがあります。

2 ストレスの原因である「ストレッサー」

ストレスの原因をストレッサーと呼びます。ストレッサーはさまざまです（図5－5）。身内の不幸や家族のなかのもめごと、借金などは、わかりやすいストレッサーです。以下では、仕事の場面でよくあるストレッサー例を紹介します。

はじめての職場、はじめての1人暮らし、はじめての先輩や同僚との人間関係、利用者とのはじめての関係など、「はじめて」の体験はストレッサーになります。仕事で失敗したこと、指導者から注意を受けたこと、思うように仕事ができなかったことなどもストレッサーになります。利用者さんが亡くなる場面に立ち会ったり、利用者さんが転倒したり誤飲したりする場面を経験することもストレッサーになります。自分

図5－5　さまざまなストレス

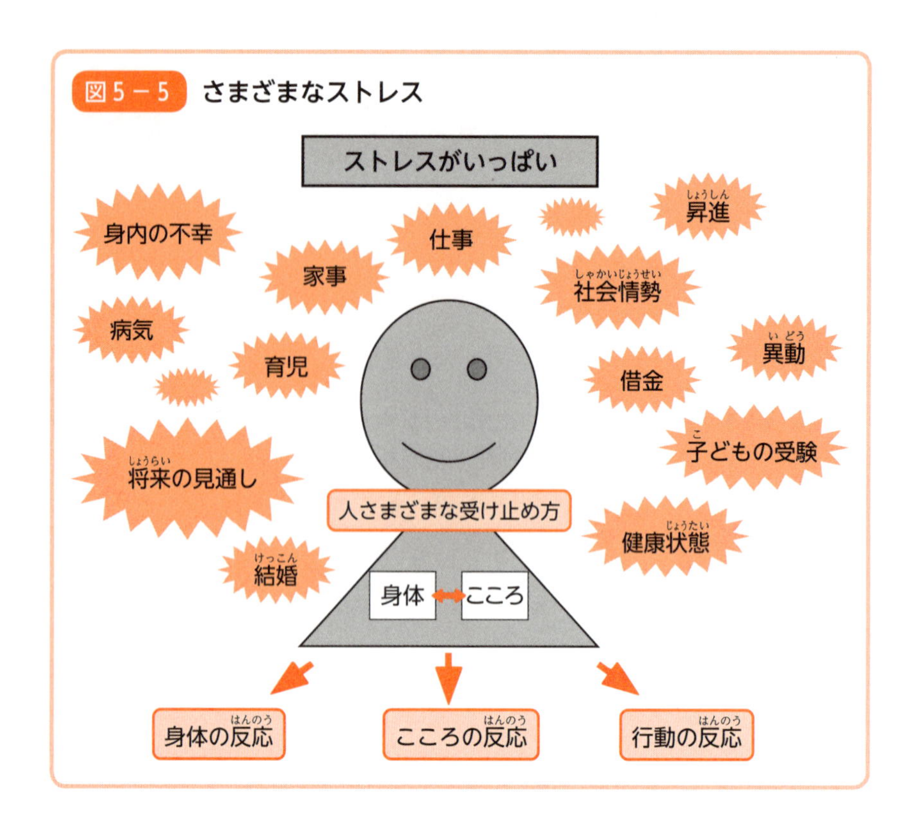

ではなくても同僚などが大声でしかられていたり、休憩時間に人の悪口を聞かされたり、気の合わない同僚と組んで仕事をすることなどもストレッサーになります。

タバコを吸わない人にとっては、タバコの煙はもちろん、他人のたばこ臭い息がストレッサーになります。朝起きられるか、１人で夜勤ができるか、忙しい時間帯の仕事をうまくこなせるかなど、不安や心配もストレッサーになります。長時間労働や終わりの見通せない仕事、期限の迫った仕事もストレッサーになります。

職場の上司や同僚からの**いじめ**や**嫌がらせ（ハラスメント）**は、強いストレッサーです。

結婚や出産、昇進、進学など、他人から見れば「幸せそう」に見える出来事も、本人にとっては新しい生活や新しい役割を体験することになるので、ストレッサーとなります。

同じ出来事でも、人によってストレッサーとして作用する力の強さは異なります。自分にとっては「たいしていやなことではない」と思えることでも、同僚にとっては「がまんできないぐらいいや」な場合があります。逆に、自分にとってのつらさが、同僚には理解してもらえないことがあります。人によってストレッサーが違ったり、ストレッサーの影響を受ける強さが違うことを理解しておく必要があります。

また、睡眠不足だったり、体調が悪かったり、疲労がたまっていると、ストレッサーの影響を強く受けることになります。

なお、ハラスメントには、おもに以下のようなさまざまな種類があります。雇用主には、法令でハラスメントがない職場づくりを求められています。

① **パワーハラスメント（パワハラ）**：上司や先輩が強い権限を背景に、部下や後輩に無理な仕事をさせたり、傷つく言葉を浴びせたりすることで、いやな思いをさせること。

② **セクシャルハラスメント（セクハラ）**：相手が望んでいないのに性的な言葉をかけたり、性的な話題の会話を求めたり、身体を触ったりすることで、いやな思いをさせること。

③ **マタニティーハラスメント（マタハラ）**：女性社員に対して妊娠や育児を理由に、職場の上司や同僚がいやがらせをしたり、不快な言葉を投げかけたりすることで、いやな思いをさせること。

④ **パタニティーハラスメント（パタハラ）**：男性が育児に参加したり育児休暇を取ることなどに対して、職場の上司や同僚がいやがらせをしたり、不快な言葉を投げかけたりすることで、いやな思いをさせること。

3 ストレスの影響

ストレスは、精神的な緊張が高まった状態です。精神的な緊張が高まった状態とは、脳の特定の部位の活動が活発になった状態で、そうした状態が長期に続くと、脳が疲労し活動が低下します。脳の活動が低下すると、こころや身体にさまざまな症状が出現します。その症状は、身体の反応、こころの反応、行動の反応としてあらわれます。日々、ストレッサーにさらされ、重度のストレス状態が続いた結果、身体やこころが生じる「悲鳴」が、こうした反応といえます。

反応の出方は人それぞれなので、「自分の反応」を「こころの危険サイン」として知っておくと早目の対策が取れます。こころが「悲鳴」をあげているのにストレッサーを浴び続けると、こころや身体にさまざまな症状（心身症）が出現します。こころや身体の健康状態が悪化する前に、仕事の制限や休養、気分転換をするなど、健康を守るための行動をとることが大切です。

（1）身体の反応

身体の反応として、**表5－2**のような症状があらわれます。体力が低下するので風邪をひきやすくなったり、風邪が治りにくくなったりもします。歯が痛くなったり、アトピー性皮膚炎の症状が悪化することもあります。腰痛や肩こり、片頭痛の症状が強まったりする人もいます。

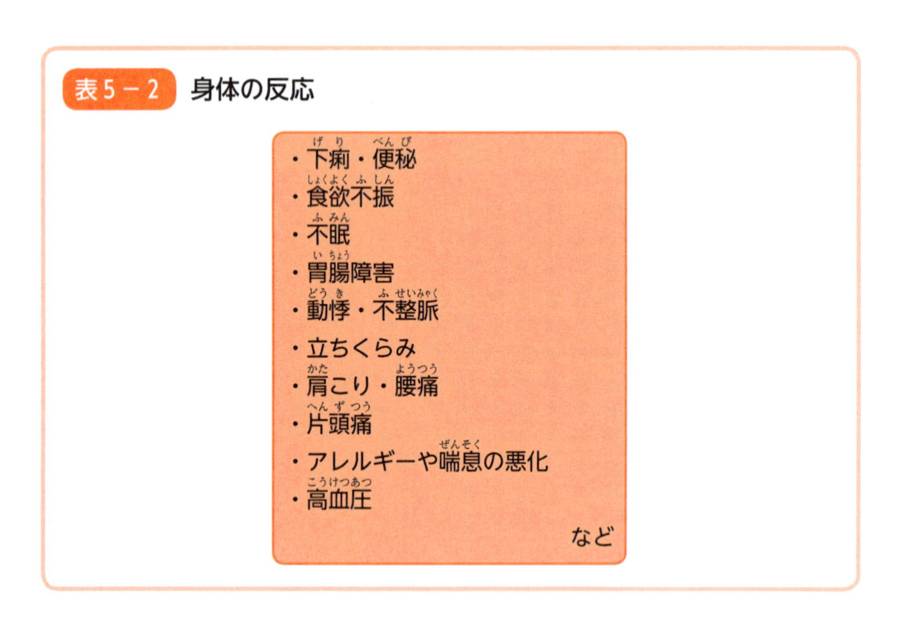

表5－2　身体の反応

- 下痢・便秘
- 食欲不振
- 不眠
- 胃腸障害
- 動悸・不整脈
- 立ちくらみ
- 肩こり・腰痛
- 片頭痛
- アレルギーや喘息の悪化
- 高血圧

など

（2）こころの反応

こころの反応としては、**表5－3**のような症状があらわれます。楽しさやうれしさを感じにくくなり、感情が不安定になります。人の言葉に耳を傾けなくなり、突然怒ったり、泣いたりするようになります。仕事を進めようとしても、考えがまとまらなかったり、決断をしにくくなったりします。気力や意欲がとぼしくなります。他人からみると、元気や活力が感じられなくなります。

表5－3　こころの反応

・イライラ
・怒りっぽい
・気持ちが高ぶっている
・不眠（寝つけない、眠りが浅い、早く目が覚める）
・気持ちがふさぐ
・考えがまとまらない
・不安
・感情が不安定（理由もなく涙が出る）
・やる気がもてない

など

（3）行動の反応

行動の反応としては、**表5－4**のような変化があらわれます。今まで遅刻をしたり仕事の約束・期限を破ったりすることがなかったのに、遅刻をしたり約束・期限を守れなかったりすることが増えたりします。また、突然欠勤することになったりします。身体が太り続けたり、逆にやせ続けたりすることがあります。お酒の量が増えたり、ギャンブルや薬物にのめり込んだりすることもあります。以前の様子とは異なる行動が目につくようになったりします。

表5－4　行動の反応

・遅刻が増える
・約束が守れなくなる
・仕事が遅くなる
・出勤できなくなる
・過食、拒食
・アルコール依存
・ギャンブル依存
・薬物依存

など

4 ストレスへの対処法

先にも述べたとおり、ストレスの原因となるストレッサーはさまざまです。ストレッサーをすべて取り除くことはできません。仕事をしていれば他人から注意を受けることや苦手な業務をまかせられることになっても、がんばって努力することで、嫌気や苦手意識がなくなることがよくあります。はじめのころは「怖そう」に見えた先輩が、実は親切で頼れる先輩だったということがよくあります。問題なのは、持続したストレスのためにこころの疲労（正確には、脳の疲労ですが）が蓄積し、こころの健康を失うことです。ストレスを降り注ぐ雪にたとえると、雪がたくさん降ったとしても解けて積もらないようにしていれば問題はないのですが、雪だるまができるほどたくさん積もると、生活に影響が出ることと似ています（図５－６）。

以下では、ストレスへの備え方を説明します。

（１）睡眠時間の確保と３食とる

まず、睡眠をしっかりとり疲労の蓄積を防ぎましょう。バランスのよい食事を、朝、昼、晩とるように心がけましょう。「朝ご飯抜き」はやめましょう。

（２）ほっとできる時間、楽しい時間を確保する

ストレスのために緊張したこころをいやせる時間を確保しましょう。趣味や音楽、家族・友人との会話など、自分流のいやし時間をつくりましょう。

（３）軽い運動など、上手なストレス発散方法を身につける

散歩やジョギング、体操、軽い運動を生活にとり入れるなどして、気分転換をはかりましょう。

（４）できなかったことに悩むより、できたことを評価する

できなかったことや失敗したこと、しかられたことを思い出して反省することは大切なことですが、それらに頭のなかが支配されてしまう

と、こころの疲労が高まります。前向き（ポジティブ）にものを考える習慣を身につけましょう。できなかったことを考えるときは、必ず「できたこと」「自分なりにがんばったこと」も思い出しましょう。自分を褒めることも大切です。

（5）仕事に慣れれば、今より楽になる

仕事でも対人関係でも、慣れてくればはじめの印象とは異なってきます。はじめのころは、何事も慣れないことが不安や強いストレスとなります。また、こうした状態がいつまで続くかわからないため、気分が落ちこむことがよくあります。しかし、ほとんどの場合は、時間が経つに従って仕事や職場、人（上司や同僚や利用者）に慣れてくるので、ストレスは軽くなっていきます。「慣れれば楽になる」と思うことも大切です。

（6）先輩や仲間などの支援をうまく活用する

「困ったことやわからないことがあったら相談してください」とか、「1人でできないときは声をかけてね」と、職場ではよく言われますが、なかなかその支援をうまく活用できないようです。わからないことや

図5－6　ストレスへの対処法

ストレスが健康障害を引き起こすのは、
降り注ぐ雪が解けきらないで積もっていくようなもの。
雪だるまができる前に解かそう！

① 睡眠時間を確保し、食事を1日3食とる
② ほっとできる時間、楽しい時間の確保
③ 軽い運動など、上手なストレス発散方法を身につける
④ できなかったことに悩むより、できたことを評価する
⑤ 仕事に慣れれば、今より楽になる
⑥ 先輩や仲間などの支援をうまく活用する
⑦ 「愚痴」れる、相談できる、聞いてくれる人がいる

困ったことについて相談することははずかしいことではありません。1人の力ではできない仕事や1人では安全にできない仕事を、協力し合って行うことは当然のことです。助け合うことはお互いさまです。先輩や仲間などの支援をうまく活用しましょう。

(7) 話をする、相談する

自分の気持ちを人に話すと、こころが楽になります。とくに身構えて相談しなくても、多くの場合、だれかに話を聞いてもらえるだけで、こころが楽になります。愚痴を聞いてもらうだけでもかまいません。ペットに話しかけるだけで気持ちが楽になるという人もいます。職場や友人、家族のなかで話せる人をつくりましょう。自分のこころの状態について話を聞いてもらえる、心療内科医やカウンセラーなど、かかりつけの専門家がいると安心です。

3 こころの病気

ここまで、介護従事者がかかりやすいこころの病気として、まずストレスが原因となる病気を説明しました。その他にも、うつ病や適応障害とよばれるこころの病気があるので、以下に説明します。

1 うつ病

(1) うつ病とは

うつ病とは、さまざまなことが原因で、脳の活動を支えるエネルギーが足りなくなり、その結果、憂鬱な気分となって生活する意欲が低下したこころの状態が続く病気です。脳の活動力が低下しているので、眠れない、気分が落ち込む、食欲がなく何を食べてもおいしくない、自分はだめな人間だと思う、仕事ができない、などの症状に苦しむことになります。

特別な出来事がないのに、いつの間にか症状があらわれることがあります。親しい人の死など、強い精神的なダメージが原因で発症することがあります。職場でのストレスが持続することや過労が原因で発症することもあります。

（2）うつ病の主な症状

うつ病では、気持ちが落ち込んで、物事を考えたり感じたりすることができなくなります。

それまで楽しかったことをもう一度経験しても、楽しみや喜びを感じられなくなります。好きだったスイーツを食べてもおいしいと感じられなかったり、喜びがわかなかったりするような、こころの感性が枯れた状態が続きます。好きなことをしても、楽しめない状態が続きます。たとえば、以前なら友人とカラオケに行くと気持ちがスッキリしてリフレッシュできていたのに、カラオケに行きたいとも思わなくなり、無理して行っても疲れるだけになるような状態です。自分にとって喜ばしいことが起きたり、気になっていた問題が解決しても、気分が晴れない、憂鬱な状態が続きます。

これらの症状が2週間以上続くようなら、うつ病の可能性があります。

（3）うつ病の治療

うつ病を治療するためには、まずこころの病気の治療を行うクリニック（精神科や心療内科）を受診する必要があります。さまざまな症状があって、仕事ができなくなるまで受診をがまんする必要はありません。軽い症状の段階で受診し、早く治療を始められれば、早く回復します。

まず、1番目の治療は、**休養**です。仕事の量を減らし、睡眠や休息を増やすことで、身体や脳の疲労回復をはかります。医師が、仕事を休んで休養をとることを指示した場合は、その指示に従いましょう。休養を通じて、睡眠のリズムを回復させたり、体力や脳の活力を回復させます。

2番目の治療は、**薬による治療**です。睡眠をサポートしたり、ふさぎこんだ気持ちを楽にしたり、こころの緊張をほぐす効果があったりします。症状に合わせて使用します。飲み始めて効果があらわれるまでに日にちのかかる薬や、勝手に飲むのをやめると副作用が出る薬もあるので、主治医に自分の症状をよく話して、症状に合った薬をもらいましょう。薬を利用することでこころの苦しみが軽くなり、よく眠れるようになって元気を取り戻す人が多くいます。

3番目の治療は、**カウンセリング**です。うつ症状の発症につながったさまざまな原因のなかでも、職場のストレスや人間関係のストレスなどの対処方法について、主治医や心理カウンセラーからアドバイスを受けます。これは、現在の症状についての治療としてだけでなく、同じようなストレッサーの影響を受けたときに、カウンセリングによってものの見方や感じ方を変えていることで、再発防止の効果をあげます。

2 適応障害

(1) 適応障害とは

適応障害とは、ある特定の場面や状況が、がまんできないほど苦痛で、その苦痛が原因でこころや身体にさまざまな症状があらわれたり、行動面にも症状があらわれる病気です。

(2) 適応障害の原因

適応障害の原因は、ある特定の場面や状況にがまんできないほど「苦痛」を感じることですが、「苦痛」とは恐怖心や苦手意識、不安感などで、どれもがまんできないぐらい強く感じてしまうことが特徴です。

以下に、介護現場での例をいくつか紹介します。どれも、介護就労者が日常的に経験することです。こうした状況を経験しても、すべての人が適応障害になるわけではありません。「こころが傷つきやすく、回復しにくい」タイプの人や、日ごろからさまざまなストレスを受け、こころの疲労がたまっていたときに、以下のような状況が重なると適応障害に発展することがあります。

〇適応障害に発展する原因の例

・上司や先輩から厳しく指導されて以来、上司や先輩と顔を合わせることが耐えがたく苦痛になった。

・ベッドから車いすへの移乗介助を行っていて、手順の間違いを指摘されて以来、移乗介助をする場面になると、不安が耐えがたいものになった。

・夜勤中に利用者が亡くなって以来、夜勤が異常に苦痛になった。

・利用者に髪の毛を引っ張られて以来、その利用者の介護が怖く耐えがたいものになった。

・利用者の家族から介護方法についてしかられて以来、その家族に耐えがたい恐怖を感じるようになった。

（3）適応障害の症状

適応障害の症状は、大きくは、こころの症状と身体や行動面の症状に分けることができます。

こころの症状としては、うつ病と同様に気持ちがふさぎこみ、理由もない不安感やあせり、イライラなどがあります。感情も不安定になり、突然涙が出るようなことも起きます。うつ病と大きく違うのは、適応障害の原因から離れるとこうした症状が軽くなったり、なくなったりする点です。仕事が休みの日には、少し気持ちが楽になり、食事や趣味を楽しむこともできたりします。気持ちの落ちこんだ状態が休日も続くうつ病とは、この点で異なります。

身体や行動面の症状としては、出勤しようとすると気分が悪くなったり、冷や汗が出たり、心臓がバクバクしたりすることがあります。お酒の飲み過ぎや、食事やおやつの量が増えたりします。無断欠勤したり、言葉づかいが荒くなったり、車の運転が荒くなったりすることがあります。同僚や家族とトラブルを起こすようなこともあります。

（4）適応障害の治療

重症化して出勤できなくなる前に、早期に対応することが重要です。基本的には、睡眠時間に気をつけ疲労をためないように健康管理してください。

適応障害の第一の治療は、原因となっている状況の改善です。職場の中の特定の人との関係や、特定の業務が原因となっている場合は、職場の上司や管理者に相談して調整してもらうことが治療につながります。体調不良を本人や職場の上司、同僚が気づいていても、その原因が適応障害なのかどうかは判断できません。職場に、健康問題を相談できる産業医や健康管理担当の看護師や保健師がいれば、相談し、原因となる状況を改善しましょう。

職場内に相談できる人がいない場合や症状が徐々に進行する場合は、心療内科や精神科を受診し、診断や治療を受けましょう。薬によって、精神的な緊張を楽にしたり、睡眠をとりやすくなったりします。適応障害の原因となる状況に対応するこころがまえや考え方についてのカウンセリングを受けることも、治療や予防に効果があります。カウンセリングについては、産業医や職場内の看護師、保健師が、定期的に行っている職場もあります。

3 燃え尽き症候群

今まで、元気いっぱいでがんばって仕事をしていた人が、急に元気を失い出勤できなくなるようなこころの病気を、**燃え尽き症候群（バーンアウト症候群）**と呼ぶことがあります。仕事に対するエネルギーが燃え尽きてしまったかのように見えるので、このように呼ばれています。使命感に燃えて全力で取り組んできた業務が終了したことをきっかけに「心に穴が開いたような感じ」に取りつかれ、家から出られなくなった例や、ていねいな食事介助に努めていたのに「そんなに時間をかける必要はない」と先輩から言われ、仕事に対する意欲をもてなくなった例などがあります。発病の背景には、心身の過労があります。長期にわたって全力でがんばってきた後の発病のため、治療はうつ病の場合と同様に、休養に加えて薬物やカウンセリング療法を行います。

4 職場で取り組むこころの健康管理

1 国が指導するこころの健康管理

こころの健康問題は介護の職場だけでなく、働く人たちに共通した健康問題になっています。こころの健康問題は、働く人たちの努力だけでは解決できません。そこで、国は雇用主にストレスが少ない快適な職場づくりを指導しています。国の指導にもとづいて、各職場では働く人たちのこころの健康状態に合わせた**予防指導**（ケア）に取り組んでいます。また、働く人のストレス度をチェックし、こころの健康状態の悪化を防ぐ取り組みが行われています。

2 職場で取り組まれている4段階のこころの健康ケア

（1）本人が対応する「セルフケア」

働く人みずからが取り組むこころの健康管理です。日ごろから、体調やこころの健康状態に注意し、不調を感じたら、仕事と生活、休息との

図5－7　職場で取り組まれている4段階のこころの健康ケア

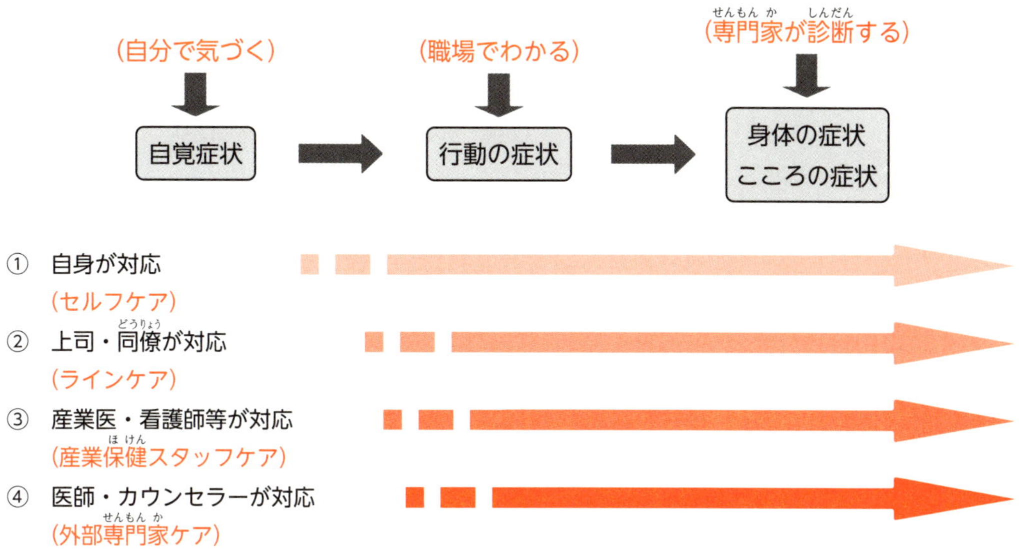

(自分で気づく) → 自覚症状 → (職場でわかる) → 行動の症状 → (専門家が診断する) → 身体の症状 こころの症状

① 自身が対応（セルフケア）
② 上司・同僚が対応（ラインケア）
③ 産業医・看護師等が対応（産業保健スタッフケア）
④ 医師・カウンセラーが対応（外部専門家ケア）

図5－8　こころの健康状態点検表

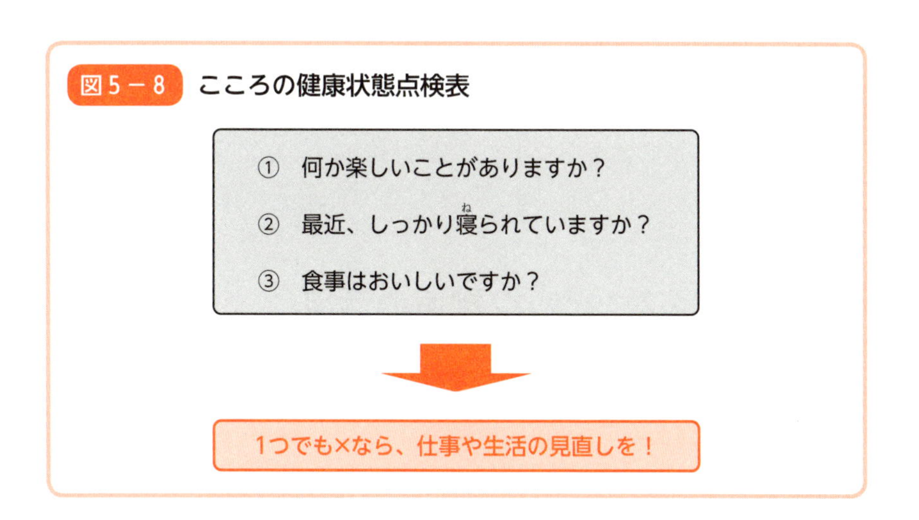

バランスを見直します。ストレスを感じる原因についても考え、対策をとります。1人で悩まないようにし、積極的に「相談」しましょう。こころの健康状態をチェックする簡単な点検のための3項目を、**図5－8**に示します。

（2）上司や同僚が対応する「ラインケア」

職場の上司や同僚が、部下や仲間の働き方や表情などから、こころや身体の不健康状態に気づいてとる対応です。「最近、疲れてない？」「何か心配事はない？」「がんばりすぎじゃない？」「いつでも相談にのるからね」などと、声をかけます。職場内の人間関係や仕事の量などを把握して、ストレスの原因になっているのであれば、調整します。

（3）産業医や職場の看護師・保健師が対応する「産業保健スタッフケア」

従業員の健康管理を担当する**産業保健スタッフ**（産業医や看護師、保健師など）が、こころの健康状態が悪化した従業員の指導・相談にあたります。職場の上司からの依頼を受けて従業員の面談を行ったり、従業員からの申し出で相談にのったりします。産業保健スタッフは、こころの健康問題に関する職場内の研修を担当したり、外部の医療機関に通院しながら働く従業員の支援なども担当します。

（4）専門医やカウンセラーが対応する「外部専門家ケア」

職場の中での対応だけでは、こころの健康問題が解決できそうにない場合は、職場外の**精神科医**や**心療内科医**と連携して取り組みます。仕事を休んで治療する必要があるケースでは、休業のための診断書を主治医から出してもらう必要があります。精神科等の専門医の治療が、重症化したこころの病気には必要です。

3 ストレスチェック制度の活用

現在、雇用主は年に1回、全従業員のストレスの程度を調査すること（**ストレスチェック**）が法律で義務づけられています。正確には、従業員数が50人以上いる施設などの雇用主にはその実施が義務づけられており、従業員数が49人以下の場合は努力義務になっています。

全従業員のストレスの程度を調査する目的は、労働者自身が自分のストレス状態を知り、こころの健康管理を行うことと、ストレスの原因となる職場内の問題を解決し、働きやすい職場をつくることです。調査は、アンケートに答える方法で行われます。自分のストレスの程度の情報は調査を担当する医師などが適正に管理するので、上司や雇用主に漏れることはありません。安心して、正直にアンケートに答えてください。ストレスの程度が強く、こころの健康が心配される労働者は、医師の面接や指導を受けることができます。ストレスチェック制度の活用によって、知らないうちにこころの健康が悪化することを防いだり、ストレスを生じやすい職場が改善されることが期待されます。

◆参考文献

- 中央労働災害防止協会編、垰田和史監『介護・看護職場の安全と健康ガイドブック』中央労働災害防止協会、2015年
- 厚生労働省「みんなのメンタルヘルス」 https://www.mhlw.go.jp/kokoro/
- 厚生労働省「こころの耳」 http://kokoro.mhlw.go.jp

演習5－1 ストレスの影響とこころの健康をよりよく保つための対処法について

1 人は高ストレス状態（じょうたい）が続くと、こころや身体にどのような影響（えいきょう）が出るか書き出してみよう。

2 次に、ストレスへの有効（ゆうこう）な対処（たいしょ）方法についてまとめてみよう。

第3節

身体の健康管理

学習のポイント

- 介護従事者の身体の健康障害の要因を理解する
- 介護従事者の身体の健康管理を理解する

1 介護従事者の身体の健康障害の現状

人や物を支える、持ち上げる、運ぶ、前傾中腰姿勢や長時間同じ姿勢をとる、特定の部位に負担がかかる、といった作業は、骨、筋肉、関節、靭帯などに過度の負担がかかります。また、そのような負担は蓄積していきます。少ない負担でも反復（くり返し）動作が多く、負担が持続すると、身体の組織は損傷するといわれています。介護労働は、このような作業が多いため、ほかの業種に比べ、作業への負担を感じやすい業種であるといえます。

厚生労働省が2020（令和２）年分としてまとめた「労働災害発生状況（確定）」[1]によると、社会福祉施設の労働災害発生率（**死傷年千人率**❶）は年々高くなっており、全産業とのギャップが広がっています（**表５－５**）。とくに、腰痛や頸肩腕障害の訴え率はきわめて高く[2]（**図５－９**）、こうした身体の不調は、離職の要因にもなっています[3]。さらに、最近では、職場のIT（情報技術）化の進展などにより、介護従事者もVDT（Visual Display Terminals）❷機器やタブレット、スマートフォンなどの携帯型情報機器を含めた情報機器作業が増えています。それにともなって、情報機器作業による身体的疲労や精神・神経的疲労などの健康障害が引き起こされる可能性が出てきています。介護従事者の健康悪化は、本人への影響に加え、人的コスト（介護従事者の休職や離職による人材不足の悪化、サービス・モラルの低下、専門性の喪失など）や、社会経済的コスト（医療費、人員補充費、広告費、再研修費など）の増大につながり、労働生産性の損失をもたらします。

❶死傷年千人率
１年間に発生した労働者1000人あたりの労働災害による死傷者数の割合

❷VDT
ディスプレイやキーボード、マウスなどで構成されているコンピュータの出力装置の１つであり、文字や図形、動画、グラフィックなどを表示する装置のことをいう。

表5－5　全産業と社会福祉施設の労働災害発生状況（死傷年千人率）

	2016年	2017年	2018年	2019年	2020年※
全産業	2.19	2.20	2.27	2.22	2.33
社会福祉施設	2.11	2.17	2.30	2.39	3.09

※COVID-19の罹患による労働災害を含む

資料：厚生労働省「令和2年労働災害発生状況（確定）」をもとに作成

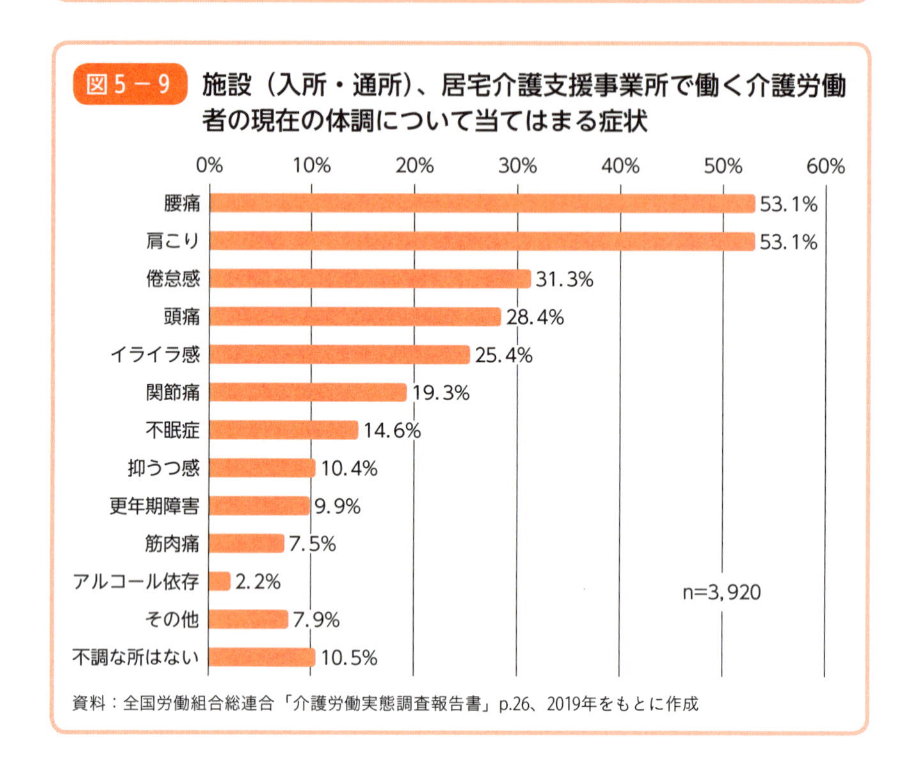

ここでは、介護従事者の身体の健康管理として、介護従事者の身体の健康障害のなかで訴えの多い、腰痛、頸肩腕障害、情報機器作業による健康障害の発生要因と、それらの予防と対策について解説します。

1　腰痛

（1）腰痛とは

腰痛とは、「腰部を主とした痛みや張りなどの不快感といった症状の総称」で、病名ではなく病気の症状の名前です。腰痛は、単に腰の痛みだけでなく、殿部から大腿部後面・外側面、下腿の内側・外側から足背部・足底部にわたって広がる痛みやしびれ、つっぱりなども含まれます。

労働者に生じやすい腰痛には、ぎっくり腰（腰部捻挫）、腰痛症（椎体や椎間板などに原因が見出せない腰痛）、椎間板ヘルニア、椎体骨折、座骨神経痛などがあり、とくにぎっくり腰や腰痛症が多くみられます。腰痛はさまざまな病気や身体の障害によって生じますが、原因が特定できない腰痛（非特異的腰痛）が多く、腰痛の約85％はこの非特異的腰痛だといわれています。

腰痛には、作業中に瞬間的に腰部に大きな負担がかかることで急に発症する**災害性腰痛（急性腰痛）**と、重量物の取り扱いや不自然な姿勢での作業など、腰部に過度の負担がかかる作業を数か月から数年以上にわたって行うことで発症する**非災害性腰痛（慢性腰痛）**があります。

（2）腰痛の発生要因

腰痛の発生や症状を悪化させる要因は、**表5－6**のように、①姿勢・動作に関係する要因、②環境に関係する要因、③労働者個人の要因、④心理・社会的な要因などさまざまです。腰痛は個人の問題としてとらえられがちですが、腰痛の多くは1つの要因だけで発症・悪化しているわけではなく、多くの要因が複雑に影響し合って発症・悪化しています。

2　頸肩腕障害

（1）頸肩腕障害とは

頸肩腕障害とは、「作業動作や作業姿勢などに関連して上肢系（後頭部、頸部、肩甲帯、上背部、前胸部、上腕、前腕、手、手指など）の筋骨格系組織（筋、腱、靱帯、骨、関節、神経など）に過度の負担がかかることで機能的または器質的な障害が発生・悪化する」ことです。2006（平成18）年12月に日本産業衛生学会頸肩腕障害研究会によって定義されました。頸肩腕障害の代表的なものとして、頸椎症、肩関節周囲炎、上腕骨上顆炎、手関節炎、腱鞘炎、手根管症候群、などがあります。

頸肩腕障害の自覚症状として、初期段階では上肢系の「だるさ」「こり」を感じるようになり、病期の進行にともなって「痛み」「しびれ」「動きの悪さ」などに変化していき、頻度も「時々」から「いつも」へ、症状もより強くなっていきます。また、頭痛、めまい、耳鳴り、睡眠障害、抑うつ症状、情緒不安定、思考力低下、動悸、微熱、感覚障害など

表5－6　腰痛の発生や症状を悪化させる要因

姿勢・動作に関係する要因	環境に関係する要因
・重量物の持ち上げや運搬（押す・引くなど）などにより腰部に強い負荷を受ける ・人力による利用者のかかえ上げにより腰部に強い負荷を受ける ・不自然な姿勢や動作をしばしばとる（前屈、ひねり、うっちゃり姿勢など） ・長時間同じ姿勢を続ける（拘束姿勢：立ちっぱなし、座りっぱなしなど） ・急激または不用意な動作をとる など	・寒い（身体を冷やす） ・湿度が高い ・振動や衝撃を受ける（自動車運転など） ・床面がすべりやすい ・段差がある ・障害物がある ・照明が暗い ・作業空間が狭い、散らかっている ・設備や備品の配置が不適切である ・休む時間や場所がない など
労働者個人の要因	**心理・社会的な要因**
・年齢 ・性別（一般的に高齢者や女性は若い男性より筋肉量が少ないため身体的負担が大きくなる） ・体格（環境が合っていない、相手と身長差がある（利用者や2人介助時の一方の介護者との差など）） ・筋力やバランス能力が低下している ・介護の専門的知識・技術が習得できていない ・腰痛の既往症、基礎疾患（骨、関節、靭帯、内臓等の疾患）がある など	・仕事への満足感や働きがいがえにくい ・利用者や家族とのトラブルがあった ・上司や同僚との関係にストレスを感じている ・責任を課せられている ・上司や同僚からの支えが不足している ・過度な長時間労働となっている ・激しい疲労感がある ・能力と適性に応じた職務内容となっていない など

といった症状・障害も、病期が進行するにつれて出現しやすくなります。

頸肩腕障害には、特定の部位の独立した病名をもつ障害（特異的障害）と、多様な病状が徐々に進行し、特異的な疾病の考え方では把握しきれない障害（非特異的障害）に分けられます。労働現場で発生する頸肩腕障害では、特異的障害よりも非特異的障害の占める割合がはるかに多いといわれています。

（2）頸肩腕障害の発生要因

頸肩腕障害の発生や症状を悪化させる要因も、**表5－7**のように、①姿勢・動作に関係する要因、②環境に関係する要因、③労働者個人の要

表5－7　頸肩腕障害の発生や症状を悪化させる要因

姿勢・動作に関係する要因	環境に関係する要因
・重量物の持ち上げや運搬（押す・引くなど）などにより腕や手首に強い負荷を受ける ・人力による利用者のかかえ上げにより腕や手首に強い負荷を受ける ・上肢系に反復動作（手指・手・前腕を早く動かす、上肢などの筋力を使う、上肢などを上げたり下げたりすることなどを何度もくり返す）が多い ・上肢系を挙上した状態で保持する作業が多い ・頸や肩の動きが少なく、姿勢を拘束される作業が多い ・上肢系の特定の部位に負担のかかる作業が多い など	・寒い（身体を冷やす） ・湿度が高い ・振動、衝撃を受ける（自動車運転など） ・床面がすべりやすい ・段差がある ・障害物がある ・照明が暗い ・作業空間が狭い、散らかっている ・設備や備品の配置が不適切である ・休む時間や場所がない など
労働者個人の要因	**心理・社会的な要因**
・年齢 ・性別（一般的に高齢者や女性は若い男性より筋肉量が少ないため身体負担が大きくなる） ・体格（環境が合っていない、相手と身長差がある（利用者や2人介助時の一方の介護者との差など）） ・筋力やバランス能力が低下している ・介護の専門的知識・技術が習得できていない ・頸肩腕障害の既往症、基礎疾患（骨、関節、靭帯、血管性疾患など）がある など	・仕事への満足感や働きがいがえにくい ・利用者とのトラブルがあった ・上司や同僚との関係にストレスを感じている ・責任を課せられている ・上司や同僚からの支えが不足している ・過度な長時間労働となっている ・激しい疲労感がある ・能力と適性に応じた職務内容となっていない など

因、④心理・社会的な要因などさまざまです。頸肩腕障害もまた、その多くは１つの要因だけで発症・悪化しているわけではなく、多くの要因が複雑に影響し合って発生・悪化しています。

3 腰痛や頸肩腕障害の予防と対策

腰痛や頸肩腕障害の発生・症状悪化の要因はさまざまですが、なかでも姿勢・動作に関することが、腰痛や頸肩腕障害の発生・症状を悪化させるリスクの半数以上を占めているようです。姿勢の違いや重量物の取り扱いによって、腰部や頸肩腕への負荷は変化します（**図５－10**）。

腰痛や頸肩腕障害は、前述のとおり、姿勢・動作が関係する要因、環境に関係する要因、労働者個人の要因、心理・社会的な要因が複雑に影響し合って発生・悪化しています。したがって、これらを全体的に検討し、いくつかの要因をターゲットとした介入の組み合わせ（統合的アプローチ）でもって対策を講じなければ、効果的な対策となりません。

ここでは、労働安全管理の基本である「作業管理」「作業環境管理」の考え方をベースとして、腰痛や頸肩腕障害の予防と対策について解説します。

図５－10　さまざまな姿勢での第３腰椎椎間板にかかる圧力の相対的変化

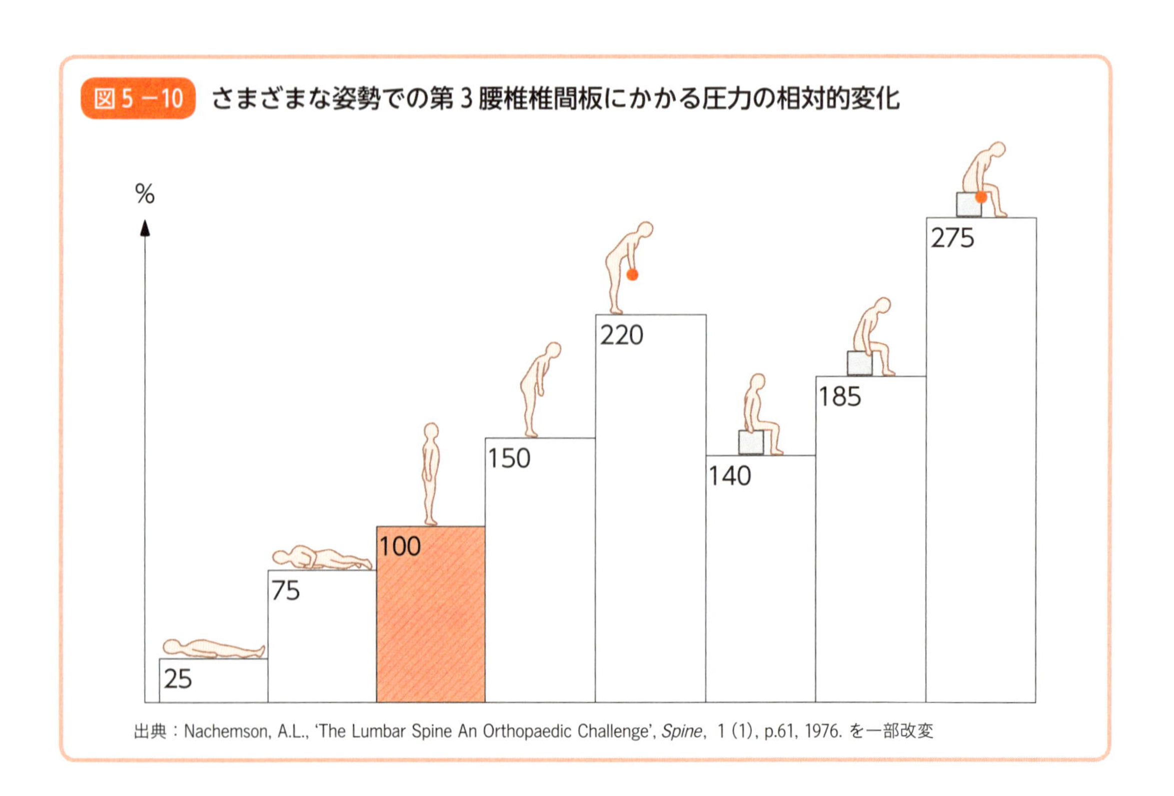

出典：Nachemson, A.L., ‘The Lumbar Spine An Orthopaedic Challenge’, *Spine*, 1 (1), p.61, 1976. を一部改変

（1）作業管理

作業管理とは、作業方法の改善や作業時間の適正化などをはかることです。介護作業においては、以下のことを留意するようにしましょう。

・省力化：人をかかえ上げる作業など、腰や頸肩腕に負担のかかる作業は、原則として人力のみでは行わず、スライディングシート、スライディングボード、スタンディングマシーン、移乗用リフトなどの福祉用具／機器を積極的に活用する。なお、福祉用具／機器を活用することは利用者の自立支援の観点からも重要である。

・作業姿勢・動作：前屈、ひねり、うっちゃり姿勢などの不自然な姿勢をとらないようにする。このような姿勢をとらざるをえない場合には、その程度を小さくするとともに、頻度や時間を減らすようにする。

・作業の実施体制：作業人数、作業内容、作業時間、福祉用具などが適当か検討する。腰や頸肩腕に過度の負担がかかる作業は、1人ではなく、身長差の少ない2人以上で行うようにする。

・作業の標準化・マニュアルの策定：作業内容別に作業姿勢・動作、作業手順、作業時間などのマニュアルを策定する。

・作業量・休憩：適宜、休憩時間を設け、休憩や仮眠が取れるようにする。能力に応じた作業内容・作業量とする。過労とならないように、長時間労働は避ける。

・靴・服装：靴は、足のサイズに合ったもので安全性の高いものを使用する。服装は、動きやすくて着心地がよく、伸縮性や保温性、通気性のあるものを着用する。

（2）作業環境管理

作業環境管理とは、労働環境が原因となって健康障害が起こらないように環境を整えることです。介護の作業環境管理では、以下のことに留意しましょう。

・室温・湿度：作業環境が暑熱、寒冷、多湿とならないよう、温度・湿度を調節する。または、着衣などで調節する。

・床面：転倒、つまずき、すべりなどを防止するために、床面はできる限り凹凸や段差がなく、すべりにくいものにし、水滴はすぐにふき取る。

・照明：足もとや周囲の安全が確認できるように、適切な明るさを保つ。

・作業空間、設備の配置：作業に支障がないように整理整頓し、作業空間を確保する。作業姿勢・動作が不自然にならないよう、設備や備品の配置を考慮するとともに、テーブルやデスク、いす、ベッドの高さを常に調節する。

（3）国際的な腰痛予防対策の考え方や取り組み

腰痛や頸肩腕障害は、諸外国においても介護労働者の人材不足や**労働損失日数**[3]の増大といった労働生産性の損失をもたらすことから、社会問題となっていました。そこでイギリスやオーストラリアなどでは、政府がプロジェクトを立ち上げて腰痛予防に関する研究を実施し、腰痛の発生要因の多くは人力のみによる持ち上げ作業であること、ボディメカニクスのみを活用しても腰痛予防としての効果はないことを明らかにしました。

1993年にイギリス看護協会が、1998年にはオーストラリア看護連盟ビクトリア支部（当時）がイギリス看護協会の発表したものをモデルとした「**ノーリフティングポリシー**[4]」を発表し、人力のみによる対象者の持ち上げ作業の制限または原則禁止、福祉用具の活用の徹底といった介護労働者の保護も保障する法的対策を実施しました。その結果、介護・看護労働者の労働災害件数や傷害による休職日数、労働者災害補償額を大幅に削減できたと報告されています。これらのことから、日本においてもノーリフティングポリシーの考えを取り入れた**腰痛予防対策**（ノーリフティングケア）を実施することが重要であるといえます。

❸労働損失日数
労働災害によって失われた労働日数を評価したもの。

❹ノーリフティングポリシー
介護や医療現場における腰痛予防対策指針のことで、対象者の自立・自律、対象者と介護労働者の保護のために、労働衛生の視点に基づいて人力のみで「押す・引く・持ち上げる」といった作業を可能な限り無くすあるいは最小限に抑え、移動・移乗時のリスクの回避・低減策として有益な用具や機器を積極的に使用したり、複数人数で対応したりするなどの労働環境を整備することをいう。

（4）ノーリフティングポリシーにもとづいた移動・移乗介助

すべての介助行程において、不良姿勢をとらない、抱き上げない、身体の左右バランスや複数者での介助時に一方に負担がかたよらないようにすることを前提とし、以下のことを留意して介助します。

① 対象者の状態・状況と能力を確認する
② 移動方向と距離、周囲の環境を確認する
③ 対象者の「自然な動き」を活用する
④ 「荷重」と「摩擦」を把握する
⑤ 対象者の積極的な参加をうながす

1 ベッド上での移動や体位変換時に介助を要する場合

対象者の身体の下にスライディングシートを敷き込み、ベッドとの摩擦を減らし、すべらせて介助する。

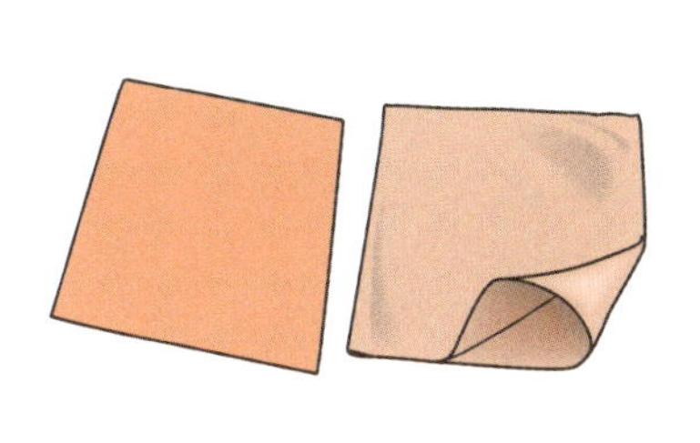

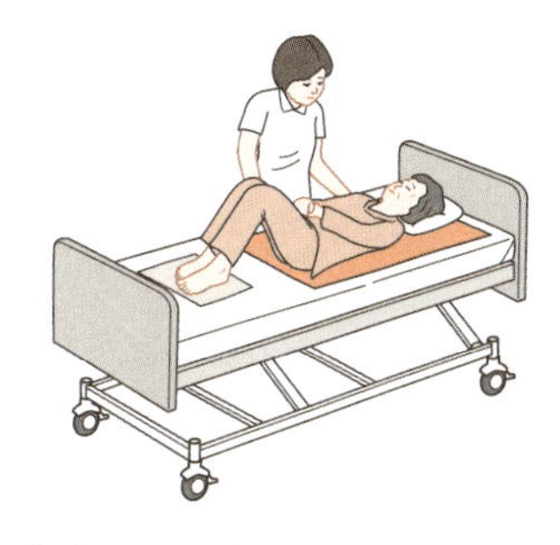

2 車いす、ベッド、トイレなどへの座位移乗時に介助を要する場合

立ち上がり、立位保持、方向転換、安全な着座に対して、１つでも大きな介助を要する場合は、対象者の殿部の下にスライディングボードを差し込み、身体を移乗先に傾けて、座位姿勢のまますべらせて介助する。なお、スライディングボードの使用は、対象者が端座位の保持と身体の前傾が可能であること、車いすのアームサポートが跳ね上げあるいは取り外しが可能であることが条件となる。

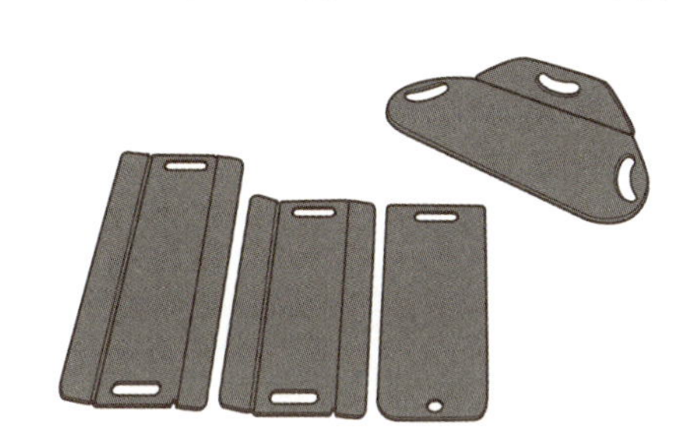

3 リクライニング車いす、ベッド、ストレッチャーなどへの臥位移乗時に介助を要する場合

起き上がりが困難な対象者の身体の下に移乗用ボードを差し込み、身体を移乗先に傾けて、臥位姿勢のまますべらせながら介助する。

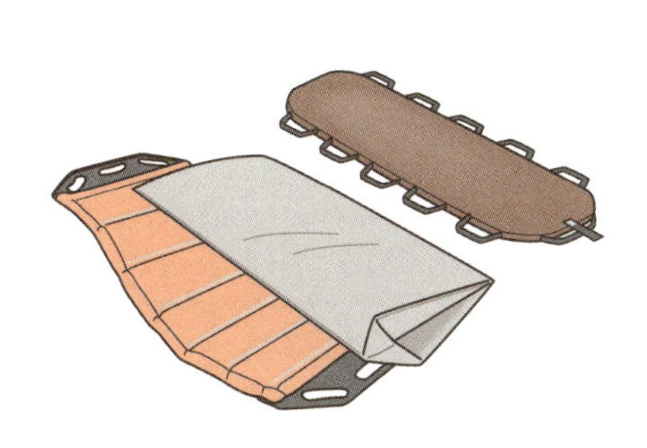

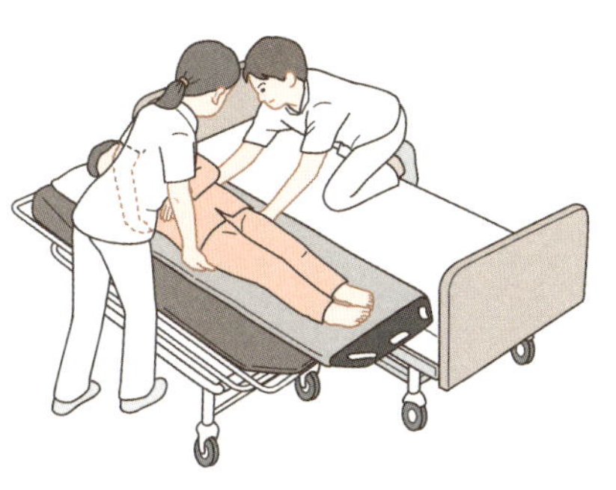

4 寝返りやギャッチアップなどの体位変換時に介助を要する場合

介助者の手にスライディンググローブをはめ、対象者の背部や殿部、下肢などの下に差し込み、圧の確認や分散、皮膚のずれや摩擦の軽減をはかったり、衣類のしわを伸ばしたりする。

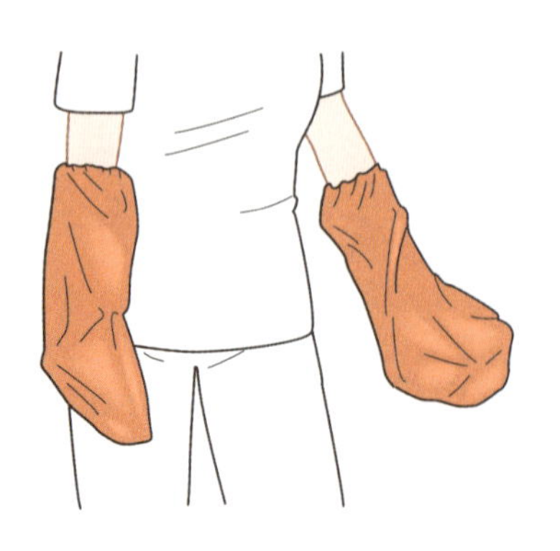

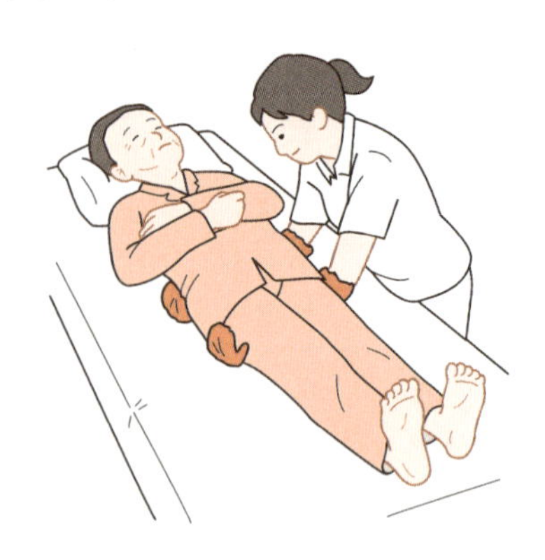

5 立ち上がりや座位移乗時に介助を要する場合

対象者の骨盤に介助用ベルトを装着し、介助用ベルトの把手を持って対象者の身体を支持したり、把手を引いたりするなどして重心移動を介助する。介助者も把手を装着することで、対象者が介助者の把手をつかんで立ち上がったりすることができる。

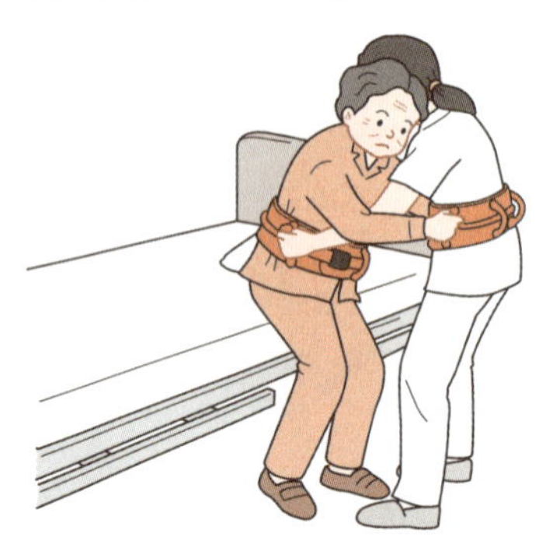

6 車いす、ベッド、浴槽などへの移動・移乗時に介助を要する場合

端座位の保持と身体の前傾が困難な対象者の身体の下につり具（スリングシート）を敷き込み、移乗用リフトを使ってつり上げて介助する。

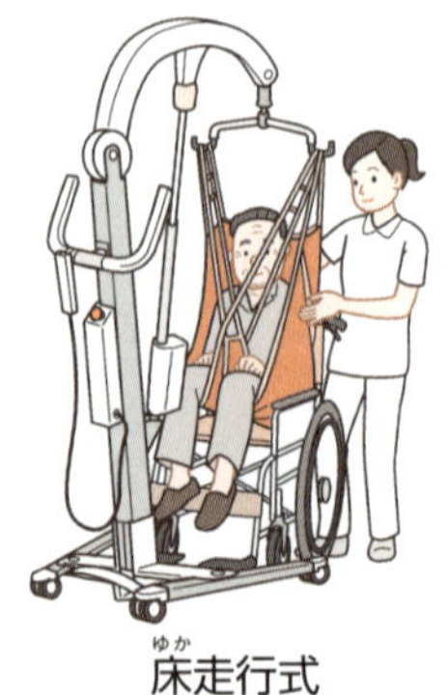

床走行式

固定式

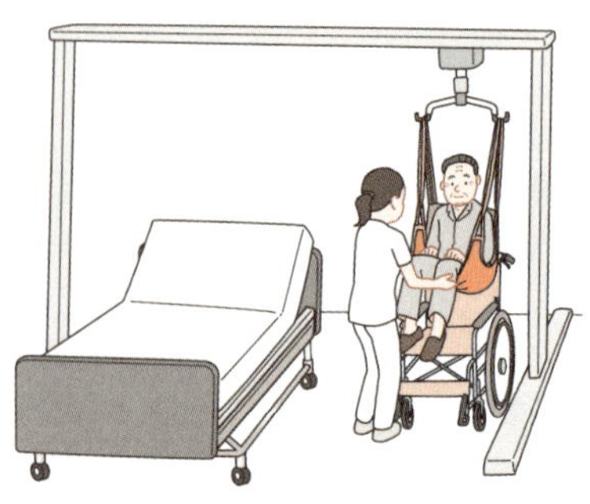

据置式

7 車いす、ベッド、トイレなどで立ち上がる場合

対象者の腰背部や殿部の下につり具を差し込み、立位補助機（スタンディングマシーン）を使ってつり上げる、あるいは機器に備えつけられたいすや担架などの台座を使って前傾姿勢を保持し、介助する。

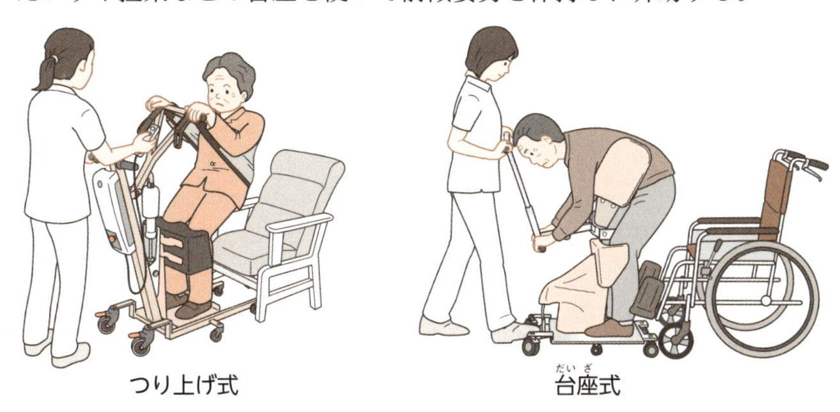

つり上げ式　　台座式

4 情報機器作業による身体の健康障害

情報機器作業者の身体の健康障害に関する自覚症状は、眼に関するもの（眼が痛い、眼が疲れる、眼が重い、物がぼやける、**眼精疲労**⑤など）、筋骨格系に関するもの（頸肩腕・腰背部に疲れや痛みがある、しびれや知覚過敏、知覚鈍麻がある、手指に冷感があるなど）が多いです。情報機器作業の時間が長くなるほど、これらの訴え率も高くなる傾向にあります。また、身体的な疲労が加わることで、精神的・心理的な疲れ（眠れない、疲労感がある、落ち着かない、イライラする、やる気が出ないなど）にも影響するといわれています。

⑤眼精疲労
視作業を続けることによって、物がぼやける、眼が痛む、眼がかすむ、眼が乾く、まぶしさを感じる、充血するなどの眼の症状や、頭が痛くなる、肩がこる、めまいや吐き気がするなどの全身的な症状を引き起こし、休息や睡眠をとっても十分に回復しきれない状態のことをいう。

（1）情報機器作業による眼の疲労とその対策

安静時のまばたきの回数は15～20回／分とされていますが、情報機器作業はディスプレイを注視するため、約4分の1に減少するといわれています。さらに、ディスプレイを見上げる角度が大きかったり、空調からの風が顔にあたったりするなど、眼球の表面が乾燥しやすい状態になると、ドライアイを引き起こす可能性があります。

ディスプレイ上に輝度（画面の明るさの度合い）が大きく異なるものがあったり、ディスプレイとキーボードや書類などの輝度が大きく異なっていたりして、輝度の大きな物を交互に見なければならない場合には、網膜の感度が落ちてしまい、見えにくくなります。また、ディスプ

レイ、キーボード、書類と眼までの距離の差が大きいと、焦点を合わせるための調節を頻繁に行う必要があり、眼精疲労が生じやすくなります。

したがって、ディスプレイや書類を凝視しないように字や図のサイズを調節する、空調からの風が直接顔にあたらないようにする、ディスプレイの上端が目の位置より10度くらい下になるよう調節する、視野内の輝度を同じ程度になるよう調整する、ディスプレイやキーボード、書類と眼までの距離が同じ程度になるよう配置しましょう。また、「**20-20-20ルール**⑥」[4)] を実践して、眼を休めましょう。

⑥20-20-20ルール
アメリカの眼科医ジェフリー・アンシェル（Anshel, J.）が提案した眼精疲労を予防する方法。パソコン、タブレット、スマートフォンなどの情報機器を使用する場合、20分ごとに20秒間20フィート（約6m）以上離れたところを見る（座っていたならば立ち姿勢に変える）などをルール化したもの。

（2）情報機器作業による筋骨格系の疲労とその対策

情報機器作業による筋骨格系の疲労（とくに筋肉疲労）のおもな原因は、長時間同じ姿勢を保つことと、手指の反復動作です。

頸の前傾が大きくなると頸のこりや痛みが増加します。タイピングやマウス操作時に前腕や手首を支える物がないと、肩のこりや痛みは増加します。また、座位時に座面で大腿部の裏面が圧迫されると血液循環が悪くなり下肢の筋肉疲労が生じます。したがって、頸の前傾が大きく（30度以上）ならないように、パソコンを使用する場合は、ディスプレイと目の距離を40～70cm程度確保する、タイピングやマウス操作時に前腕や手が安定して負荷が分散するように、高さの調整が可能な肘掛けやパームレストを用いる、大腿部が圧迫されないようにいすの高さを調節したり足台を用いたりして、足裏全体がしっかり床面につくようにしましょう。タブレットを使用する場合は、視認性を高めるために画面を横向きにし、上肢の負荷を小さくするために両手で持つようにしましょう。また、腰背部の筋緊張を減少させるために背もたれを使うようにしましょう（**図5－11**）。そして、長時間の姿勢拘束による筋骨格系の疲労の対策のために、20分ごとに立ち姿勢に変えましょう（「20-20-20ルール」参照）。

⑦リスクアセスメント
事前にリスクの要因を見つけ出し、リスクの大きさ（重大さ＋起こる可能性）を評価してリスクの大きいものから優先的に対策を検討していく手法のことをいう。

5 健康障害の予防と対策

腰痛、頸肩腕障害、情報機器作業による身体の健康障害を予防するためには、管理者の責任のもと、組織として労働衛生管理体制を整備します（**図5－12**）。そして、前述した作業管理や作業環境管理に加え、健

図5−11 情報機器作業による筋骨格系の疲労対策（デスクトップ型機器の場合）

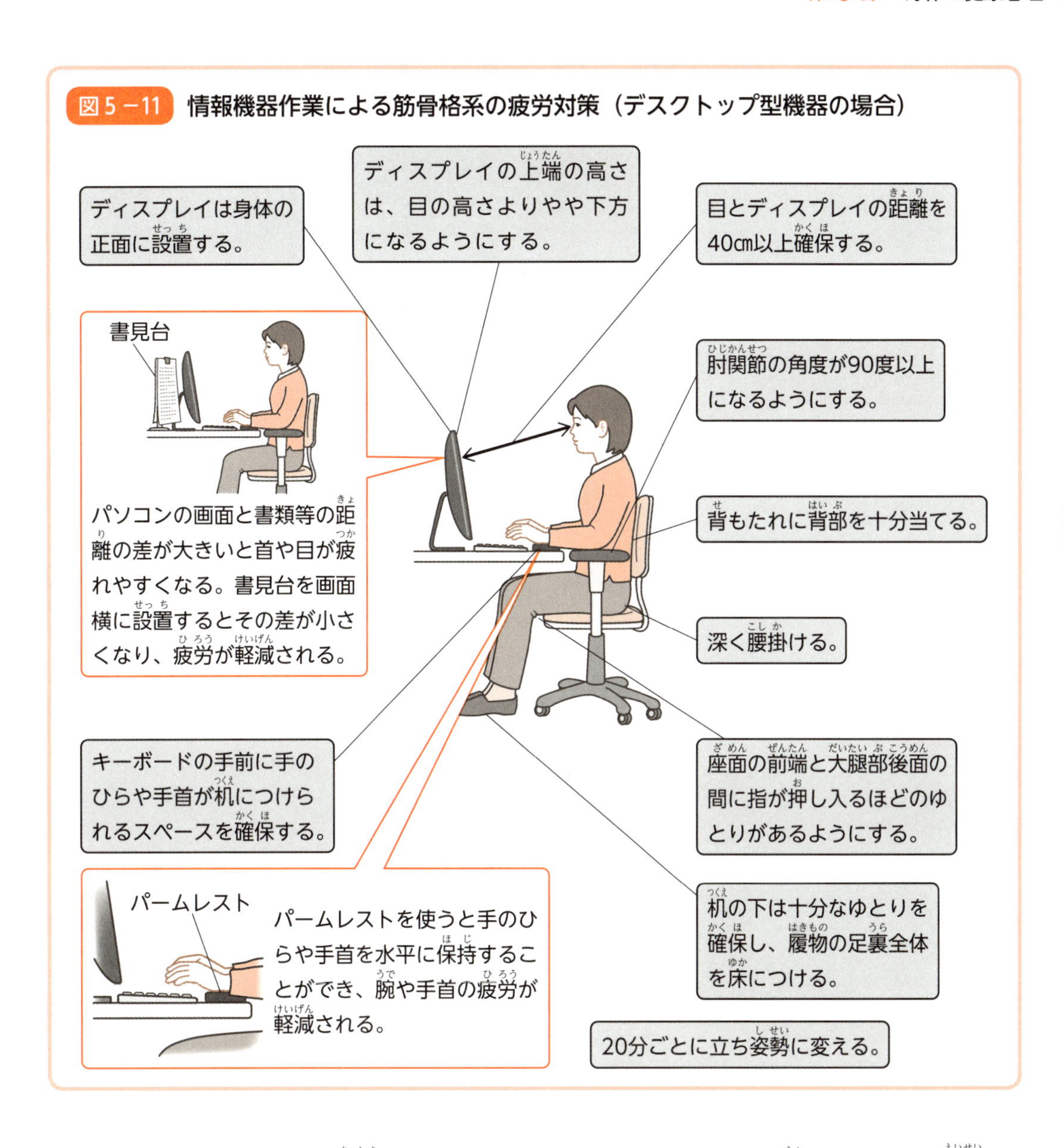

康管理や、労働者が正しい知識と技術をもって作業できるような労働衛生教育について全職員が協力して総合的・継続的・体系的に実施することが重要です。また、**リスクアセスメント**[7]（図5−13）や**労働安全衛生マネジメントシステム**[8]（Occupational Safety and Health Management System：OSHMS）の考えを導入し、腰痛や頸肩腕障害の予防と対策の推進をはかることも有効です。厚生労働省は「職場における腰痛予防対策指針」において、これらの実施を推奨しています。

8 労働安全衛生マネジメントシステム
労働災害の防止と労働者の健康増進、快適な職場環境を形成し、事業場における安全衛生水準の向上をはかることを目的として、事業者が明確な安全衛生に関する方針を表明するとともに、事業者が労働者の協力のもとにリスクアセスメントの結果に基づいてPDCAサイクルを展開させるしくみのこと。

（1）労働衛生管理体制の整備

労働者の健康障害予防に関する取り組みの効果を上げるためには、ま

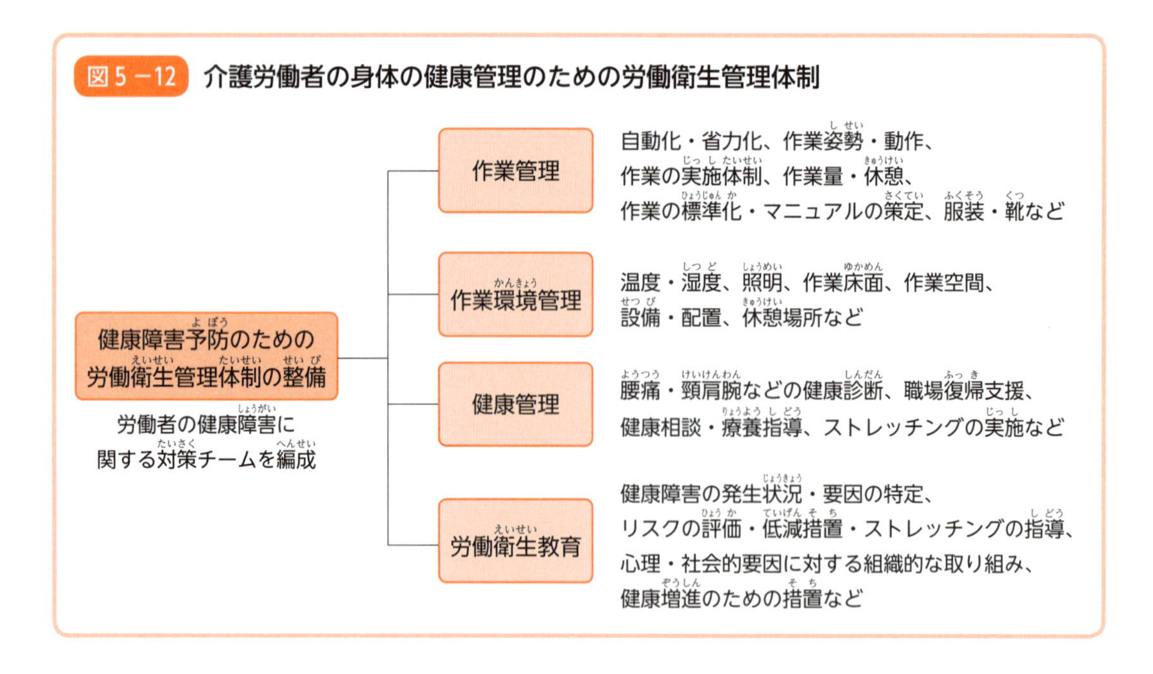

図5－12　介護労働者の身体の健康管理のための労働衛生管理体制

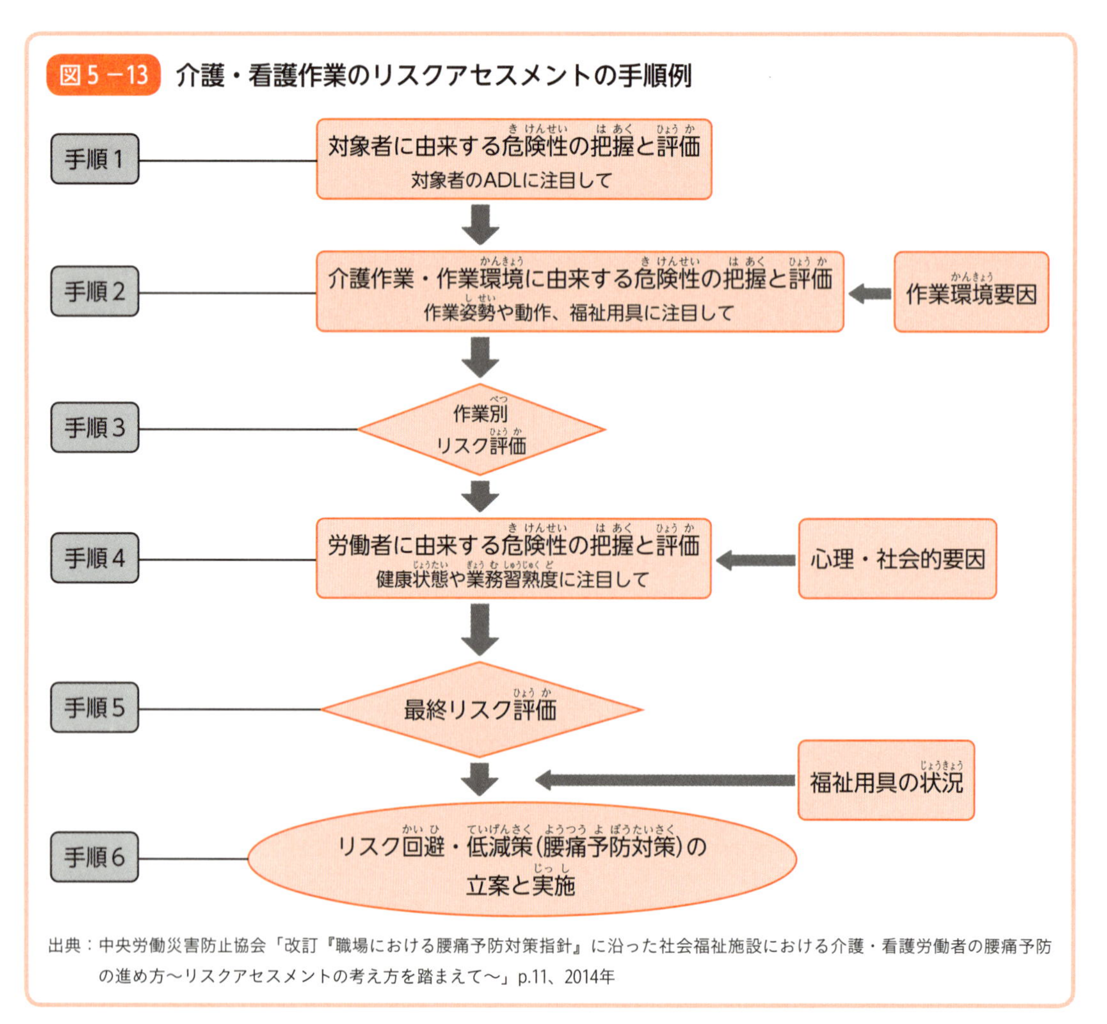

図5－13　介護・看護作業のリスクアセスメントの手順例

出典：中央労働災害防止協会「改訂『職場における腰痛予防対策指針』に沿った社会福祉施設における介護・看護労働者の腰痛予防の進め方～リスクアセスメントの考え方を踏まえて～」p.11、2014年

ず事業所長が労働者の健康障害の予防の必要性を理解したうえで、率先して明確な安全衛生に関する方針と中期的な目標などを表明する必要があります。そして、衛生委員会（または安全衛生委員会）のもとに労働者の健康障害に関する対策チームを編成し、組織的に進める必要があります。

健康障害予防対策チームは、（安全）衛生委員会と連携して、労働者の健康障害予防対策として、①リスクアセスメントの実施、②リスク回避・低減策の立案と評価、③健康障害予防の研修の企画と実施、④福祉用具の整備・補充状況の把握などの取り組みを実施します。その他にも、上司・同僚のサポートや腰痛で休むことを受け入れる環境づくり、相談窓口の設置といった組織的な取り組みが行える体制を整備します。

（2）健康管理

健康管理とは、健康診断やその結果にもとづいた対策を講じることです。健康管理においては、以下のことを留意するようにしましょう。

・健康診断：医師による腰痛、頸肩腕障害、情報機器作業による健康障害に関する健康診断を定期的（6か月以内に1回）に実施する。健康診断の結果について医師の意見を聞き、腰痛や頸肩腕障害の予防のために必要がある場合には、作業体制・作業方法の改善、作業時間の短縮などを実施する。

・ストレッチング：始業と終業時にストレッチングを実施する。

・健康の保持増進のための措置：バランスのとれた食事、十分な睡眠、禁煙、入浴による保温、適度な運動、休日を利用した疲労回復・気分転換などをうながす。

（3）感染症の予防と対策

私たちの身のまわりには多種多様の微生物が存在し、私たちは日常的に微生物に接触しています。一部の微生物には害を与えるものが存在し、体内で異常増殖すると**感染症**[9]を引き起こします。加齢や妊娠、生活習慣（強いストレス、生活時間の乱れ、睡眠不足、栄養不足やかたより）などにより、免疫力（病気などに対する抵抗力）が低下してくると感染症にかかりやすい状態となります。そのため、介護を必要とする人は感染症にかかりやすい状態といえます。

介護従事者は介護を必要とする人の生活支援にたずさわるため、一般

⑨感染症

病原体（病気を引き起こすウイルス、細菌、真菌、寄生虫など）が体内に侵入して増殖し、発熱、咳、腹痛、下痢、嘔吐などの症状が出ること。感染しても症状が出ない場合もある。

の人に比べて感染を受けるリスクがありますが、介護従事者自身が免疫力の低下により感染源になるリスクもあります。感染症の予防と対策は、**感染「しない」「させない」「拡げない」**が原則です。したがって、感染症の予防と対策を効果的に実施するには、感染症に関する正しい知識を習得し、対象者に応じた感染予防策を実施するとともに、介護従事者１人ひとりが自身の健康管理を十分に行い、予防に努めることが大切です。また、施設・事業所では、管理者の責任のもと、感染予防体制を整備（感染対策委員会の設置、施設・事業所の実情をふまえた指針・マニュアルの策定、職員研修の実施、設備の整備、関係機関との連携、職員の労務管理）し、日ごろから対策を実施すること、感染症の発生時に迅速で適切な感染拡大防止策をはかることが重要です。よりくわしくは、第３章第３節の「感染症対策」を参照してください。

◆引用文献

1）厚生労働省労働基準局「小売業、社会福祉施設及び飲食店における労働災害発生状況（事故の型別）」「令和２年労働災害発生状況の分析等」p.17、2021年

2）全国労働組合総連合「介護労働実態調査報告書」p.26、2019年

3）社会福祉振興・試験センター「福祉・介護・医療分野の職場を辞めた理由」「社会福祉士・介護福祉士・精神保健福祉士就労状況調査（令和２年度）結果報告書」p.64、2021年

4）日本人間工学会『タブレット・スマートフォンなどを用いて在宅ワーク／在学学習を行う際に実践したい７つの人間工学ヒント』pp.５～６、p.９、2020年

◆参考文献

- 車谷典男・徳永力雄編著『介護職の健康管理――今すぐできる予防と対策』ミネルヴァ書房、2003年
- 中央労働災害防止協会編『腰痛を防ごう！――改訂「職場における腰痛予防対策指針」のポイント』中央労働災害防止協会、2013年
- 日本産業衛生学会頸肩腕障害研究会「頸肩腕障害の定義2007」『産業衛生学雑誌』第49巻第２号、2007年
- 垰田和史『働く者の労働安全衛生入門シリーズ６　腰痛・頸肩腕障害の治療・予防法』かもがわ出版、2008年
- 「職場における腰痛予防対策の推進について」（平成25年基発0618第１号厚生労働省労働基準局長通知）
- 垰田和史監『介護・看護職場の安全と健康ガイドブック』中央労働災害防止協会、2015年
- 厚生労働省老健局「介護現場における感染対策の手引き 第２版」2021年
- 厚生労働省労働基準局「情報機器作業における労働衛生管理のためのガイドライン」2019年

演習5－2　腰痛予防のための注意点

腰痛の発生要因についてまとめ、腰痛を予防するために、介護場面でどのような点について注意をすればよいか書き出してみよう。

第4節

労働環境の整備

学習のポイント

- 労働条件の整備について学ぶ
- 熱中症の予防について学ぶ
- けがを防ぐための労働環境の整備について学ぶ

関連項目

④『介護の基本Ⅱ』▶第3章「介護における安全の確保とリスクマネジメント」
⑥『生活支援技術Ⅰ』▶第2章「居住環境の整備」
⑥『生活支援技術Ⅰ』▶第3章「自立に向けた移動の介護」

1 労働環境について学ぶ意義

労働環境は、働く人の生活や健康、安全にさまざまな影響を与えます。労働時間の長さや、休日の日数、賃金など労働条件に関することも労働環境に含まれます。労働条件がかかわる労働環境は、介護従事者にとって生活に直結する問題です。就職する際には、労働条件に関する事項が書かれた就業規則の内容の説明を受け、納得して就職することが大切です。また、職場の環境がどのような状況なのか、たとえば、気温が45度を超えるような暑い場所での作業なのか、冷凍倉庫の中の作業のようにマイナス20度の環境での作業なのかで、働く人の健康への影響は大きく異なります。命綱をつけなければならない高所作業の場合、事故の危険性が高くなります。また、本章第2節で説明したように、パワーハラスメントが日常的にあるような職場環境では、安心して働くことができません。

この節では、介護従事者の生活や健康、安全に影響する労働環境と、健康や安全を守るための整備方法について学びます。

2 労働条件がかかわる労働環境

1 勤労の権利と義務

日本国憲法第27条では、「すべての国民は、勤労の権利を有し、義務を負う」「賃金、就労時間、休息その他の勤労条件に関する基準は、法律でこれを定める」「児童を酷使してはならない」と定められています。基本的に、人々は働いて収入をえることで生活できますし、人々が働くことで社会が豊かになり、社会が支えられています。そのため、国民の働く権利と義務を日本国憲法に定めているのです。ただし、賃金や労働時間の長さ、休息などの働く際のルール（労働条件）については、雇用主まかせではなく、労働基準法（本章第1節の2参照）で守るべき最低基準を示しています。また、雇用主が労働者に対して違法な働かせ方をしていないか、労働基準監督署が指導監督しています。

2 労働組合

労働基準法で基準となる労働条件が定められていますが、その内容は「最低基準」、つまり、この条件より悪い条件で働かせることができない水準を示したものです。労働者がよりよい労働条件を希望しても、個人的にそのことを雇用主に伝えて、労働条件の改善を実現することは簡単ではありません。法律に違反した労働条件の是正を求めることでさえも困難な場合があります。

こうした雇用主に対する労働者の弱い立場をふまえて、日本国憲法第28条では「勤労者の団結する権利及び団体交渉その他の団体行動をする権利は、これを保障する」と定めています。この内容は、労働者が**労働組合**を組織し、労働条件の改善のために雇用主と交渉することが労働者の権利であることを示しています。

日本国憲法第28条が定めた、労働者の3つの権利は次のとおりです。

(1) 団結権

労働者が、団結して、賃金や労働時間など労働条件の改善をはかるための組織（労働組合）をつくる権利を定めています。

(2) 団体交渉権

労働組合が、労働条件の改善を求めて雇用主と交渉する権利を定めています。

(3) 争議権

労働組合が労働条件の改善を求めて雇用主と交渉する際の手段として、労働者がいっせいに仕事を止めるなど、業務の正常な運営に支障をきたすような争議行為を行う権利を定めています。

3 介護従事者の労働災害

介護従事者が、仕事が原因で病気になったり、けがをしたりした場合に、労働災害として医療費や休業中の生活費の補償を受けられることについては、本章第1節で学びました。厚生労働省の発表によると、2020（令和2）年に、社会福祉施設の労働者のなかで労働災害のために4日以上休んだ人が1万3267人おり、そのうち腰痛などの発生につながった「動作の反動・無理な動作」による休業が4199人（全体の32%）、「転倒」によるけがで休業した人が3892人（全体の29%）で、ともに高い割合でした。けがについては、「転倒」に加えて階段などからの「墜落・転落」や、物や人への「激突」によるけがを合わせると全体の40%になり、最大の休業理由となっていました。このことから、介護従事者にとって、腰痛の予防とけがの予防は重要な課題といえます。腰痛に関しては、本章第3節の「身体の健康管理」で学習しました。

本節では、労働環境にかかわって発生する介護従事者の健康問題として、熱中症とけがの予防に焦点をあてます。

4 熱中症と労働環境

1 熱中症の危険性が高い介護場面

近年、地球温暖化にともなって夏季の猛暑が深刻になり、熱中症による死亡者数が増加しています。介護施設内は、利用者の生活に合わせてクーラー等により気温が調節されているため、熱中症の危険性は低くなっています。ただし、介護従事者にとって、熱中症の危険性が高まる場面が、２つあります。１つは、入浴介護場面です。もう１つは、訪問介護場面です。

2 熱中症

（1）熱中症はなぜ発生するのか（図５－14）

私たちの身体は、運動したり、気温の高いところにいたりすると、体温が上昇します。体温が上昇しすぎると心身が正常にはたらくことができなくなるので、体温を下げるための２つの身体の反応が起きます。

１つは、汗をかいて、汗が蒸発するときの熱を奪う作用で体温を下げる反応です。汗は体内の水分なので、汗の材料として水分が必要になります。また、汗には水分以外に塩分などが含まれますから、汗を多くかくときは塩分を補給する必要があります。

もう１つは、血液を身体の表面に集めて、外気を利用して体温を下げる反応です。身体が熱くなると、顔などの皮膚の色が赤くなるのはこのためです。外気を利用して体温を下げるためには、外気が冷えている必要があります。発熱したときに、冷えたタオルや氷嚢を身体に当てるのはこのためです。長袖や風通しの悪い衣服で、外気が肌に触れることが邪魔されていると、体温が下がりにくくなります。

発汗や外気を利用して体温を下げていても、体温上昇が続くと、心身の正常な機能が失われ、熱中症になります。

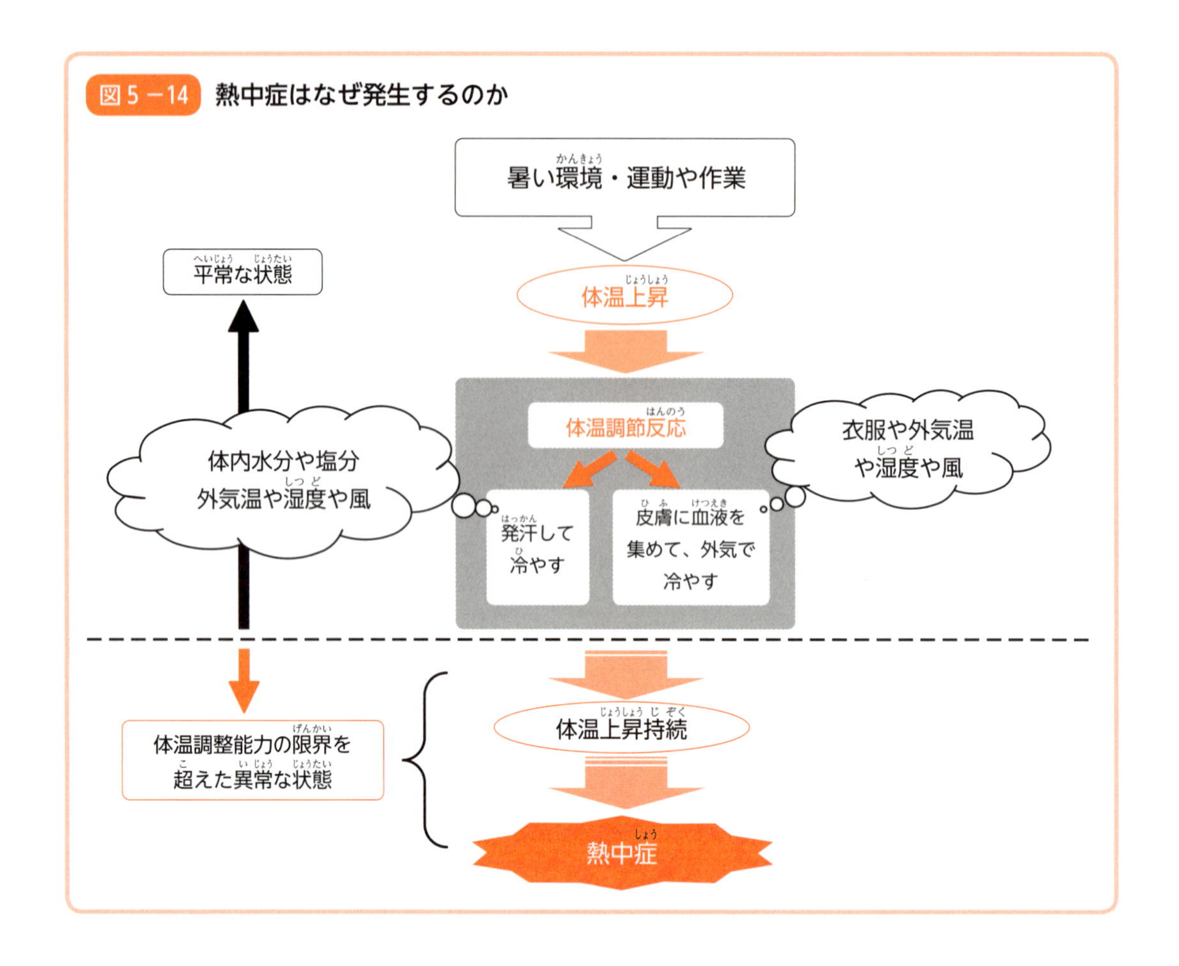

（2）熱中症の症状と対応

熱中症の症状は重症度によって異なります（**表5－8**）。軽症（Ⅰ度）の場合は、めまいや立ちくらみ、ふくらはぎなどの筋肉痛やけいれんがあります。涼しいところで休み、身体を冷やし、水分をとりながら様子を見ます。症状が続くようなら病院に連れて行きます。中等症（Ⅱ度）の場合は、頭痛や吐き気、身体に力が入りにくい、だるいなどの症状がでます。軽症のときと同じように、涼しいところで身体を休ませて水分をとってもらうとともに、病院に連れて行きます。重症（Ⅲ度）の場合は、まっすぐ歩けない、意識がはっきりしない、名前を呼んでも返事がおかしい、全身がけいれんする、身体が熱いなどの異常がでます。命にかかわる事態なので、救急車を呼ぶ必要があります。

熱中症は、寝不足だったり、下痢をしていたり、前日にお酒を飲みすぎたりしていると、発生の危険性が高まります。正しい知識と健康管理が大切です。

表5－8　熱中症の重症度別の症状と対応

重症度	症状	具体的な対応
軽症（Ⅰ度）	めまい、立ちくらみ、汗が止まらない、筋肉痛・こむら返り	涼しい場所で休ませる、身体を冷やす、水分補給する、などで症状が回復しなければ、病院へ連れていく
中等症（Ⅱ度）	頭痛、吐き気、身体がだるい、ぼーっとする、力が入りにくい、など	水分の補給 病院で手当てを受ける
重症（Ⅲ度）	まっすぐ歩けない、呼びかけても返事がおかしい、全身がけいれんしている、身体が熱い、など	入院治療が必要 救急車を呼ぶ

3　入浴介護場面や訪問介護場面での熱中症対策

（1）入浴介護場面

風呂場や脱衣場は、裸の利用者が寒さを感じない環境であるため、高温多湿になっています。介護従事者は、利用者の衣服の着脱介助や歩行の介助、身体を洗う介助など、身体的負担の大きい介助を行います。車いすやストレッチャーからの移乗介助にも、大きな身体的負担があります。こうした介助が続くと、体温が上昇し熱中症の危険性が高まります。

入浴介助が連続する場合は、水分補給や身体を冷やすための短い休憩時間をとるようにしましょう。扇風機やクーラーの風を利用して、介護者が涼めるコーナーをつくりましょう。入浴介助を担当する前日は、いつも以上に体調管理に気をつけましょう。睡眠不足や下痢症状のあるときは、熱中症の危険性が高まるので注意してください。

（2）訪問介護場面

夏場の訪問介護では、30度を超えるような高温のなか、利用者宅へ移動することがあります。また、クーラーがない利用者宅で、身体的負担の大きな介助や時間に追われての家事援助などを行うことがあり、熱中症の危険性が高まります。地域に熱中症警戒アラートが出ている場合や、利用者宅の部屋の温度が30度を超えているような場合は、利用者にとっても熱中症の危険があります。クーラーの導入をはたらきかけたり、扇風機や換気による室温の低下に努めましょう。また、水分摂取にも努めましょう。移動用の車内には、保冷剤やタオル、飲み物などをクーラーボックスに入れて準備しておきましょう。

5 事例で考える、けがと労働環境の関係

介護の職場で発生したけがの事例をもとに、労働環境や予防対策について考えてみます。

1 「転倒」で発生した事例

① 脱衣場の濡れた床ですべって転倒し、腰痛になった。バスチェアーで利用者の入浴を介助し脱衣場に誘導したとき、バスチェアーから雫がたれて床を濡らしていた。

【対策】風呂場と脱衣場の間に水切りマットを入れて、脱衣場の床にすべり止めを敷いた。

② 洗い場の前が濡れていて、歩行中にすべって転倒し、腕を骨折した。

【対策】洗い場の前の水がかかりやすい場所に、濡れたときにすぐふけて、すべり止めにもなるタオルを敷いた（**写真５－１**）。

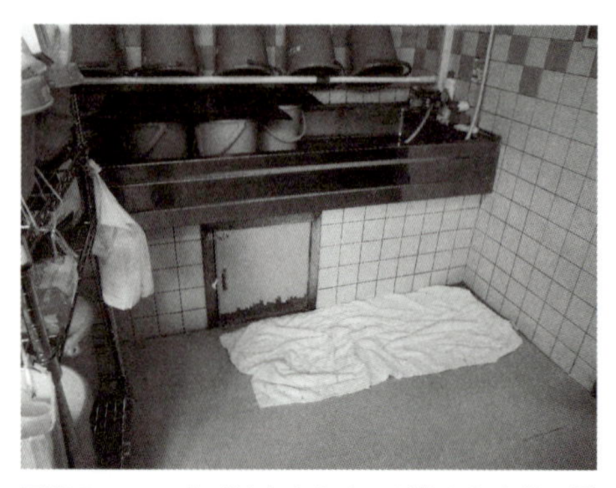

写真５－１　すべり止めタオルが敷かれた洗い場

③　配膳車からこぼれたお茶で濡れていた床に気づかず、すべって転び手首を骨折した。
【対策】配膳車に雑巾、配膳車の停車位置近くにモップを用意し、配膳車の移動時に必ず床の濡れを確認し、濡れていればふくことにした。

④　おむつ交換をするために、ベッドの反対側に回ろうとしたとき、ベッドの周りのコードに引っかかって転び、捻挫した。
【対策】ベッド単位でテーブルタップやコード類をまとめて整理した（**写真5－2**）。

⑤　ベッドから車いすへ利用者を抱きかかえて移乗しようとしたとき、車いすにつまずいて、利用者の下敷きになって倒れ、足首を骨折した。
【対策】抱きかかえによる移乗をやめ、移乗補助具（スライディングボード、リフト、立位補助機など）を使用した移乗方法に変更した。

⑥　狭いトイレ内で利用者を車いすから便器に抱きかかえて移乗しようとしたとき、無理な姿勢で腰をひねったため、腰を痛めた。
【対策】トイレ用車いすを利用することで、トイレ内での移乗介護をなくした。

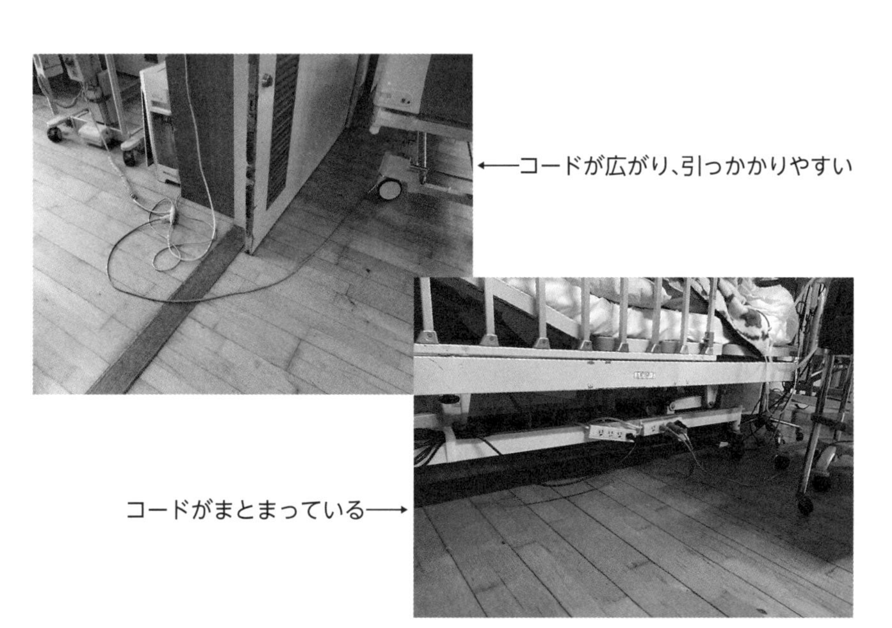

写真5－2　コードやラインをまとめる

⑦　部屋の入り口に段差があり、つまずいて転倒し、手首を捻挫した。
【対策】段差をなくす工事をした。

⑧　冬場、職員通用門の入り口の床が凍結していて、すべって転倒し骨折した。
【対策】職員通用門の入り口の床に、凍結転倒防止用のすべり止めシートを敷いた。

2 転落によるけが

①　倉庫内で脚立に上がって棚の上の物を降ろそうとして、バランスをくずして転落し、足を捻挫した。
【対策】脚立作業は２人でするようにした。棚の上には、重たい物は置かないことにした。

②　紙おむつの入った箱を持って階段を降りていたら、箱が大きかったので足元が見えず、階段を踏みはずして転落し、背中を強打した。
【対策】大きな荷物を持って階段を降りないことにした（図５－15）。

図５－15　安全な階段

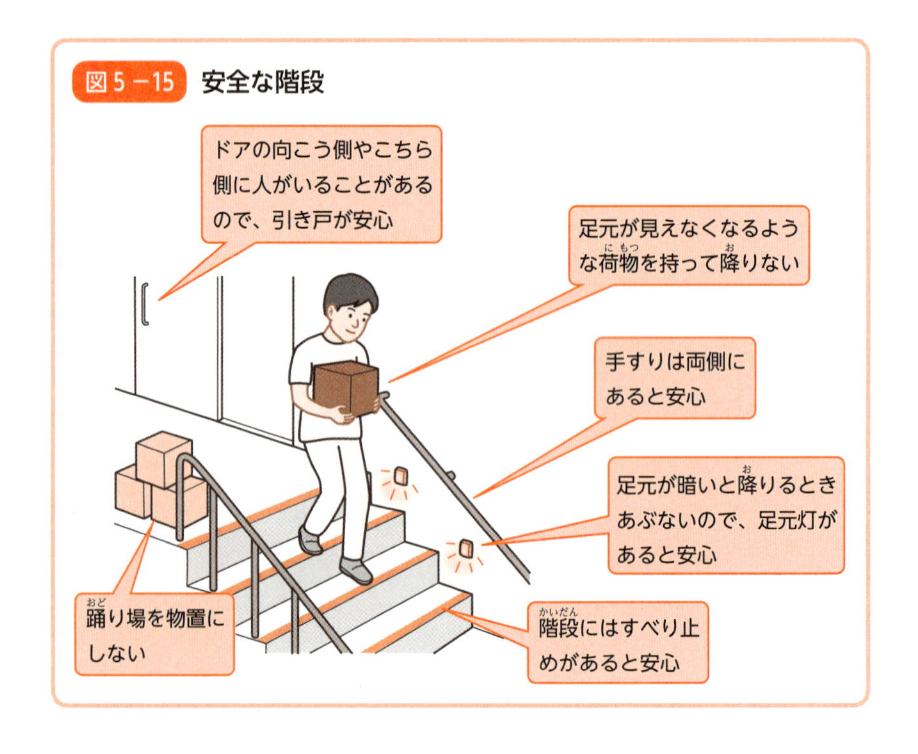

③　深夜勤務の出勤時に、職員の駐車場を歩いていて、側溝にはまり足首を骨折した。
【対策】駐車場から職員通用門までの経路について、定期的な草刈りや側溝の蓋を点検することにした。必要な街灯の追加も行った。

3 激突によるけが

①　倉庫の中に物を取りに行って、中が薄暗かったので、棚から飛び出ていた木枠に気づかず、額をぶつけて出血した。
【対策】倉庫内の照明を明るくし、通路に飛び出るような物は棚に置かないことにした。

②　利用者の手を引いて廊下を歩行していたとき、角を曲がった途端に配膳車とぶつかり、顔や肩を打撲した。
【対策】廊下の曲がり角は見通しが悪いので、カーブミラーをつけて見通しをよくした。配膳車が近づいていることを知らせるために、配膳車は走行中にオルゴールを鳴らすことにした。

③　プレイルームの中に置かれた家具が介護従事者の動きの邪魔になり、よくぶつかってけがをする。
【対策】家具などの下にキャスターをつけ、行事の内容によっては邪魔にならない場所に簡単に移動できるようにした（**写真5－3**）。

写真5－3　家具やテーブルにキャスターがつき、簡単に移動できる

6 労働環境を整備して、けがを予防する

1 事故やけがの発生構造

介護施設で発生したけがの事例を示しましたが、どの施設や職場でも発生しそうな内容だと思います。けがを経験したあとで、予防対策を検討し実施することは当然ですが、けがを未然に防ぐことがより大切です。

そこで、事故でけがが発生する構造を、**図5－16**をもとに考えてみます。

けがは、もう少しでけがをしたかもしれないという、あぶなかった経験（**ヒヤリハット**）を底辺として、上に上がっていくとけがの程度が重くなり、ついには「重大なけが」に達する、ピラミッド型で発生します。頂点に位置する「重大なけが」が1件発生するまでには、29件の「中程度のけが」が発生しており、300件の「ヒヤリハット」を経験しているといわれています。けがや事故を予防するためには、「ヒヤリハット」経験の段階で対策を検討し実施することが大切になります。

また、けがや事故の発生は、「仕事内容や使用する道具の危険性」によるものがあります。そこには、**「物の危険性」**やその仕事を行い道具を使う**「環境の危険性」**、仕事を行う**「人の危険性」**が関係します。たとえば、モップがけをした後の濡れた床で職員がけがをした事例で考えると、「物の危険性」としては、濡れたモップでの床ふきをする危険性や、水をしっかりとはしぼれないモップを使用する危険性が考えられます。「環境の危険性」としては、濡れるとすべりやすくなる床の材質や、床が濡れていてもそこを通らなければ仕事ができない危険性が考えられます。「人の危険性」としては、ふき掃除の後、床が濡れてすべりやすくなることを知りながら何も対策をとらなかった職場の管理者や、床が濡れることを気にしないで床ふき仕事をしていた人、濡れている床の危険性に慣れて「自分はすべらないから大丈夫」と思いこんだ職員の意識があります。

予防対策では、「物の危険性」「環境の危険性」「人の危険性」のそれぞれに対応した対策が重要になります。

図5－16　けがの発生構造

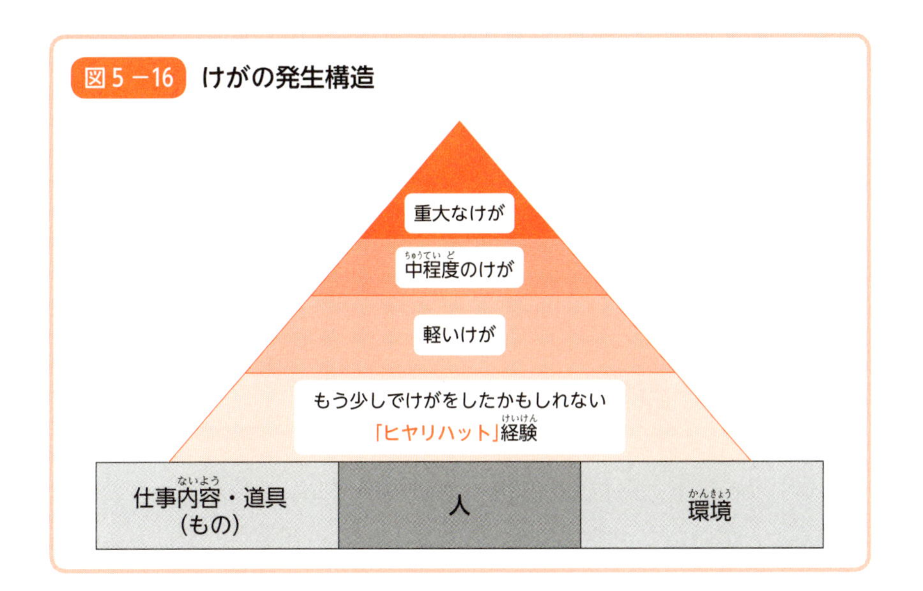

2 「ヒヤリハット」経験に学ぶ

飛行機の安全や工場での事故予防では、従来から「ヒヤリハット」経験に学んで事故を予防しています。医療安全分野でも、「ヒヤリハット」経験をいかした取り組みで実績を上げています。介護の職場でも、利用者の安全性を高める取り組みに「ヒヤリハット」経験を利用しているところがあります。

「ヒヤリハット」経験に学ぶときには、大切なルールがあります。

- 「ヒヤリハット」経験を、「恥ずかしい失敗」の経験としてとらえてはいけません。
- 「ヒヤリハット」経験を報告した人を、責めたりしかったりしてはいけません。
- 「ヒヤリハット」経験は、たまたまその人が経験しただけで、だれでも経験する可能性があったと考えます。

人はだれでも、うっかりしたり、ミスをしたりすることがあります。うっかりしていても、ミスをしても、重大な事故やけがにならない予防策を、「ヒヤリハット」経験から検討し実施することが大切です。「ヒヤリハット」の原因を職員個人のミスとし、職員間で共有せずにすませている職場では、事故もけがも防げません。

「ヒヤリハット」経験を職場で共有するためには、「いつ」「どこで」「だれが」「何をしているときに」「どのような」あぶない（もう少しで、事故やけがが発生しそうだった）経験をしたのかを報告する制度が必要です。どのような状況で仕事をしていたのか（あわてていた、ほかの利用者に注意を向けていた、薄暗かった、など）や、自分が考える原因や対策なども加えて報告する制度になっていると、職場全体の安全に対する意識レベルが上がります。

3 安全点検シート（チェックリスト）で施設を点検する

「ヒヤリハット」経験や発生したけがの事例などを整理すると、危険なポイントが見えてきます。それらをまとめて**「安全点検シート」**を作成し、定期的に職場を点検します。

表5－9に安全点検シート例を示しました。たとえば、床や通路に段差があるとき、それらをすべてなくせればよいのですが、費用などの関係ですぐにはできないといったことがあります。段差の上にマットをかけるなどして、つまずきにくくする対策もあります。「突起物」があってなくせない場合は、はっきり目立つように色をつけたり、マークをつけたりします。こうした対応を、危険物の「見える化」といいます。

また、風呂場の脱衣場で、車いすやストレッチャーが勝手に置かれていて危険な施設がありました。その施設では、脱衣場の床にラインを引いて、車いすやストレッチャーを置いてはいけない場所を「見える化」しました（**写真5－4**）。触ってはいけないもの、危険なものなどを

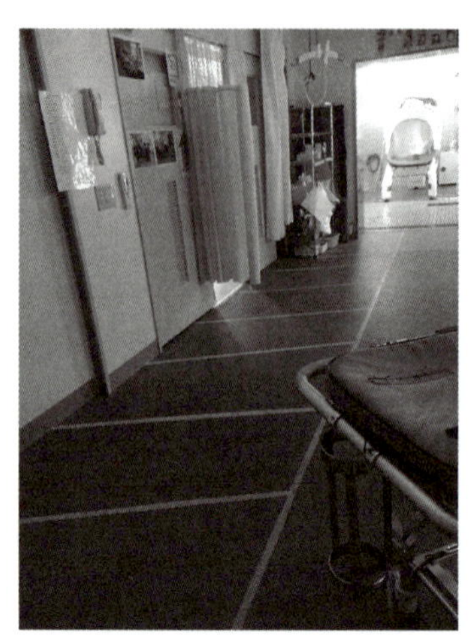

写真5－4　車いすやストレッチャーを置いてはいけない場所をラインで「見える化」した、脱衣場

「見える化」することは、有効な対策になります。

安全点検シート例は、施設の点検を前提にしています。訪問介護であれば、移動中の交通状況や駐車場から利用者宅までの経路、室内の状況についても点検する必要があります。また、季節のことを考えて作成したわけではないので、施設でも訪問介護でも、雪が降ったり凍結したりする地方では、冬場を想定した点検項目が必要です。

表5－9　安全点検シート例

点検項目	チェック	対策
①床、通路面、出入り口に段差や突起物はない	ない・ある	段差の解消、段差の見える化
②床が濡れていたり、濡れやすいところはない	ない・ある	床ふき雑巾を準備する、すべり止めマットを敷く、すべりにくい靴を使用する
③通路、廊下に邪魔な物は置いてない	ない・ある	置き場所の整理、置いてはいけない場所の明示、最低でも片側の壁は伝い歩きができるようにする
④廊下の曲がり角の向こうが見通せる	ない・ある	カーブミラーの設置、曲がり角の近くに物を置かない
⑤ベッドと車いすの間や、車いすと便器の間の移乗介助で無理な姿勢はない	ない・ある	スライディングボード、リフト、立位補助機などの導入、トイレの改装
⑥居室やランチルームなどの動線上に、邪魔な、あるいは危険な家具や柱等はない	ない・ある	家具にキャスターやすべるシートを付け、一時的に移動できるようにする。ぶつかる危険性がある角や柱には、保護材を付ける
⑦ベッド周りのコードやラインに引っかかる危険性はない	ない・ある	コードやラインをまとめて、足元を整理する
⑧階段の、踊り場、手すり、すべり止め、照明が適切に整備されている	ない・ある	階段利用のルールを決める、階段で大きな物を運ばない、図5－15を参照
⑨脚立や梯子を利用した作業はない	ない・ある	2人で作業するなど、ルールを決める
⑩廊下、ステーション、トイレ、居室、倉庫、リネン室、資材室の照明に問題はない	ない・ある	電球や蛍光灯管の交換、照明器具の追加設置
⑪すべての場所で、4Sができている	ない・ある	4Sの責任者を決めて全員で取り組む

4　4S（ヨンエス。整理・整頓・清掃・清潔）な職場づくり

どのような職種でも、職場がきれいに整理され、掃除もしっかりされていれば、気持ちよく働くことができます。そうした職場では、事故やけがが少ないことが知られています。介護福祉関係の職場では、利用者

表5－10　リネン室・資材室・倉庫の4Sポイント

	実施のポイント	効果
整理	・資材等の予備は、必要数を把握し、最適な量を決めて保管する。 ・壊れた器具等は修理するか、廃棄する。 ・不用品は定期的に処分して溜めこまない。 ・置く物、置く場所、置く棚を明示する。	・足りない資材がわかり、無駄がなくなる。 ・新たなスペースができ、広く利用できる。 ・共通のルールで整理できるので、仕事がしやすくなる。
整頓	・よく使う物を身近に置く。 ・重たい物は下方の手前に置く。 ・通路や入口付近に物を置かない。 ・収納してある物が、わかるように表示する。 ・取り出した物を、もとの場所に片づけやすいように表示する。	・物が探しやすい。 ・物にぶつかったりつまずいたりしない。 ・仕事の効率があがる。 ・空間を有効に使える。
清掃	・床面をきれいにする。 ・ほこりを溜めない。 ・照明やパソコンの画面を、定期的にきれいにする。 ・洗面所や脱衣場、トイレなどの床が濡れていないようにする。 ・リネン回収ボックスやゴミ箱などをきれいにする。	・快適な環境で気持ちよく仕事ができる。 ・コンセントに溜まったほこりで起こる火災や漏電を防げる。 ・職場が明るくなり、パソコン作業などでの疲労を軽減できる。 ・転倒事故を防げる。
清潔	・ゴキブリなどを駆除し衛生を保つ。 ・汚物入れには蓋をし、定期的に回収する。 ・衛生面から、保管するもの、一時置きするものを判断する。	・快適な環境で気持ちよく仕事ができる。 ・感染症などの予防に役立つ。 ・利用者やその家族の安心につながる。

が利用する居室内やトイレ、ランチルームなどの整理や清掃はしっかり行われていても、スタッフルームや事務所、人目の届かないリネン室・資材室・倉庫が雑然としていることがよくあります。

4Sが実施されている職場では、気持ちよく効率よく働けるだけでなく、心身のストレスも少なくなり、ミスを減らすことができます。衛生的な職場は、感染症の予防にも役立ちます。**表5－10**にリネン室・資材室・倉庫の4Sポイントを示しました。また、4Sに取り組んでいる施設のトイレと倉庫は、**写真5－5・5－6**のとおりです。

写真5－5　4Sができているトイレ

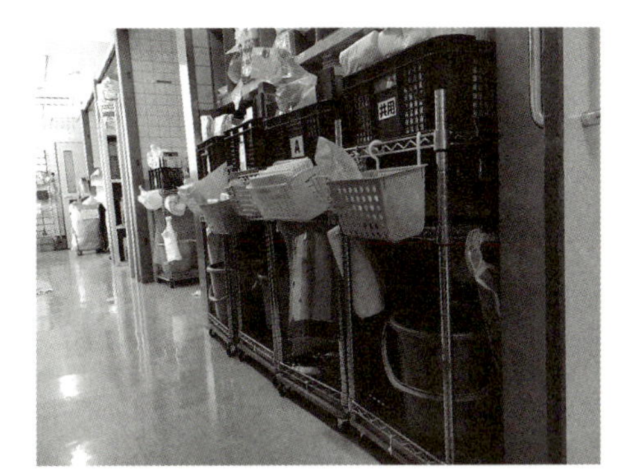

写真5－6　4Sができている水まわり倉庫

◆参考文献

- 垰田和史監『介護・看護職場の安全と健康ガイドブック』中央労働災害防止協会、2015年
- 中央労働災害防止協会『社会福祉施設における安全衛生対策に関する実態調査結果報告書』2016年

索引

欧文

あ

か

さ

な

は

ま

や

ら

わ

『最新 介護福祉士養成講座』編集代表（五十音順）

秋山 昌江（あきやま まさえ）
聖カタリナ大学人間健康福祉学部教授

上原 千寿子（うえはら ちずこ）
元・広島国際大学教授

川井 太加子（かわい たかこ）
桃山学院大学社会学部教授

白井 孝子（しらい たかこ）
東京福祉専門学校副学校長

「4 介護の基本Ⅱ（第2版）」編集委員・執筆者一覧

編集委員（五十音順）

及川 ゆりこ（おいかわ ゆりこ）
公益社団法人日本介護福祉士会会長

川井 太加子（かわい たかこ）
桃山学院大学社会学部教授

杉原 優子（すぎはら ゆうこ）
地域密着型総合ケアセンターきたおおじ施設長

横山 孝子（よこやま たかこ）
熊本学園大学社会福祉学部教授

執筆者（五十音順）

荒木 紀代子（あらき きよこ）……第4章第1節・第2節2
熊本県立大学名誉教授

金津 春江（かなつ はるえ）……第1章第1節1～3
大阪府社会福祉事業団美原第1地域包括支援センターケアマネジャー

小平 めぐみ（こだいら めぐみ）……第4章第4節
国際医療福祉大学大学院医療福祉学研究科准教授

白井 志津子（しらい しづこ）……第4章第2節1・3～7・第3節
地域密着型特別養護老人ホームサンビレッジ高平台施設長、熊本学園大学社会福祉学部非常勤講師

杉原 優子（すぎはら ゆうこ）……第3章第1節
地域密着型総合ケアセンターきたおおじ施設長

砂田 貴彦（すなだ たかひこ）……………………………………………… 第 1 章第 1 節 4・第 2 節〜第 4 節
桃山学院大学社会福祉実習指導室室長補佐

垰田 和史（たおだ かずし）………………………………………………… 第 5 章第 1 節・第 2 節・第 4 節
びわこリハビリテーション専門職大学リハビリテーション学部教授

冨田川 智志（とみたがわ さとし）……………………………………………………………… 第 5 章第 3 節
滋賀医科大学医学部特任助手

西村 優子（にしむら ゆうこ）…………………………………………………………………… 第 3 章第 3 節
社会福祉法人グループリガーレ人材・開発研究センター主任研究員

古川 和稔（ふるかわ かずとし）…………………………………………… 第 2 章第 1 節・第 3 節・第 4 節
東洋大学ライフデザイン学部教授

三好 明夫（みよし あきお）……………………………………………………………………… 第 3 章第 2 節
京都ノートルダム女子大学現代人間学部教授

村橋 功（むらはし いさお）……………………………………………………………………… 第 2 章第 2 節
桃山学院大学社会学部准教授

最新 介護福祉士養成講座 4
介護の基本Ⅱ 第2版

2019年3月31日 初版発行
2022年2月1日 第2版発行

編集 介護福祉士養成講座編集委員会
発行者 荘村 明彦
発行所 中央法規出版株式会社
〒110-0016 東京都台東区台東3-29-1 中央法規ビル
TEL 03-6387-3196
https://www.chuohoki.co.jp/
印刷・製本 サンメッセ株式会社

装幀・本文デザイン 澤田かおり（トシキ・ファーブル）
カバーイラスト のだよしこ
本文イラスト 小牧良次
口絵デザイン 株式会社ジャパンマテリアル

定価はカバーに表示してあります。
ISBN978-4-8058-8393-8

本書の内容に関するご質問については、下記URLから「お問い合わせフォーム」にご入力いただきますようお願いいたします。
https://www.chuohoki.co.jp/contact/